CHAMPION CLASSIQUES
Collection dirigée par Claude Blum
Série «Moyen Âge»
sous la direction de Laurence Harf-Lancner

CLIGÈS

Dans la collection *Champion Classiques*

Série « Moyen Âge »
Éditions bilingues

(Suite en fin de volume)

CHRÉTIEN DE TROYES

CLIGÈS

Édition bilingue
Publication, traduction, présentation
et notes par Laurence Harf-Lancner

CHAMPION CLASSIQUES
HONORÉ CHAMPION
PARIS – 2006

Laurence Harf-Lancner, professeur de littérature française du Moyen Âge à la Sorbonne nouvelle (Paris III), a publié plusieurs études sur le merveilleux dans l'imaginaire médiéval (dont *Les Fées au Moyen Âge* aux Éditions Champion), sur la réception de l'Antiquité au Moyen Âge, les rapports entre texte et image, et diverses éditions et traductions de textes (dont *Le Roman d'Alexandre* de Thomas de Kent, avec C. Gaullier-Bougassas, dans la collection Champion Classiques).

ISBN 2-7453-1413-0   ISSN 1636-9386

A Emmanuèle

INTRODUCTION

Cligès est le plus énigmatique des romans de Chrétien de Troyes. Ce n'est pas un roman d'antiquité, comme les romans d'*Alexandre*, de *Thèbes*, de *Troie*, d'*Enéas* (composés entre 1130 et 1180), car la Grèce qu'il évoque n'est pas la Grèce antique mais la Grèce contemporaine, l'empire chrétien de Byzance. Ce n'est pas un roman arthurien comme *Erec et Enide*, qui le précède, vers 1170, car les deux héros, Alexandre et Cligès, sont grecs et viennent à la cour du roi Arthur pour y éprouver leur valeur, mais ils regagnent ensuite Constantinople. Il n'appartient évidemment pas aux romans de Tristan et Iseut, bien qu'on y retrouve les principaux éléments de la légende. Ce n'est pas non plus un roman oriental comme *Floire et Blanchefleur*, conte anonyme composé vers 1150 et situé en grande partie dans un Orient païen, à Babylone. Chrétien fait évoluer ses deux héros masculins entre Constantinople, leur patrie, et la Bretagne du roi Arthur, d'est en ouest puis d'ouest en est, selon une trajectoire signifiante. Si *Erec*, *Lancelot*, *Yvain*, *Perceval* ont suscité les interprétations les plus contradictoires, les divergences portent sur le sens à donner au récit, sur la *senefiance* qui se cache derrière la subtile architecture des récits. Mais on s'accorde sur leur caractère initiatique, sur l'idée d'une quête qui informe la trame narrative, d'une trajectoire ascendante du héros, qui, au terme d'un parcours ponctué d'essais et d'erreurs, parvient à une certaine forme de perfection chevaleresque. C'est là l'essence d'un mythe littéraire, celui du chevalier errant, qui se met en place précisément dans les romans de Chrétien, qui s'épanouit au XIIIᵉ siècle dans les romans arthuriens en vers et en prose, qui brille de ses derniers feux à l'automne du Moyen Age avant d'être victime d'un jeu parodique dont on trouve la plus brillante illustration dans le *Don Quichotte* de Cervantes. Or c'est une tout autre question qui se pose à propos de *Cligès*. Que faire de ce roman inclassable ? Faut-il lui chercher une autre vocation que celle de déployer toutes les facettes du talent de son auteur, de sa dextérité à évoluer dans toutes les matières, d'est en ouest et vice versa ?

D'EST EN OUEST ET VICE VERSA

Pour évoquer l'ensemble de l'œuvre de Chrétien, on cite toujours les premiers vers de *Cligès*:

> Cil qui fist d'Erec et d'Enide
> Et les comandemanz d'Ovide
> Et l'Art d'amors an romans mist
> Et le Mors de l'espaule fist,
> Del roi Marc et d'Ysalt la blonde
> Et de la hupe et de l'aronde
> Et del rossignol la muance,
> Un novel conte rancomance...

Chrétien dresse ici l'inventaire de ses œuvres, parmi lesquelles on n'a conservé qu'*Erec et Enide*, le premier roman arthurien, que l'on s'accorde à dater d'environ 1170[1]. On a perdu les mises en roman des *Remèdes d'amour* et de l'*Art d'aimer* d'Ovide, comme la légende (tirée des *Métamorphoses* d'Ovide), de Pélops, servi en repas aux dieux et ressuscité, avec une épaule d'ivoire destinée à remplacer l'épaule dévorée par Déméter. On a perdu le roman consacré, curieusement, au roi Marc et à Iseut, comme si Chrétien voulait déplacer le centre de gravité de l'histoire. Mais cette mention prouve l'intérêt que Chrétien portait au mythe des amants de Cornouailles. Quant à la muance du rossignol, on reconnaît la légende de Philomèle, Térée et Procné, dont Ovide conte la métamorphose en rossignol, en huppe et en hirondelle. Un récit français du XIIe siècle, *Philomena*, reprend le texte d'Ovide. Il a été intégré au XIVe siècle dans l'*Ovide moralisé*, une longue translation des *Métamorphoses* d'Ovide, dont l'auteur dit qu'il l'emprunte à un certain Chrétien, mentionnant dans le cours du récit le mystérieux *Crestïens li gois*. Il s'agit peut-être du conte mentionné dans le prologue de *Cligès*[2]. Mais on retire de cette liste peu d'éléments pour dater *Cligès*. La date la plus généralement retenue est celle de 1176, qui a été proposée par Anthime Fourrier à partir d'un rapprochement avec des faits de l'actualité des années 1170-1176[3]. Alis, empereur de Constantinople, a été rapproché de Manuel Comnène, l'empereur d'Allemagne de

---

[1] G. Genette rapproche cette liste de l'incipit peut-être apocryphe de *l'Enéide* dans lequel Virgile rappelle ses œuvres antérieures : *Seuils*, Paris, Seuil, 1987, p. 95.

[2] Voir *Philomena* dans *Pyrame et Thisbé, Narcisse, Philomena*, éd. bilingue E. Baumgartner, Paris, Folio Classique, 2000.

Frédéric Barberousse et le duc de Saxe de Henri le Lion. Alis supplante son frère aîné Alexandre sur le trône. Manuel avait réussi par ses intrigues à monter sur le trône à la place de son frère aîné Isaac, qui dut se contenter du titre de « sebastocrator ». Alis épouse la fille de l'empereur d'Allemagne. Manuel était marié à la belle-sœur de Conrad III et entre 1153 et 1156 avaient eu lieu des négociations, qui n'aboutirent pas, en vue du mariage de Barberousse avec une princesse byzantine. En 1171 Barberousse envisagea une nouvelle alliance entre l'un de ses fils et la fille de Manuel. Alis vient chercher sa fiancée à Cologne. Barberousse reçut les ambassadeurs de Byzance à Cologne. Quant au duc de Saxe qui menace l'empereur d'Allemagne, il devait rappeler aux contemporains de Chrétien Henri le Lion, duc de Saxe, en lutte contre Barberousse, qui séjourna à la cour de Champagne en 1173. En outre le comte Henri de Champagne négociait lui-même vers 1173 un mariage entre la fille de Louis VII, Agnès, et un fils de Barberousse. Toutes ces affaires devaient donc susciter un grand intérêt à la cour de Troyes. Le nom d'Alis peut rappeler celui d'Alexis, nom souvent porté par les empereurs de Constantinople. Quant au nom du héros, on ne l'a jamais élucidé. A. Fourrier l'a rapproché de celui de Kilidj Arslan ou Klidjaslon, sultan seldjoukide d'Iconium (1156-1192), qui battit Manuel à Myriocephalon en 1176. Kilidj négocia un mariage avec la fille de Barberousse, Agnès, et rencontra Henri le Lion.

Parallèlement, la géographie du roman est remarquablement réaliste[4]. On trouve Cologne et Ratisbonne en Allemagne. Quant au royaume d'Arthur, il n'est pas question de Logres mais de l'Angleterre, et de villes comme Southampton, Winchester, Shoreham, Oxford, Wallingford, Londres, Windsor, Canterbury, Douvres.

Comme dans les autres romans de Chrétien (sauf *Yvain*), le prologue donne les clés du récit[5]. D'abord le catalogue des œuvres. On y trouve

---

[3] A. Fourrier, *Le Courant réaliste dans le roman courtois en France au Moyen Age*, Paris, Nizet, 1960, p. 111-178.

[4] A. Fourrier, *op. cit.*; L. Polak, *Chrétien de Troyes, Cligès*, Londres, Grant and Cutler, 1982, p. 12-13.

[5] P.Y. Badel, « Rhétorique et polémique dans les prologues de romans au Moyen Age », *Littérature*, 20, 1975, p. 81-94; M. A. Freeman, « Chrétien's *Cligès*: a close reading of the prologue », *Romanic Review* 67, 1976, p. 89-101; T. Hunt « Chrétien's Prologues Reconsidered », in *Conjunctures: Medieval Studies in Honor of Douglas Kelly*, ed. K. Busby and N. J. Lacy, Amsterdam, 1994, p. 153-68; M.L. Ollier, « L'auteur dans le texte: les prologues de Chrétien de Troyes », ds *La Forme du sens*, Orléans, Paradigme, 2000, p. 111-123.

la matière de Bretagne avec *Erec et Enide*, *Le roi Marc et Iseut la blonde*
(un roman de Tristan qui élude le nom du héros) On y trouve aussi la
matière antique, avec les quatre *Ovidiana*, qui aboutissent à un nouveau
conte dont le héros unira les deux matières par sa double origine,
grecque et bretonne : *un vaslet qui an Grece fu / Del linage le roi Artu* (v.
9-10). D'emblée se trouve aussi annoncé le dédoublement de la narration autour de deux héros, la construction du récit autour de deux biographies, celle du père et celle du fils qui, tous deux, ont effectué le
voyage de l'est vers l'ouest, *de Grece an Engleterre* (v. 16). Les deux
biographies permettent un redoublement du thème structurant du récit,
le va et vient perpétuel entre l'est et l'ouest, entre l'orient et l'occident.
Cligès est en fait la mise en récit du thème de la *translatio imperii et
studii*, du transfert d'est en ouest du pouvoir et du savoir, de la chevalerie et de la clergie. Et Chrétien introduit ce thème aussitôt après la présentation du héros, dont les racines plongent à la fois en Grèce et en Bretagne, et après celle de son père, voyageant en quête de chevalerie de
Grèce en Angleterre. C'est le passage que l'on cite si souvent pour son
énonciation du thème de la *translatio*, mais que l'on ne met pas toujours
assez en rapport avec le récit même :

> Ce nos ont nostre livre apris
> Qu'an Grece ot de chevalerie
> Le premier los et de clergie.
> Puis vint chevalerie a Rome
> Et de la clergie la some,
> Qui or est an France venue. (v. 30-35)

Ces vers sont bien sûr liés à la réflexion qui s'affirme, dans la littérature
en langue vulgaire des XIIᵉ-XIIIᵉ siècles, sur le rapport entre le thème de
la *translatio* et le progrès de l'Histoire. Le temps chrétien est un temps
linéaire orienté en vue d'une fin de l'Histoire humaine, absorbée dans
l'éternité divine. Au XIIᵉ siècle, des clercs comme Hugues de Saint-
Victor ou Othon de Freising associent cette conception de l'Histoire à la
translatio imperii. L'Histoire est née en Orient, elle prendra fin en Occident. Cette *translatio* remonte à Eusèbe et à Orose, qui transposent la
vision des quatre empires de Daniel[6]. Le déplacement temporel coïncide

---

[6] *Daniel* 8, 1-14. D. Kelly, «*Translatio studii*: Translation, Adaptation, and Allegory
in Medieval French Literature», *Philological Quarterly*, 57, 1978, p. 287-310 ; F. Lyons,
« Interprétations critiques au XXᵉ siècle de *Cligès* : la *translatio studii* selon les historiens,
les philosophes et les philologues», *Œuvres et Critiques*, 5, 1980-81, p. 39-44 ; D. Boutet,

ainsi avec un déplacement spatial d'est en ouest, qui marque l'extension géographique du christianisme. On trouve une autre translation dans le mythe de l'origine troyenne des Francs (issus, selon la légende, du Troyen Francion) puis des Bretons (issus d'un autre Troyen, Brutus)[7]. Il s'agit toujours d'établir un lien entre l'est et l'ouest, une progression de l'orient vers l'occident. Et un autre concept, celui de la *translatio studii*, instaure une continuité culturelle du monde grec à l'Occident médiéval[8]. Le prologue de *Cligès* inscrit cette réflexion dans le présent, avec le vœu de conserver en France « l'honneur qui s'y est arrêté ». Le même thème ressurgit dans les *Grandes Chroniques de France*, ce bréviaire de la monarchie française, dans une formulation si proche de celle de Chrétien qu'elle semble une mise en prose des vers de *Cligès* :

> La fontaine de clergie, par qui sainte Eglise est soutenue et enluminee, fleurist a Paris. Et comme aucun veulent dire, clergie et chevalerie sont tousjours si d'un acort que l'une ne peut sans l'autre : tousjours se sont ensemble tenues et encore, Dieu merci, ne se departent eles mie. En trois regions ont habité en divers tens : en Grece regnerent premierement, car en la cité d'Athenes fu jadis li puis de philosophie et en Grece la fleur de chevalerie ; de Grece vinrent puis a Rome ; de Rome sont en France venues : Dieu par sa grace veuille que longuement i soient maintenues ! »[9].

Mais au-delà du topos du transfert du pouvoir et du savoir d'Orient en Occident, la *translatio* s'applique aussi à l'idéal guerrier, à la chevalerie : la transmission de l'idéal chevaleresque de Grèce en Occident est aussi le thème central du roman. Alexandre puis Cligès doivent parfaire leur éducation chevaleresque en Bretagne. Dans *Athis et Prophilias*, composé à la fin du XIIe ou au début du XIIIe siècle, deux héros, deux villes incarnent chacun des deux pôles du récit : à Athènes la clergie, à Rome la chevalerie, et le roman est construit sur cette opposition[10].

Formes littéraires et conscience historique aux origines de la littérature française, Paris, PUF, 1999, chap. 3, l'Histoire entre péché et *renovatio*; id., « De la translatio imperii à la finis saeculi », in *Progrès, réaction, décadence dans l'Occident médiéval*, E. Baumgartner et L. Harf-Lancner éd., Genève, Droz, 2003, p. 37-48.

[7] C. Beaune, *Naissance de la nation France*, Paris, Gallimard, Coll. Folio, 1985.

[8] E. Gilson, *Les Idées et les Lettres*, Paris, Vrin, 1932, p. 171-176.

[9] *Les Grandes Chroniques de France* (cité par P. Walter ds les notes de son édition de *Cligès*, p. 1138).

[10] M.M. Castellani, «*Athis et Prophilias*, histoire de Rome ou histoire d'Athènes », *Entre fiction et histoire, Troie et Rome au Moyen Age*, éd. E. Baumgartner et L. Harf-lancner, Paris, Presses de la Sorbonne nouvelle, 1997, p. 147-161.

Dans *Cligès* il n'est pas question de rivalité : les deux héros doivent faire l'épreuve de leur valeur en Bretagne avant de regagner Constantinople. Le séjour à la cour d'Arthur n'est qu'une étape dans leur parcours, une épreuve qualifiante qui les mène à l'extrémité occidentale du monde. Le transfert d'est en ouest a abouti, au-delà de la France, à l'Angleterre du roi Arthur. Deux siècles plus tard, c'est bien Prouesse, l'idéal chevaleresque, que Froissart fera voyager de la Chaldée à l'Angleterre d'Edouard III, dans les prologues du livre I des Chroniques, en faisant du roi d'Angleterre un avatar du roi Arthur[11].

On peut voir dans cette confrontation de la Bretagne et de la Grèce une opposition et une dépréciation du monde byzantin, replié sur ses richesses et ses intrigues et ne pouvant attendre que de l'Occident la régénération chevaleresque[12]. Alexandre et Cligès seraient des figures idéales de l'Oriental qui veut se plier au modèle occidental, et préfigureraient, en quelque sorte l'orientalisme, c'est à dire l'orient créé par l'occident, tel que Edward Saïd le met en lumière dans la littérature du XIXe siècle[13]. Mais on peut aussi choisir de voir dans le roman une complémentarité des deux pôles, une répartition harmonieuses des fonctions : une prééminence des valeurs guerrières dans le monde occidental et, du côté de Byzance, l'art, la richesse, le savoir sous toutes ses formes. Voilà pourquoi le roi Arthur, si pacifique dans les autre romans de Chrétien, ressemble plus, dans *Cligès*, à celui du *Brut* de Wace : c'est un roi guerrier, qui lève une énorme armée pour châtier le traître Angrés puis pour venir en aide à Alexandre et à Cligès, spoliés par l'empereur Alis ; c'est un seigneur féodal qui fait mettre à mort les vassaux qui l'ont trahi. Le mariage du fils de l'empereur de Constantinople avec la nièce du roi Arthur permet ainsi d'unir l'Orient et l'Occident en la personne de Cligès.

Le prologue relie encore le livre lui-même au thème de la *translatio* au sens de transmission et de traduction, puisqu'il s'appuie sur un

---

[11] Voir L. Harf, « Les prologues des *Chroniques* de Froissart : le triomphe du clerc sur le chevalier », dans *Seuils de l'œuvre dans le texte médiéval*, tome I, éd. E. Baumgartner et L. Harf-Lancner, Paris, Presses de la Sorbonne nouvelle, 2002, p. 147-175.

[12] S. Kinoshita, « The Poetics of *Translatio* : French-Byzantine Relations in Chrétien de Troyes's *Cligés* », *Exemplaria*, 8, 1996, p. 315-54. Cette interprétation est reprise et développée par C. Gaullier-Bougassas, *La Tentation de l'Orient*, Paris, Champion, 2003, p. 70-84.

[13] E. Saïd, *L'Orientalisme, l'Orient créé par l'Occident*, trad. fr. Paris, Seuil 1980.

vieux livre découvert dans la bibliothèque de l'église saint-Pierre de Beauvais :

> De la fu li contes estrez
> Don cest romanz fist Crestïens.
> Li livres est molt ancïens
> Qui tesmoingne l'estoire a voire ;   25
> Por ce fet ele mialz a croire.
> Par les livres que nos avons
> Les fez des ancïens savons
> Et del siegle qui fu jadis. (v. 22-29)

On retrouve ici le topos du manuscrit retrouvé, qui permet à l'auteur de se placer fictivement sous l'autorité d'un texte antérieur pour asseoir son authenticité[14] et aussi, à travers cette mise en abyme, de revendiquer une unité pour un récit composé à partir d'éléments dispersés. Il s'agit enfin, grâce à cette source écrite, de relier le récit aux livres qui permettent de connaître les faits des anciens, c'est-à-dire à la littérature de l'Antiquité gréco-latine, la seule qui permette à un clerc qui écrit en roman de s'appuyer sur l'écrit et non sur le conte que mentionne Chrétien dans le prologue d'*Erec et Enide* (*et tret d'un conte d'avanture/Une molt bele conjointure*)[15]. C'est donc affirmer la prééminence de la clergie, qui appartient d'abord à la Grèce et dont les Occidentaux sont les héritiers. Alexandre et Cligès viendront apprendre la chevalerie en Bretagne mais la clergie est à Constantinople, indissociable des arts et des artifices de l'Orient, incarnés par Jean et Thessala. Mais en même temps le livre, selon le prologue, aurait donné naissance à un conte dont Chrétien a tiré son roman, affirmant ainsi, grâce à cet intermédiaire mystérieux, sa propre indépendance à l'égard de sa pseudo-source écrite.

Dans le cadre des relations troubles qu'entretient *Cligès* avec la matière de Grèce et la matière de Bretagne, il faut s'interroger sur l'influence d'un autre Alexandre, le héros des romans d'Alexandre qui fleurissent au XIIe siècle à partir des années 1130[16]. Chrétien connaissait très vraisemblablement les rédactions latines issues de la biographie

---

[14] E. Baumgartner, « Du manuscrit trouvé au corps retrouvé », dans *Le topos du manuscrit retrouvé*, éd. J. Herman et F. Hallyn, Louvain, Peeters, 1999, p. 1-14.

[15] *Erec et Enide*, éd. M. Roques, Paris, Champion, CFMA, rééd. 1970, v. 13-14.

[16] Le roman porte le titre de *Roman d'Alixandre* dans le manuscrit BNF fr. 1374 (S), au folio 21v.

légendaire du Pseudo-Callisthène (Julius Valerius et son *Epitomè*, l'*Historia de preliis*) et les premières mises en roman (l'*Alexandre* décasyllabique et l'*Alexandre en Orient* de Lambert le Tort)[17]. La scène de l'adoubement et du bain d'Alexandre, dans *Cligès*, en fournit un indice[18]. Le père de Cligès est entouré de douze compagnons qui rappellent les douze pairs du *Roman d'Alexandre*. Il multiplie les dons autour de lui, pratiquant une largesse qui justement est incarnée, au XIIe siècle, par Alexandre le Grand: le prologue du *Conte du Graal* en fait foi, qui rappelle cette vertu du Macédonien, mais pour la déprécier face à la charité chrétienne pratiquée par le comte de Flandre. Mais les conquêtes d'Alexandre le Grand s'étendent de la Grèce vers l'Asie, d'ouest en est, contrairement au modèle de la *translatio imperii*. Le père de Cligès voyagera donc d'est en ouest selon le scénario canonique; un scénario si puissant dans l'imagination des clercs du Moyen Age qu'ils finiront par imposer aussi à Alexandre le Grand la conquête de l'ouest[19]. Dans le *Roman de Perceforest*, au XIVe siècle, c'est le Macédonien luimême qui vient en Grande Bretagne, pour y apporter la chevalerie. Et dans le roman de Chrétien les parcours parallèles d'Alexandre et de Cligès répètent le thème dans un constant jeu d'échos et de variations. Au dialogue entre Alexandre et son père (v. 86-168) répondent la recommandation d'Alexandre mourant à son fils Cligès:

> « Biax filz Cligés, ja ne savras
> Conuistre conbien tu vaudras
> De proesce ne de vertu,
> Se a la cort le roi Artu
> Ne te vas esprover einçois
> Et as Bretons et as Einglois (v. 2587-2592),

et surtout la scène qui oppose Cligès à son oncle Alis:

> Qu'an Bretaigne sont li prodome
> Qu'ennors et proesce renome.

---

[17] Cf. C. Gaullier-Bougassas, *Les Romans d'Alexandre*, Paris, Champion, 2003, et « L'altérité de l'Alexandre du *Roman d'Alexandre* et, en contrepoint, l'intégration à l'univers arthurien de l'Alexandre de *Cligès*», *Cahiers de recherches médiévales* 4, 1997, p. 143-149.

[18] F. Lyons, « The Chivalric Bath in the *Roman d'Alexandre* and in Chretien's *Cligès* », *Mélanges Teruo Sato*, Nagoya, 1973, I, p. 85-90.

[19] C. Gaullier-Bougassas, « Alexandre le Grand et la conquête de l'ouest, *Romania* 118, 2000, p. 83ss et 394 ss.

> Et qui enor vialt gueaignier
> A ces se doit aconpaignier:
> Enor i a et si gueaigne
> Qui a prodome s'aconpaingne. (v. 4239-4244)

Cligès n'est nullement le seul roman bicéphale de Chrétien. *Lancelot* et *Perceval* reproduiront le modèle du récit à deux héros, dont on entrelace les aventures. Mais c'est le seul à étendre la narration sur la durée de toute une vie, ou plutôt de deux vies, puisqu'il met bout à bout deux biographies. *Lancelot* se concentre sur une aventure, celle de l'enlèvement de la reine et des épreuves qui permettent au héros de la délivrer en acceptant de devenir le chevalier de la charrette. *Erec* et *Yvain* content l'initiation amoureuse d'un héros qui est déjà un parangon de chevalerie, *Perceval* la découverte de la chevalerie par un jeune *nice* destiné à surpasser tous les autres chevaliers. Avec *Cligès* on passe du «schéma du roman épisodique» au «modèle biographique du roman byzantin et/ou antique»[20] L'unité de cette structure bipartite tient à l'alternance, tout au long du récit, de deux lieux (Constantinople et la Bretagne), entre lesquels les deux héros vont et viennent successivement, selon le schéma suivant: Constantinople (v. 45-269) - Bretagne (v. 270-2366) – Constantinople (v. 2367-2613) – Allemagne (v. 2614-4197) Bretagne (v. 4198-5094) – Constantinople (v. 5095-6655) – Bretagne (v. 6656-6731) – Constantinople (v. 6732-6768). Seule la parenthèse allemande vient rompre ce jeu de va et vient qui commence à Constantinople et se termine à Constantinople. On aurait, selon Friedrich Wolfzettel, un roman d'abord arthurien (avec quelques touches byzantines), puis un roman byzantin avec un zeste de matière de Bretagne, une première partie surtout arthurienne, linéaire, et une deuxième partie orientale, exubérante.

D'une partie à l'autre en tout cas, les jeux d'écho sont constants. Alexandre décide de prouver sa valeur à la cour d'Arthur et convainc difficilement son père de le laisser partir. Cligès doit lui aussi arracher son consentement à Alis. Tous deux séjournent en Angleterre et se voient salués comme des chevaliers exceptionnels. Le père et le fils usent de la même ruse contre leur ennemi. Alexandre et ses compagnons revêtent les armes de chevaliers morts pour pénétrer dans le

---

[20] F. Wolfzettel, «*Cligès*, roman "épiphanique"», in *Mélanges Philippe Ménard*, Paris, Champion, 1998, p. 1489-1507 (p. 1489).

château du comte Angrés. Cligès tue un chevalier saxon qui a promis au
duc de lui apporter la tête du meurtrier de son neveu et, la tête du mort
fichée à la pointe de sa lance, revêt le heaume et l'écu du Saxon et
enfourche son cheval, suscitant le deuil chez les Grecs et pénétrant par
surprise dans les lignes ennemies. Tandis qu'ils se livrent à ce stratagème, le père et le fils sont crus morts par les leurs. Alexandre, lésé par
son frère, reçoit d'Arthur une aide militaire pour lutter contre Alis.
Cligès, réfugié avec Fénice à la cour d'Arthur, s'apprête lui aussi à attaquer Alis avec une armée bretonne quand il reçoit la nouvelle de la mort
de son oncle. Aux monologues amoureux d'Alexandre et de Soredamor
font écho ceux de Fénice. On trouve aussi un jeu de reprise sur le motif
central du roman, le serment prêté par Alis à son frère et transgressé, qui
devient un véritable leit-motiv[21]. Il y a bien un souci constant de relier
les deux biographies pour faire de Cligès le digne héritier de son père,
pour lui faire incarner, à la fois par sa naissance et par sa conduite,
l'union harmonieuse de l'Orient et de l'Occident, de la clergie et de la
chevalerie.

UN SIMILI-TRISTAN

Le parallélisme entre l'histoire de Cligès et de Fénice et celle de
Tristan et Iseut est évident et les correspondances multiples à la fois
avec la version de Béroul et celle de Thomas[22]. L'analogie est si
accusée, soulignée de façon si explicite et si provocante que se pose
immanquablement la question du sens que prend le mythe de Tristan

---

[21] v. 2557-2564, 2614-2628, 2672-2674, 2678-2680, 2958-2959, 3155-3158, 3164-
3169, 6555-6563.

[22] Parmi de nombreuses analyses, voir A. G. Van Hamel, «Cligès et Tristan»,
Romania 33, 1904, p. 465-489; A. Micha, «Tristan et Cligès», *Neophilologus* 36, 1952,
p. 1-10, repris dans *Mélanges A. Micha*, Genève, Droz, 1976, p. 63-72; M. A. Freeman,
'Transpositions structurelles et intertextualité: le *Cligès* de Chrétien', *Littérature*, 41
(1981), p. 50-61, et tout particulièrement, de J.T. Grimbert, «Chrétien, the Troubadours,
and the Tristan Legend: The Rhetoric of Passionate Love», *Mélanges Peter F. Dem-
bowski*, ed. J.T. Grimbert et C. J. Chase, Princeton, 2001, p. 237-50; «On Fenice's Vain
Attempts to Revise a Romantic Archetype and on Chrétien de Troyes's Fabled Hostility to
the Tristan Legend», *Reassessing the Heroine in Medieval French Literature*, ed. K. M.
Krause, Gainesville, 2001, p. 87-106; et tout récemment «*Cligés* and the Chansons: a
Slave to Love», *A Companion to Chrétien de Troyes*, ed. N. J. Lacy et J. T. Grimbert,
Boydell and Brewer, 2005, p. 120-136.

dans le roman : anti-Tristan ? néo-Tristan[23] ? plutôt un simili-Tristan, qui n'est autre qu'un des éléments du trompe l'œil que constitue le roman dans son ensemble.

D'abord il y a les rapprochements explicites, répétés, longuement développés avec les amants de Cornouailles. Chrétien consacre un portrait à Cligès (et non à Fénice), tel qu'il apparaît à Fénice lors de leur première rencontre. Deux comparaisons dans ce portrait, reprenant les deux matières (antique et bretonne) du catalogue des œuvres : avec Narcisse et Tristan, toutes deux à l'avantage du héros. Cligès l'emporte en beauté et en sagesse sur Narcisse (v. 2748-2756). Il est plus habile que Tristan, le héros chasseur, «en escrime et à l'arc, au dressage des oiseaux et des chiens» (v. 2771-2773).

Dès que Fénice avoue à Thessala son amour pour Cligès, elle repousse avec véhémence l'exemple d'Iseut, assimilé à la pratique du ménage à trois :

Mialz voldroie estre desmanbree
Que de nos.II. fust remanbree
L'amors d'Ysolt et de Tristan,
Don mainte folie dit an
Et honte en est a reconter. (v. 3127-3131)

Dans la scène du mariage de Tristan, Thomas construisait, à partir du jeu d'opposition entre le cœur et le corps, une subtile comparaison des souffrances respectives de Tristan, d'Iseut, du roi Marc et d'Iseut aux Blanches Mains, pour mieux étayer l'identification entre amour et malheur, entre l'amour et la mort[24]. Fénice récuse la dialectique du cœur et du corps : *Qui a le cuer, cil a le cors !* (v. 3145) Cligès et Fénice possèdent chacun le cœur de l'être aimé et doivent disposer de son corps. Quant à Alis, il n'a ni le cœur ni le corps de sa femme. Il joue le même rôle de fantoche dans les deux parties du récit, disposant officiellement et de la couronne et de son épouse, alors que la réalité du pouvoir et de l'amour échoit à Alexandre et à Cligès.

La comparaison ressurgit, pour être à nouveau rejetée, quand les deux héros s'avouent leur amour et que Fénice révèle à Cligès qu'elle lui est restée fidèle grâce à l'art de Thessala :

[23] J. Frappier, *Chrétien de Troyes*, Paris, Hatier, rééd. 1968, p. 104-121.

[24] Thomas, *Le Roman de Tristan*, éd. E. Baumgartner et I. Short, Paris, Champion Classiques, 2003, p. 114, v. 1165-1277.

> Se je vos aim et vos m'amez,
> Ja n'en seroiz Tristanz clamez
> Ne je n'an serai ja Yseuz,
> Car puis ne seroit l'amors preuz
> Qu'il i avroit blasme ne vice. (v. 5243-5247)

Enfin quand Cligès propose à Fenice la fuite en Bretagne (préfiguration du choix des amants dans le *Tristan* en prose, au début du XIIIᵉ siècle), il s'attire une réaction indignée :

> Ja avoec vos ensi n'irai,
> Car lors seroit par tot le monde
> Ausi come d'Ysolt la Blonde
> Et de Tristant de nos parlé.(…)
> De vostre oncle qui crerroit dons
> Que je si li fusse an pardons
> Pucele estorse et eschapee ? (v. 5294-5305)

La justification de la conduite de Fénice réside dans cette virginité qui annule son mariage avec Alis : elle n'a pas été mariée à Alis et n'a donc pas commis l'adultère. C'est toujours Fénice (et non Cligès) qui condamne Tristan et Iseut, au nom d'une morale qui lui fera pourtant adopter sans état d'âme les deux breuvages magiques de Thessala.

Outre les rapprochements explicites, on constate que la seconde partie du roman est calquée sur le scénario de la légende de Tristan et Iseut[25]. L'histoire du héros est précédée de celle de ses parents. Alexandre, venu à la cour du roi Arthur, s'éprend de la nièce du roi et l'épouse, comme Rivalen de Léonois, qui épouse la sœur du roi Marc, Blanchefleur. Dans les deux récits, l'oncle du héros est persuadé par ses conseillers de prendre femme. Alis, comme Marc, est faible devant ses barons. Marc s'engage à épouser la belle aux cheveux d'or, à qui appartient le cheveu apporté par une hirondelle. Ce cheveu d'or ressurgit dans *Cligès*, mais associé à Alexandre, sur la chemise brodée par Soredamor. Cligès se bat pour gagner à son oncle sa fiancée, comme Tristan. Le philtre d'amour qui enchaîne les amants l'un à l'autre durant trois ans chez Béroul, pour la vie chez Thomas, est dédoublé dans le roman de Chrétien. Thessala concocte deux potions magiques. Elle confie la première à Cligès lui-même le jour des noces, en lui recommandant de bien veiller à ce que nul autre que l'empereur n'en boive (v. 3269-3270) et,

---

[25] L. Polak, *Chrétien de Troyes, Cligès, op. cit.*, p. 50-69, « Cligès et Tristan ».

contrairement à la légende de Tristan, il n'y a pas d'erreur sur le desti-
nataire du philtre. Fénice peut ainsi échapper à Alis, qui ne possèdera
jamais sa femme qu'en rêve. La seconde plonge Fénice dans un
sommeil de mort et lui permet de rejoindre son amant, renaissant, après
sa fausse mort, comme le phénix dont elle porte le nom.

Le philtre que boit Alis le plonge dans une sorte d'ivresse dont il ne
sera jamais libéré, comme le souligne le jeu des rimes :

> Par nuit sera en dormant ivres
> Ne ja mes n'an sera delivres (v. 3305-3306).

On retrouve ce jeu de rimes dans la *Folie Tristan* d'Oxford, un récit
court dans lequel Tristan se déguise en fou pour s'introduire à la cour de
Marc et essaie de se faire reconnaître d'Iseut, Iseut accuse le fou d'être
ivre et celui-ci répond en faisant allusion au philtre et en identifiant son
ivresse à son mal d'amour :

> Veirs est, d'itel baivre sui ivre
> dunt je ne quid estre delivre[26] !

On retrouve aussi la scène de la forêt du Morois, au cours de laquelle le
roi Marc surprend les amants endormis, vêtus, une épée entre leurs deux
corps, et choisit de les croire innocents[27]. Là encore le motif est inversé.
Cligès et Fénice sont endormis, nus, enlacés, dans le verger, quand ils
sont surpris par Bertrand ; Cligès a laissé son épée devant lui et s'en
saisit pour frapper Bertrand[28].

Quand Jean révèle cruellement à Alis l'illusion dans laquelle il a
vécu tout le temps de son union avec Fénice, sous l'effet du philtre de
Thessala,

> Par un boivre que vos beüstes
> Engigniez et deceüz fustes. (v. 6596-6597),

Chrétien semble renvoyer au texte de Béroul :

> Il ne m'aime pas, ne je lui,
> Fors par un herbé dont je bui
> Et il en but…[29]

---

[26] *La Folie d'Oxford*, in Thomas, *Tristan*, éd. cit., p. 380, v. 461-462.

[27] Béroul, *Le Roman de Tristan*, éd. E. Muret, Paris, Champion, CFMA, rééd. 1965,
v. 1995-2013.

[28] *Cligès*, v. 6432-6462.

[29] Béroul, *Tristan*, v. 1413-1415.

Quand la reine constate le malaise dont souffrent Alexandre et Soredamor sur le navire qui les conduit en Bretagne, elle l'attribue à tort à la mer
et ne comprend pas encore qu'il s'agit d'un mal amer, le mal d'aimer :

> Mes la mers l'angingne et deçoit
> Si qu'an la mer l'amor ne voit :
> An la mer sont et d'amer vient
> Et s'est amers li max ques tient.
> Et de ces trois ne set blasmer
> La reïne fors que la mer. (v. 549-555)

Ces vers sonnent en écho à un fragment du roman de Thomas découvert
récemment à Carlisle, qui renferme le même jeu de paronomase par
lequel Thomas dévoile l'essence même du mythe de Tristan :

> Mes ele l'ad si forsveé
> Par « l'amer » que ele ad tant changee
> Que ne set si cele dolur
> Ad de la mer ou de l'amur,
> Ou s'ele dit « amer » de « la mer »
> Ou pur « l'amur » dïet « amer »[30].

Plus tard Thessala expliquera à Fénice la nature de son mal :

> Est certainne chose qu'ele ainme,
> Car tuit autre mal sont amer
> Fors seulemant celui d'amer. (v. 3082-3084)

Faut-il pour autant chercher dans *Cligès* une réflexion sur l'amour,
une version revue et corrigée de la légende de Tristan et Iseut ? Cette
lecture « courtoise » du roman, selon laquelle Chrétien remanierait la
légende subversive de Tristan pour la plier aux lois de la *fin'amor*, de
l'amour parfait selon les troubadours, s'appuie sur les deux chansons
courtoises de Chrétien. Jean Frappier rapprochait *Cligès* de l'une des
deux chansons dans lesquelles le poète oppose la *fin amor* qui l'anime
au poison d'amour bu par Tristan : *D'Amors, qui m'a tolu a moi.*

> Onques du buvrage ne bui
> Dont Tristan fu enpoisonnez ;
> Mes plus me fet amer que lui
> Fins cuers et bone volentez.
> Bien en doit estre miens li grez,

---

[30] Thomas, *Tristan*, v. 47-52, p. 44.

Qu'ainz de riens efforciez n'en fui,
Fors que tant que mes eus en crui,
Par cui sui en la voie entrez
Donc ja n'istrai n'ainc n'en recrui[31].

Mais comme le montre Joan Grimbert, dans cette chanson l'amant poète, loin de s'opposer à Tristan, se dit en fait soumis par le seul pouvoir des yeux de sa dame, plus fort que celui du philtre[32].

De même le curieux *Roman de la Poire* (vers le milieu du XIIIe siècle), qui, malgré son titre de roman et l'influence du *Roman de la Rose* de Guillaume de Lorris, se situe dans le champ de la lyrique, rapproche Cligès et Tristan comme modèle de parfaits amants. Il juxtapose une série de figures emblématiques : Cligès et Fenice, Tristan et Yseut, Pyrame et Thisbé, Pâris et Hélène[33]. Ces couples ont une valeur exemplaire. Pour Cligès et Fénice, l'épisode choisi est celui de la fausse mort et des tortures endurées par l'héroïne. Deux médaillons montrent Cligès et Fenice côte à côte puis la torture infligée à Fenice, à laquelle on verse du plomb dans les mains. Des quatre couples évoqués, ce sont les seuls amants heureux, alors que les trois autres connaissent une fin tragique.

Depuis l'étude de Peter Haidu sur la distance esthétique dans les romans de Chrétien de Troyes, on se méfie des protestations passionnées de Fénice sur l'immoralité de Tristan et Iseut[34]. Les potions de Thessala donnent lieu à un savant jeu d'inversion et de déconstruction du mythe de Tristan. Le philtre bu par Alis devient le garant de la virginité de l'héroïne. Le breuvage d'amour et de mort de Tristan et Iseut apporte à Fénice une fausse mort qui lui permet de renaître à la vraie vie de l'amour. L'inversion systématique oriente la lecture que fait Chrétien du mythe de Tristan du côté de la parodie. Pourquoi, d'ailleurs, dans le catalogue des œuvres qui ouvre le prologue, ce titre : *Du roi Marc et*

---

[31] *Cligès*, éd. Collet-Méla, p. 460. J. Frappier, « Vues sur les conceptions courtoises dans les littératures d'oc et d'oïl au XIIe siècle », *Cahiers de civilisation médiévale*, 2, 1959, p. 135-156.

[32] J. Grimbert, « *Cligès* and the Chansons », p. 125-126.

[33] Tibaut, *Le Roman de la poire*, éd. C. Marchello-Nizia, Paris, SATF, 1984, p. XIX et v. 61-80.

[34] P. Haidu, *Aesthetic Distance in Chrétien de Troyes : Irony and Comedy in* Cligés *and* Perceval, Genève, Droz, 1968 ; « Au début du roman, l'ironie », *Poétique*, 36, 1978, p. 443-466.

d'Iseut la Blonde? Par référence à un récit qui braquerait le projecteur
sur le couple marié plutôt que sur le couple des amants? C'est peu pro-
bable. Peut-être pour affirmer la supériorité de Cligès sur Tristan (qui ne
sera comparé qu'à son désavantage à Cligès) et surtout le bon plaisir
d'un auteur qui choisit de jongler avec tous les récits connus par son
public en suscitant un sentiment mêlé de familiarité et d'étrangeté.

« UN MAITRE D'ŒUVRE
QUI TAILLE ET SCULPTE A MERVEILLE »

Quand Cligès et Fénice décident d'échapper au monde pour vivre
leur amour, Fénice propose d'avoir recours aux bons offices de
Thessala, qui a déjà mis à leur service sa maîtrise (supérieure à celle de
Médée) des « charmes et des sortilèges » (v. 2992), maîtrise qu'elle doit
à son origine thessalienne. Chrétien introduit alors (par la bouche de
Cligès) le double masculin de la magicienne: Jean, « un mestre (…) qui
mervoilles taille et deboise » (v. 5362-5363), personnage emblématique
dans lequel on peut voir le double de l'écrivain, tout comme ses talents
peu communs seraient à l'image des pouvoirs quasi-magiques de la
création littéraire.

Un travail de marqueterie

Pour évoquer l'étonnant assemblage mis en place dans *Cligès*, la
juxtaposition d'éléments issus de toutes les sources et ressources du
récit au XIIᵉ siècle, on peut choisir la métaphore de la mosaïque, pour
rester dans le registre grec, ou encore celle de la marqueterie. En ce XIIᵉ
siècle, « siècle d'Ovide », on peut difficilement éviter le modèle ovidien
pour évoquer Amour et toute la panoplie mise à sa disposition pour
torturer les amants. Chrétien ne s'en prive pas. N'a-t-il pas traduit les
Commandements d'Ovide (sans doute les *Remedia amoris*) et *L'Art
d'aimer* (v. 2-3)[35]? La peinture des affres de l'amour exploite toute la
rhétorique mise à la disposition d'un clerc par la littérature antique et la
poésie du XIIᵉ siècle. Il la connaît d'autant mieux qu'il a composé des
chansons courtoises, que l'on peut rapprocher des monologues amou-

---

[35] F.E. Guyer, 'The Influence of Ovid on Crestien de Troyes', *Romanic Review*, 12, 1921, p. 97-134, 216-47.

reux du roman[36]. La peinture ovidienne des souffrances de l'amour s'y marie, comme dans la poésie des troubadours et des trouvères, à une dévotion éperdue vouée à Amour et à l'être aimé, à la jouissance de souffrir par et pour l'amour.

Mais on est aussi frappé, dans ces longs monologues passionnés des héros, par la dramatisation du monologue introspectif, qui aboutit à un véritable dédoublement du moi, à une joute verbale, sous forme de dialogue, entre la raison et l'amour, entre le *je* révolté et le *je* exalté par la cruauté de l'amour. On trouve déjà ces longs monologues du héros amoureux dans *Le Roman d'Enéas*, composé vers 1160, et dont l'influence est évidente dans *Cligès*[37]. La sophistication et la préciosité de ces monologues d'Alexandre, de Soredamors et de Fénice (curieusement seul Cligès y échappe) traduisent la volonté d'affirmer une parfaite maîtrise de toute la rhétorique amoureuse en honneur dans la littérature du temps. Cette poésie était à l'honneur à la cour de la comtesse Marie de Champagne, ainsi qu'une certaine casuistique courtoise : André le Chapelain rapporte, vers 1180, dans son traité *De amore*, plusieurs jugements de la comtesse sur des cas délicats[38]. L'histoire de Fénice constitue un cas comparable à ceux qui étaient discutés à la cour de Troyes, à un moment, précisément, où le mariage était ritualisé et devenait un sacrement. Fénice peut-elle être accusée d'adultère alors qu'elle s'unit à l'homme qu'elle a choisi, que son mariage n'a jamais été consommé, donc qu'elle n'a jamais été véritablement mariée à Alis[39] ?

Chrétien connaît bien le *Roman d'Enéas*, mais aussi toute la littérature narrative de son temps, qu'elle ressortisse de la matière antique ou de la matière de Bretagne. Alexandre est doté de douze compagnons, qui rappellent les douze pairs qui entourent le héros du *Roman d'Alexandre*, et qui renvoient eux-mêmes aux douze pairs de

---

[36] Cf. les trois articles de J.T. Grimbert cités *supra*.

[37] A. Micha, «Enéas et Cligés», in *Mélanges Ernest Hoepffner,* Paris, 1949, p. 237-43 ; L. Polak, *op. cit..* Voir par exemple *Cligès*, v. 475ss, 897ss et *Le Roman d'Enéas*, éd. Salverda de Grave, Paris, Champion, CFMA, 1968, v. 7919-28, 8073-7, 8400, 8453, 8925ss sur les souffrances d'amour, 9846-9914 sur les monologues dialogués.

[38] André le Chapelain, *Traité de l'amour courtois*, trad. C. Buridant, Paris, Klincksieck, 1974.

[39] D. J. Shirt, «*Cligès*, A Twelfth-Century Matrimonial Case-Book ?», *Forum for Modern Language Studies*, 18, 1982, p. 75-89.

Charlemagne[40]. La rivalité d'Alexandre et d'Alis et la guerre qui menace rappellent le conflit d'Etéocle et de Polynice, dont les barons de Constantinople rappellent l'issue tragique pour convaincre l'empereur de faire la paix avec son frère :

> Tuit li dïent qu'il li soveingne
> De la guerre Polinicés
> Que il prist contre Ecïoclés,
> Qui estoit ses freres germains,
> Si s'antr'ocistrent a lor mains. (v. 2520-2524)

Chrétien connaissait bien sûr la *Thébaïde* de Stace mais peut-être aussi le *Roman de Thèbes*, composé vers 1150.

On retrouve aussi dans *Cligès*, comme dans *Erec et Enide*, le personnel du roman arthurien : le roi Arthur et la reine (qui n'est pas nommée), Gauvain, neveu d'Arthur, et plusieurs chevaliers : Sagremor le Desreé, Lancelot, Perceval le Gallois. La trahison du comte Angrés pendant le séjour d'Arthur en Bretagne est calquée sur celle de Mordret, neveu du roi, dans le texte fondateur du mythe arthurien, l'*Historia regum Britanniae* de Geoffroi de Monmouth (1138), et sa mise en roman, le *Roman de Brut* de Wace (1155)[41].

Il y a à l'évidence un effet de discordance, dans la deuxième partie du roman, entre la préciosité des monologues de Fénice, des dialogues des amants, et le récit lui-même, placé sous le signe de la ruse et de la tromperie féminines, dans la meilleure veine du fabliau. On a d'ailleurs rapproché la scène au cours de laquelle les amants sont surpris, nus, sous un poirier, de l'histoire du poirier enchanté, peut-être d'origine orientale[42]. Dans un texte latin du XIIe siècle, la *Comoedia Lydiae*, Lydia trompe son mari sous un poirier. Feignant la maladie, elle se fait transporter sous un poirier prétendument enchanté. Le mari trompé attribuera le spectacle des ébats de sa femme avec son amant, sous le poirier, à l'illusion d'optique produite par l'arbre magique.

---

[40] Voir Alexandre de Paris, *Le Roman d'Alexandre*, éd. L. Harf-Lancner, Paris, Livre de poche, 1994, branche I, v. 669-695.

[41] Geoffroi de Monmouth, *Histoire des rois de Bretagne,* trad. L. Mathey, Paris, Belles Lettres, p. 254 ; Wace, *La geste du roi Arthur*, trad. E. Baumgartner, Paris, UGE, 1993, v. 4173 ss, p. 244.

[42] L. Polak, « Cligès, Fénice et l'arbre d'amour », *Romania* 93, 1972, p. 304-316.

Le bazar oriental

La formule qui définit le mieux l'originalité de *Cligès* est celle d'Emmanuèle Baumgartner, « le bazar oriental »[43], car elle résume en deux mots la volonté de rassembler des fils disparates et de créer une tapisserie chamarrée aux couleurs de l'Orient fantasmatique des Occidentaux du XIIe siècle. Chrétien ne se contente pas de glaner dans toutes les formes littéraires de son temps ; il s'essaie à une sorte de pot-pourri oriental.

On trouve d'abord une sorcière thessalienne. Déjà le héros de *L'Ane d'or* d'Apulée, Lucius, est victime, en Thessalie, d'une magicienne qui le métamorphose en âne. Saint Augustin évoque aussi certaines aubergistes de Thessalie qui ont la commode habitude de métamorphoser leurs hôtes en bêtes de somme, le temps de leur faire porter quelques charges[44]. Thessala est heureusement du côté du Bien, c'est à dire des héros. Son portrait est toutefois assez inquiétant car le vocabulaire employé dans l'évocation de ses talents est celui de la magie noire :

> Sa mestre avoit non Thessala,
> Qui l'avoit norrie en anfance,
> Si savoit molt de nigromance.
> Por ce fu Thessala clamee
> Qu'ele fu de Tessalle nee,
> Ou sont feites les deablies,
> Ansegniees et establies ;
> Les fames qui el païs sont
> Et charmes et charaies font. (v. 2984-2992)

Cette science, qui lui permet de guérir les maladies du corps et de l'âme par ses potions, ne sépare pas la médecine de la magie :

> Tant sai d'orines et de pous
> Que ja mar avroiz autre mire.
> Et sai, se je l'osoie dire,
> D'anchantemanz et de charaies
> Bien esprovees et veraies
> Plus c'onques Medea n'an sot. (v. 3008-3013)

---

[43] E. Baumgartner, *Le récit médiéval*, Paris, Hachette, p. 54.

[44] *La Cité de Dieu*, Bibl. Augustinienne, texte de la 4e édition de B. Dombart et A. Kalb, trad. de G. Combès, Bruges, Desclée de Brouwer, 1960, XVIII 18. Cf. L. Harf, « La métamorphose illusoire : des théories chrétiennes de la métamorphose aux images médiévales du loup-garou », *Annales (Economies Sociétés Civilisations)*, 1985, 1, p. 208-226.

Elle saura, par ses potions, frapper un homme d'impuissance tout en lui envoyant des songes érotiques, et provoquer une sorte de catalepsie qui fera croire à la mort de Fénice. Thessala pratique, comme les médecins du Moyen Age, l'analyse des urines, ce qui lui permettra de duper ses confrères quand, dans une scène d'humour macabre, elle réussit à leur montrer l'urine d'une malade condamnée à mourir dans la journée. A la fin du roman, quand la ruse est éventée, Thessala use d'une autre sorte de magie pour permettre aux amants d'échapper à la vindicte du mari trompé. Elle rassure Cligès et Fénice en leur promettant de les rendre invisibles à leurs poursuivants. Elle leur procure également, au cours de leur fuite, tout ce qu'ils peuvent désirer.

Quant à Jean, son ingéniosité touche au fantastique. La porte invisible dans le mur, qui mène au logis caché sous la tour, dissimulera les amants aux yeux de leurs ennemis, comme la magie de Thessala lors de la fuite. C'est lui aussi qui, chargé de la sépulture de Fénice, aménage le tombeau de façon à y préserver la vie de la fausse morte. Comme Thessala, il est à la frontière fluctuante de l'illusion et de la réalité.

Dans le scénario de la seconde partie du roman, on a reconnu une version revue et corrigée du conte de la femme de Salomon ou de la fausse morte. On trouve dans la littérature narrative médiévale plusieurs allusions à la ruse de la femme de Salomon, qui se fait passer pour morte pour échapper à son époux et suivre son amant[45]. Mais une fois de plus Chrétien retourne le motif qu'il exploite. De ce conte satirique qui fustige la perfidie féminine il tire un récit ambigu. La ruse et la perfidie sont toujours des armes féminines, mais défensives, utilisées en réponse à la force et à une autre perfidie, celle d'Alis, qui a violé le serment prêté à son frère. Et après sa fausse mort Fénice renaît à la vie, comme le phénix, avec la bénédiction du narrateur.

On trouve une autre version du conte, vraisemblablement issue du roman de Chrétien de Troyes, dans un roman du XIIIe siècle, *Marques de Rome*, qui appartient au cycle du *Roman des sept Sages* et enchâsse dans une intrigue principale une série de contes orientaux, selon le principe des *Mille et une Nuits*: le héros du conte 11, nommé également Cligès, aime la femme de son oncle, l'empereur de Constantinople. Celle-ci se fait passer pour morte, endure victorieusement les tortures de

---

[45] G. Paris, «La femme de Salomon», *Romania* 9, 1880, p. 436-443 ; H. Hauvette, *La Morte vivante*, Paris, 1933; U. T. Holmes, *Chrétien de Troyes*, New York, 1970, p. 80-84.

médecins méfiants, et les amants finissent par s'enfuir. Mais ce conte
met l'accent sur la perfidie de la femme et sur la félonie du héros, qui a
trahi et son seigneur et son oncle[46]. Rien ne permet de savoir si ce conte
renvoie à une source qui pourrait être aussi celle de Chrétien, s'il
s'inspire uniquement du roman ou encore, ce qui est le plus vraisemblable, s'il enrichit son résumé de *Cligès* d'éléments folkloriques. Il s'agit
en tout cas d'un conte comique et misogyne, proche du fabliau, qui souligne, par contraste, l'originalité du roman de Chrétien.

Enfin l'épilogue clôt le récit sur une note humoristique de couleur
locale, avec l'évocation des harems, dont l'origine est attribuée à l'histoire de Fénice, qui devient ainsi un récit étiologique. C'est le seul
exemple, dans les romans de Chrétien, d'un épilogue à valeur généralis-
sante. On a relevé l'assimilation du gynécée byzantin au harem musul-
man, qui est peut-être tout à fait consciente : l'important est de finir sur
une touche typiquement orientale.

Le triomphe de la clergie

Jean Frappier définissait *Cligès* comme « un exercice de virtuosité et
une prouesse littéraire »[47]. Michelle Freeman a analysé les multiples
facettes de cet étincelant jeu littéraire, placé sous le signe de la *translation*, c'est-à-dire à la fois le transfert, la traduction et la transposition, un
jeu dirigé par Thessala et Jean, deux maîtres dans l'art de l'artifice et de
l'illusion[48]. Chrétien a cherché avant tout, d'un bout à l'autre de cette
œuvre composite, à prouver sa maîtrise, à exalter la clergie sous toutes
ses formes, même les moins orthodoxes.

« Par molt merveilleuse guile » (v. 5707)

Cette volonté se manifeste d'abord par l'exaltation de l'intelligence,
de *l'engin* : le talent artistique et technique de Jean, la science magique
de Thessala, les ruses d'Alexandre et de Cligès. L'art, la magie, la ruse,
sont indissociables car tous jouent sur le pouvoir de l'illusion. Le voca-

---

[46] Voir *infra* l'annexe.

[47] J. Frappier, *Chrétien de Troyes*, *op. cit.*, p. 104.

[48] M. A. Freeman, *The Poetics of* translatio studii *and* conjointure: *Chrétien de
Troyes' Cligès*, Lexington, 1979 ; «*Cligès*», in D. Kelly ed., *The Romances of Chrétien de
Troyes: a symposium*, Lexington, French Forum Publ., 1985, p. 89-131 ; « Transpositions
structurelles et intertextualité : le *Cligès* de Chrétien », *Littérature* 41, 1981, p. 50-61.

bulaire employé à propos des talents de Thessala la magicienne est
le vocabulaire de l'illusion, de la déception, comme pour les autres ruses
du roman. Alis a été *engingniez et deceüz* par le philtre de Thessala
(v. 6598), par sa *guile* (v. 5707), qui lui donnent l'illusion de posséder sa
femme. Alexandre trompe le comte Angrés en revêtant, avec ses amis,
les armes d'ennemis morts : le portier qui les laisse pénétrer dans le
château est *gabez et deçeüz* (1854) par le masque qu'ils portent. Jean
montre à Cligès un mur apparemment lisse, mais dans lequel se cache
une porte qui mène à un logis souterrain. Ce mur est emblématique de
l'art de Jean comme trompe-l'œil. Thessala et Jean apparaissent comme
les meneurs du jeu, qui dirigent pour leur bien les affaires de leurs
maîtres, comme le feront les valets et les servantes de Marivaux. Il est
d'ailleurs significatif que la révélation finale à Alis soit confiée à Jean.
C'est lui sur qui retombe la colère de l'empereur et qui, par son courage
et sa fidélité à son maître, prend alors une dimension héroïque. C'est lui
aussi qui, devant la cour réunie, dévoile à Alis la vérité sur ses fausses
noces, avec une certaine complaisance, comme un prestidigitateur qui
révélerait le secret de ses tours au public à la fin du spectacle.

« Anvers lui sont tuit novice » (v. 5371)

Au service de ce jeu de passe-passe, Chrétien, comme Jean, son
double en art de l'illusion, exploite toutes les ressources de la rhétorique
de manière particulièrement ostensible[49]. Il fait d'abord admirer son art
dans les portraits. Cligès est l'objet d'une *description* dont l'importance
est soulignée par le narrateur :

> Por la biauté Clygés retreire
> Vuel une descriptïon feire
> Don molt sera briés li passages. (v. 2743-2745)

Ce portrait physique et moral est modelé sur les arts poétiques du XIIe
siècle[50], maniant, comme de règle, l'hyperbole et une double comparaison (à Narcisse et à Tristan) qui permet à Chrétien, d'affirmer la supériorité de son héros dans le domaine antique comme dans le domaine
breton.

---

[49] V. Bertolucci, «Commento retorico all'*Erec* ed al *Cligés*», *Studi mediolatini e
volgari*, 8, 1960, p. 9-51 ; L. Polak, *op. cit.*, p. 70-82.

[50] A. M. Colby, *The Portrait in Twelfth-Century French Literature : an Example of
the Stylistic Originality of Chrétien de Troyes*, Genève, Droz, 1965.

Quant à Fénice, le portrait est remplacé par un savant jeu d'hyperbole qui entrelace une série de motifs topiques. D'abord l'intervention d'un *Deus artifex*:

> Et fu si bele et si bien feite
> Con Dex meïsmes l'avoit feite… (v. 2699-2700)

Puis le caractère ineffable d'une pareille beauté:

> Onques Dex, qui la façona,
> Parole a home ne dona
> Qui de biauté dire seüst
> Tant que cele plus n'an eüst. (v. 2703-2705)

Puis la comparaison avec le phénix dont elle porte le nom (v. 2707-2708) et une variante du motif du *Deus artifex*, auquel est substituée Nature dans l'élaboration de cette œuvre d'art qu'est l'héroïne, comme dans *Erec et Enide*[51]:

> Ce fu miracles et mervoille,
> C'onques a sa paroille ovrer
> Ne pot Nature recovrer. (v. 2714-2716)

Enfin la conclusion logique, l'impossibilité de dire cette beauté (v. 2717-2726) autrement que par la lumière qu'elle irradie:

> Et la luors de sa biauté
> Rant el palés plus grant clarté
> Ne feïssent.IIII. escharboncle. (v. 2731-2733)

Soredamor est elle aussi longuement dépeinte à travers les yeux enamourés d'Alexandre: le portrait donne ainsi lieu à un morceau de bravoure qui étire sur plus de deux cents vers la métaphore de la flèche d'Amour traversant l'œil de l'amant jusqu'au cœur pour devenir ensuite prétexte à un long blason allégorique, chaque partie de la flèche renvoyant à une partie du corps de la femme aimée (v. 616-872).

Les amants angoissés analysent inlassablement la douceur et l'amertume mêlées du mal d'amour dans leurs monologues, tel celui de Fénice, qui multiplie les oxymores:

---

[51] *Erec et Enide*, v. 412-413.

> Molt m'abelist et si m'an duel,
> Et me delit an ma meseise.
> Et se max puet estre qui pleise,
> Mes enuiz est ma volantez
> Et ma dolors est ma santez (…)
> Mes tant ai d'aise an mon voloir
> Que dolcemant me fet doloir,
> Et tant de joie an mon enui
> Que dolcemant malade sui. (v. 3054-3066)

Souvent le monologue tourne au débat intérieur entre deux voix contradictoires, débat souligné par le narrateur, qui le désigne comme *oposition* :

> A li seule opose et respont
> Et fet tele oposiťïon (v. 4392-4393).

Les interventions du narrateur révèlent la même recherche, par exemple dans cette énumération d'*adunata* pour souligner le contraste entre la vaillance de Cligès devant ses ennemis et sa timidité devant sa belle[52] :

> A ce me sanble que je voie
> Les chiens foïr devant le lievre
> Et la turtre chacier le bievre,
> L'aignel le lou, li colons l'aigle,
> Et si fuit li vilains sa maigle,
> Dom il vit et dom il s'ahane,
> Et si fuit li faucons por l'ane
> Et li gripons por le heiron,
> Et li luz fuit por le veiron,
> Et le lyon chace li cers,
> Si vont les choses a envers. (v. 3830-3840)

Mais au-delà du plaisir du clerc à afficher son savoir-faire, se pose la question de l'humour et de la parodie.

« Mes molt a autre entancïon » (v. 5697)

Cligès est très différent des autres héros de Chrétien : loin d'entreprendre une quête au terme de laquelle il sera devenu le meilleur des chevaliers, il est donné d'emblée comme parfait. Avant même d'être

---

[52] Cf *Cligès*, v. 3875-3879.

adoubé, il triomphe sans peine des chevaliers les plus aguerris et il gagne au premier regard le cœur de Fénice. Au terme du récit, il aura fait reconnaître cette perfection en devenant l'empereur de Constantinople et l'époux de Fénice. Loin d'un roman d'initiation, Friedrich Wolfzettel y voit une « mise en abyme ludique ou ironique de toutes les ficelles de la tradition romanesque »[53]. Gérard Genette place la parodie, parmi les pratiques hypertextuelles, dans un régime ludique et dans une relation de transformation entre le texte et l'hypertexte[54]. Cette définition correspond à l'interprétation que fait Chrétien du mythe de Tristan mais aussi à l'ensemble du roman. S'intéressant à la « distance esthétique » et à l'ironie chez Chrétien de Troyes, Peter Haidu a été amené à centrer son analyse sur *Cligès* (ainsi que sur *Perceval*) et à observer que « Irony was the basic method of composition in Cligès »[55]. Gérard Genette place le régime ironique entre le ludique et le satirique[56], en soulignant qu'il ne s'agit que de nuances dans un spectre : l'ironie, qui consiste à faire entendre le contraire de ce qui est dit, est un élément important du jeu littéraire dans *Cligès*.

Chrétien recherche constamment les effets de contraste entre des formes littéraires dissonantes. D'abord entre un registre élevé et un registre bas, entre le roman et le fabliau. La scène du verger, au cours de laquelle les amants sont découverts nus et enlacés par Bertrand, en offre un bon exemple :

> Mes an le tient a jeingleor
> De ce qu'il dit qu'il a veüe
> L'empererriz trestote nue
> Avoec Cligès le chevalier,
> Desoz une ante en un vergier. (v. 6494-6498)

Ces deux derniers vers de la dénonciation de Bertrand figurent dans la seule copie de Guiot, qui souligne le caractère choquant du spectacle. La scène renvoie à la fois au roman de Béroul et au fabliau du poirier enchanté. Elle donne à l'adultère la tonalité triviale du fabliau. Elle s'ouvre pourtant sur le motif lyrique de la reverdie :

---

[53] Art. cit., p. 1490.

[54] G. Genette, *Palimpsestes*, Paris, Seuil, 1982, rééd. coll. Points, 1992, p. 45.

[55] P. Haidu, *Aesthetic Distance in Chrétien de Troyes, op. cit.*, p. 9 ; « Au début du roman, l'ironie », art. cit. ; N. J. Lacy, *The Craft of Chrétien de Troyes : An Essay on Narrative Art*, Leyde, 1980, p. 23-27.

[56] *Palimpsestes, op. cit.*, p. 29.

> Au renovelemant d'esté
> Que flors et fuelles d'arbres issent
> Et cil oisel si s'esjoïssent
> Qu'il font lor joie an lor latin... (v. 6332-6335)

Le registre parodique tient au rapprochement de registres dissonants. La tonalité du fabliau s'étend à la chanson courtoise, dont on retrouve ici l'exorde, mais aussi à la chanson de mal mariée. L'histoire de Fénice, mariée malgré elle et éprise d'un autre homme, évoque en effet certaines chansons plus proches de la poésie populaire, les chansons de mal mariées, comme certains lais de Marie de France, dont l'héroïne est une belle jeune femme mariée à un vieux jaloux : *Guigemar*, *Yonec*, *Laostic*, *Milon*[57]. Or Fénice s'enferme dans une tour pour échapper à son mari et vivre avec son amant, à l'opposé de la mal mariée enfermée dans sa tour par son mari jaloux et, surtout, des futures impératrices prisonnières dans leur palais à la suite du mauvais exemple donné par Fénice[58].

La dissonance est plus marquée encore dans la scène macabre où les médecins torturent Fénice. Le conte de la femme de Salomon plane sur tout l'épisode, avec la ruse de Fénice et de Thessala. Mais le récit des tortures subies par l'héroïne et le vocabulaire employé ressortissent très clairement de l'hagiographie. Fénice est fouettée ; on verse dans ses mains du plomb fondu et on s'apprête à la placer sur un gril. Ces supplices rappellent le martyre de saint Laurent, fouetté et brûlé avec des lames ardentes avant qu'on ne l'étende sur un gril. Et il est bien question de martyre à propos de Fénice (v. 6008, 6038), qui est pleurée comme une sainte (v. 5782). A l'empereur qui lui demande la plus belle des sépultures, Jean propose une œuvre exceptionnelle qu'il pensait réserver à un *cors sainz* (v. 6074). Mais la sainteté de l'impératrice mérite la châsse qui devait abriter des reliques :

> « Or soit en liu de saintuaire
> L'empereris dedans anclose,
> Qu'ele est, ce cuit, molt sainte chose » (v. 6076-6078).

Ces paroles placées dans la bouche d'un des principaux acteurs de la ruse prennent une valeur doublement parodique et relèvent de l'humour noir.

---

[57] Marie de France, *Lais*, éd. J. Rychner, Paris, CFMA, 1971 ; sur les chansons de mal mariée, voir P. Bec, *La lyrique française au Moyen Age*, Paris, 1977, I, p. 69-90.

[58] J. Grimbert,; «*Cligès* and the Chansons», p. 134.

L'écart est encore plus grand, la juxtaposition plus hardie dans le cas de certaines références bibliques. L'exemple le plus frappant est situé dans le même épisode, quand les médecins s'approchent du faux cadavre :

> Li mestres d'ax, qui plus savoit,
> Est droit a la biere aprochiez.
> Nus ne li dist : « N'i atochiez ! » (v. 5870-5873)

Comment ne pas voir une valeur parodique dans cette reprise du *Noli me tangere* de l'Evangile[59] ? En outre, quand Fénice explique à Cligès qu'il faut, pour échapper à la honte de Tristan et Iseut, trouver un moyen discret de vivre leur amour, elle s'appuie sur l'autorité de saint Paul :

> Mes le comandemant saint Pol
> Fet boen garder et retenir :
> Qui chaste ne se vialt tenir,
> Sainz Pos a feire bien anseingne
> Si sagement que il n'an preingne
> Ne cri ne blasme ne reproche. (v. 5308-5313)

Paul vante en fait les mérites de la virginité, tout en admettant le mariage pour ceux qui ne peuvent la pratiquer : « Mieux vaut se marier que brûler »[60]. Chrétien sollicite donc le texte pour justifier non plus le mariage mais l'adultère[61]. Après la mise au tombeau, on poste dans le cimetière des gardes, qui s'endorment, comme dans les Evangiles[62]. Et retirée du tombeau, Fénice renaît à la vie comme le phénix dont elle porte le nom, mais aussi comme le Christ. Le phénix est d'ailleurs, dans les bestiaires, un des symboles de la résurrection du Christ[63].

Un passage est révélateur du jeu de la parodie et du projet d'écriture de Chrétien : c'est la réponse à double sens qu'oppose Fénice, prétendument malade, à ceux qui lui proposent un médecin,

> Qu'ele dit que ja n'i avra
> Mire fors un qui li savra

---

[59] *Noli me tangere !, Ne me touche pas !,* parole adressée après sa résurrection par Jésus à Marie-Madeleine dans *Jean* 20, 11-18.

[60] I *Corinthiens*, VII, 10-11.

[61] Philippe Walter rapproche des paroles de Fénice un adage qui circulait dans les milieux cléricaux : «*Si non caste, tamen caute*, si tu n'es pas chaste, sois au moins prudent» (éd. cit., p. 1164).

[62] *Mathieu* 27, 58-60 ; 28, 4-5.

[63] *Bestiaires du Moyen Age*, trad. G. Bianciotto, Paris, Stock, 1980, p. 30 (Pierre de Beauvais), 79 (Guillaume le Clerc).

Legieremant doner santé
Qant lui vendra a volanté :
Cil la fera morir ou vivre,
An celui se met a delivre
Et de santé et de sa vie.
De Deu cuident que ele die,
Mes molt a autre entancïon,
Qu'ele n'antant s'a Cligés non :
C'est ses Dex qui la puet garir
Et qui la puet feire morir. (v. 5689-5700)

La lecture qui est imposée par l'héroïne à ses dupes est religieuse et édifiante : Dieu est le seul médecin des corps et des âmes. Mais l'énonciateur précise aussitôt (par l'emploi du verbe cuidier suivi d'un subjonctif) que les auditeurs font une fausse interprétation de ces paroles et explicite ensuite le principe du double sens, (*autre entancion*) : le seul médecin visé est Cligés. Et l'on glisse vers un autre motif, celui de l'Amour médecin : Fénice est malade d'amour et le seul médecin qui puisse la guérir est son amant. Chrétien donne ici la clé de ce roman qui, selon la belle formule d'Emmanuèle Baumgartner, « use et abuse des feux d'artifice du langage »[64]. Et la mise en prose du XVe siècle[65], qui glorifie en Cligès et Fénice un couple de parfaits amants, met en relief par contraste l'originalité du roman de Chrétien, cet étonnant bric à brac qui brasse, comme Thessala ses potions, toutes les composantes, toutes les formes, tous les styles de la littérature narrative du XIIe siècle pour créer une machine aussi prodigieuse que les inventions de Jean.

LES MANUSCRITS

Cligès est conservé dans huit manuscrits et quatre fragments. Les sigles utilisés ci-dessous sont ceux de la grande édition Foerster de *Cligés* (1884), repris dans l'édition Gregory-Luttrell[66]. Les huit manuscrits sont les suivants :

[64] E. Baumgartner, *Romans de la Table ronde*, p. 79.

[65] *Le Livre de Alixandre, empereur de Constentinoble, et de Cligés son filz*, éd. M. Colombo Timelli, Genève, Droz, 2004 ; N.J. Lacy, « Adaptation and Reception : The Burgundian *Cligès* », *Fifteenth-Century Studies*, 24,1998, p. 198-207.

[66] Les sigles de Foerster varient malheureusement d'une édition d'un roman à l'autre. Pour une présentation détaillée des manuscrits de *Cligès*, voir A. Micha, *La Tradition manuscrite des romans de Chrétien de Troyes*, Genève, Droz, 1939 et 1966 ;

A (BNF fr. 794, folios 54b-79c), la copie de Guiot, manuscrit de base de la présente édition[67].

Ce manuscrit daté de 1230-1235, écrit par un scribe qui vivait à Provins en Champagne, contient dix œuvres, présentées dans un petit texte en alexandrins qui renvoie à des marques permettant d'ouvrir le livre au début du texte voulu:

> *Erec et Enyde* est a la premiere ensoigne,
> *Lancelot en charrete* la seconde tesmoigne,
> *Cligés* qui welt trover la tierce ensoigne proigne,
> *Li chevaliers au lion* a la quarte voigne,
> *Athis Profilias* la quinte nos donra,
> Et *lou romant de Troies* la siste ensoignera,
> *Estoires d'Eingleterre* la septime avera,
> Dez *emperours de Rome* l'uitime vos dira;
> De *Perceval lou viel* quant tu en wels oïr,
> A la nuevime ensoigne qu'est par soi dois venir.

On voit ainsi se succéder *Erec et Enide*, *Le Chevalier de la Charrette*, *Cligès*, *Le Chevalier au Lion*, *Athis et Prophilias*, *Le Roman de Troie* de Benoît de Sainte-Maure, *Le Roman de Brut* de Wace, *Les Empereurs de Rome* et *Le Conte du Graal*, suivi de la *Première Continuation* (incomplète). On trouve dans l'explicit du *Lancelot* la signature de Guiot.

B (BNF fr. 1450, f. 188v-207v a)[68].

Ce manuscrit picard de la fin du deuxième quart du XIIIe siècle contient *Le Roman de Troie*, *Le Roman d'Enéas*, le début du *Brut*, *Erec*

S. Gregory et C. Luttrell, «Les manuscrits de *Cligès*», dans *Les manuscrits de Chrétien de Troyes*, éd. K. Busby, T. Nixon, A. Stones et L. Walters, Amsterdam, Rodopi, 1993, ainsi que l'introduction de l'édition Gregory-Luttrell.

[67] P dans l'édition des *Œuvres complètes* de Chrétien dans la Bibliothèque de la Pléiade, Paris, Gallimard, 1994, sous la direction de Daniel Poirion. L'édition de *Cligès* est due à Philippe Walter. C'est également le manuscrit de base des éditions d'Alexandre Micha, de P. Walter et de Stewart Gregory et Claude Luttrell. Sur ce manuscrit, voir M. Roques, «Le manuscrit B.N. fr. 794 et le scribe Guiot», *Romania* 73, 1952, p. 177-199; A. Micha, *La tradition manuscrite*, p. 32-34; Gregory-Luttrell, «Les manuscrits», p. 73-77 et leur introduction p. VIII-XI; *Album de manuscrits français du XIIIe siècle*, *Mise en page et mise en texte*, Rome, Viella, 2001, p. 15-17.

[68] R dans l'édition d'Alexandre Micha, P8 dans la Pléiade. Voir Micha p. 35-37, Gregory-Luttrell, «Les manuscrits», p. 77-78 et introduction p. XII. Les sigles utilisés dans l'édition du *Chevalier de la Charrette*, par C. Croizy-Naquet, dans la même collection Champion Classiques, sont ceux du «projet Charrette» réalisé par l'Université de

et Enide, Perceval et un fragment de la *Première Continuation, Cligès, Yvain* (incomplet), *Lancelot* (incomplet), *Brut* (fin), *Le Roman de Dolopathos* (incomplet). Les romans de Chrétien sont insérés dans le *Brut*, pour illustrer les aventures du royaume arthurien. Le copiste « a conçu le manuscrit comme une unité », « les œuvres prenant par leur disposition une progression semi-historique »[69].

C (BNF fr. 12560, f. 83v-122 b)[70].

Ce manuscrit daté du troisième quart du XIIIe siècle par S. Gregory et C. Luttrell offre un fragment de pénitentiel, *Yvain, Lancelot, Cligès*. Le dernier feuillet, déchiré par le milieu, ne présente que l'initiale détachée de chaque vers sur la colonne de droite, du vers 6743 (6677 dans l'édition Collet) à la fin. Le second copiste, responsable de *Cligès*, utilise des formes de l'ouest, surtout du domaine anglo-normand.

M, Bibliothèque municipale de Tours 942[71].

On y trouve le seul *Cligès*. Le texte commence au vers 719 et s'arrête au vers 4980. Le dialecte est de l'ouest, vraisemblablement d'Anjou, au tout début du XIIIe siècle. Ce manuscrit « peut représenter l'état le plus ancien de la production d'un livre contenant un roman de Chrétien »[72].

P (BNF fr. 375, f 267 a-281v a)[73].

Ce manuscrit picard est composé de deux parties. La première (f. 1-33) contient des œuvres didactiques en prose et a vraisemblablement été ajoutée au reste du recueil. La seconde est constituée d'une collection de romans en vers précédés d'un résumé en octosyllabes de Perrot de

---

Princeton et le Centre d'Etudes supérieures de civilisation médiévale de Poitiers, qui offre en ligne la transcription du texte de tous les manuscrits du Lancelot : www.mshs.univ-poitiers.fr/cesm/lancelot/

[69] Gregory-Luttrell, introduction p XII.

[70] P11 ds l'éd. Walter. C'est le manuscrit de base de l'édition Collet. Voir Micha p. 37-38, Gregory-Luttrell, « Manuscrits », p. 80-81 et introduction p XIII.

[71] To ds l'édition Walter. Voir Micha 52-53, Gregory-Luttrell, « Manuscrits », p. 70-72 et introduction p XIII-XV.

[72] Gregory-Luttrell, introduction p XV.

[73] P1 ds l'édition Walter. Micha p. 29-32, Gregory-Luttrell, « Manuscrits », p. 83-90 et introduction p. XV-XVII.

Nesle, poète arrageois du XIIIe siècle, résumé qui devait compter environ mille vers et dont on a perdu le début. On a conservé le sommaire des textes du recueil (dont *Cligès*) à partir du dixième texte, *Floire et Blanchefleur*. Voici celui de *Cligès* :

> Li dousime branque del livre
> Parole et demoustre a delivre
> Et de Cliget et de Fenisse.
> Ains que li matere fenisse,
> Porés oïr con faitement
> Il s'entr'amerent loiaument.
> Feniche Cliget tant ama
> C'ainc home feme tant n'ama;
> Bien i parut, c'ainc tant d'amer
> N'eut nule feme por amer.
> Ne pooient estre a sejour
> Por parler, par nuit ne par jour.
> Fenisse, cui bone amor mort,
> Fist aussi que s'eüst la mort
> Au cuer, si s'est lase clamee;
> A tere est kaüe pasmee.
> Ainc por batre ne por confondre,
> Ne por le plonc c'on li fist fondre
> Es paumes, nus ne s'aperçut
> Que vive fust: si les deçut
> Cele qui blance fu com laine;
> On n'i sent ne fe ni alaine.
> Portee en fu et mise en terre.
> Or nos raconte li matere
> Que Cligés, qui bien l'engien sot,
> Qu'il n'eut le cuer nice ne sot,
> Qui qu'il en poist ne cui c'anuit,
> L'est alés deffouir par nuit.
> Vive la trueve, grant joie ot;
> Et ele aussi, quant ele l'ot
> Et voit, fu toute respasee;
> Toute ot sa grant dolor pasee.
> Dius, qui tous maus fait respaser,
> Not otroit si bien trespasser
> K'el lieu soions ou il a mis
> Ses amies et ses amis!

Le premier fascicule contient les romans de *Thèbes* et de *Troie*, *Athis et Prophilias*, les *Congés* de Jean Bodel ; le deuxième le *Roman d'Alexandre* d'Alexandre de Paris, la *Signification de la mort d'Alexandre* de Pierre de St Cloud et la *Vengeance Alexandre* de Gui de Cambrai, puis une généalogie des comtes de Boulogne, hors programme, pour finir quatre feuillets. Le troisième fascicule offre la troisième partie du *Rou*, *Guillaume d'Angleterre*, *Floire et Blanchefleur*, le *Roman de Blancandin*, *Cligès*, *Erec et Enide*, *La Viellete* (un fabliau), *Ille et Galeron* de Gautier d'Arras, le *Miracle de Théophile* de Gautier de Coinci, *Amadas et Ydoine*, *La Chastelaine de Vergi*, le *Cantique de st Etienne* (avec musique), les *Vers de la mort* de Robert le Clerc, les *Louanges de Notre Dame*, *La Viellete* (déjà copié par une autre main), neuf *Miracles de Notre Dame*. L'un des scribes (Jean Madot, neveu d'Adam de la Halle), se nomme à la fin du *Roman de Troie* et donne la date du 2 février 1288 (1289 dans le système moderne).

R (BNF fr. 1420, f. 30a-57c)[74].

Ce manuscrit de la fin du XIIIe siècle contient *Erec et Enide* et *Cligès* (avec une lacune des vers 6709 à la fin).

S (BNF 1374, f. 21v-64v b)[75]:

C'est le manuscrit de base de la première édition critique du roman, celle de W. Foerster. D'origine bourguignonne, il date du troisième quart du XIIIe siècle selon Gregory et Luttrell. Le premier fascicule contient *Parise la duchesse* et *Cligès* (intitulé *Le Roman d'Alixandre*) jusqu'au v 6696 (6712 dans l'édition Foerster). Le deuxième fascicule présente *Placidas, La Prise de Jérusalem, Girart de Vienne;* le troisième le *Roman de la Violette* de Gerbert de Montreuil et *Florimont* d'Aimon de Varennes.

T (Turin, Biblioteca nazionale L.I.13, f. 108 b-128)[76].

Le texte de ce manuscrit gravement endommagé dans un incendie en 1904, est surtout accessible grâce aux notes de l'édition Foerster. Le copiste est vraisemblablement originaire du Hainaut et a travaillé dans

---

[74] P5 éd. Walter. Voir Micha p. 34-35, Gregory-Luttrell, « Manuscrits », p. 90-91 et introduction p. XVII-XVIII.

[75] P3 éd. Walter. Voir Micha p. 42, Gregory-Luttrell, « Manuscrits », p. 81-83 et introduction p. XVIII-XIX.

[76] Tu éd. Walter. Voir Micha p. 58-59, Gregory-Luttrell, « Manuscrits », p. 91-92 et introduction p. XIX-XX.

la première moitié du XIVe siècle. On y trouve *Eracle* de Gautier d'Arras, *Le Blanc Chevalier* et *Le Chevalier a la mance* de Jean de Condé, *Sone de Nansay*, *Cligès*.

On possède en outre quatre fragments d'importance très inégale :

N, le fragment d'Annonay, le plus important, a conservé 1200 vers du roman[77].

Il s'agissait d'un recueil de romans de Chrétien, bourguignon selon Gregory-Luttrell, de l'extrême fin du XIIe ou du début du XIIIe siècle, comprenant au moins *Erec*, *Cligès*, *Yvain*, *Perceval*, vraisemblablement aussi *Lancelot*. Les fragments représentent 1/3 de *Cligès* et s'étendent du vers 307 au vers 6717.

I, Institut de France 6138[78]

Ce fragment contient des parties du *Cligès* et du *Lancelot*. Le texte de *Cligès* va du vers 3413 au vers 3746 avec une lacune importante.

O, Oxford, Bodleian Library, Oriental Michael 569*[79]

Ce fragment du XIVe siècle donne les vers 3266-3405, 4482-4637, 5335-5512bis (vers interpolé), 6214-6410.

F, Florence, Biblioteca Riccardiana 2756

Il s'agit d'un petit fragment de 25 vers, « corrompu et sans valeur », écrit par un scribe italien sur le dernier feuillet du manuscrit[80].

Alexandre Micha a dégagé trois familles de manuscrits :

---

[77] a pour Micha, A pour Walter. Voir A. Pauphilet, *Le manuscrit d'Annonay*, Genève, Droz 1934 et « Nouveaux fragments manuscrits de Chrétien de Troyes », *Romania*, 63, 1937, p. 310-323 ; L. F. Flutre, "Nouveaux fragments du manuscrit dit d'Annonay des œuvres de Chrétien de Troyes", *Romania* 75, 1954, p. 1-21 ; Micha p. 40, Gregory-Luttrell, « Manuscrits », p. 69-70 et introduction p. XX-XXI.

[78] S. Gregory, « Fragments inédits du *Cligès* de Chrétien de Troyes », *Romania* 106, 1985, p. 254-269 ; Gregory-Luttrell, « Manuscrits », p. 79 et introduction p. XXI-XXII.

[79] Voir S. Gregory et C. Luttrell, « Les Fragments d'Oxford du *Cligès* de Chrétien de Troyes », *Romania*, 113, 1992-1995, p. 320-48.

[80] Intro Gregory-Luttrell p. VIII ; éd. G. Paris ds *Romania* 8, 1879, p. 266-267.

un premier groupe α: *ANSM*
un deuxième groupe β: *PB*
un troisième groupe, γ, issu du précédent: *CRT*.

Les recherches les plus récentes, celles de S. Gregory et C. Luttrell, mettent en lumière deux rédactions:
  α: *ANSIMP*
  β: *BCRT*.

On relève en outre des accords fréquents de *M* avec *BCRT*, particulièrement à partir du v. 3502, tout comme pour *P*, qui «présente l'aspect d'un manuscrit qui est un croisement de α et β»[81]. On peut donc parler de «couches qui sont dispersées tout le long du texte»[82].

La supériorité de la famille *ANSMP* a été démontrée par Wendelin Foerster et Alexandre Micha. La première édition critique du roman, la grande édition Foerster de 1884, s'appuie sur le manuscrit *S*. Mais c'est ensuite *A* qui s'est imposé. *N* n'offre en effet qu'un fragment; *M* et *S* présentent des contaminations extra familiales; *P* est le résultat d'un croisement entre les familles α et β. Reste donc la copie de Guiot, manuscrit de base des éditions d'Alexandre Micha, de Philippe Walter et de Stewart Gregory-Claude Luttrell. Seule l'édition d'Olivier Collet s'appuie sur le manuscrit *C*, qui offre l'image la plus fidèle du groupe γ. Le texte de Guiot a l'inconvénient de présenter beaucoup d'innovations et à l'égard de ces innovations la position varie considérablement d'une édition à l'autre. A. Micha ne renonce que très rarement au texte de *A* et ne corrige que quelques vers inintelligibles, au moyen de *N* et de *B*[83]. On ne trouve donc pas dans son édition les nombreux passages absents de *A* et présents dans les autres manuscrits. L'édition de P. Walter adopte la même pratique, avec quelques corrections supplémentaires, en particulier l'ajout des passages absents de la seule copie de Guiot[84]. A l'opposé, S. Gregory et C. Luttrell sont revenus à une pratique lachmannienne et ont tenté, à partir de la copie de Guiot, de reconstituer le texte

---

[81] Intro G-L, p. XXIV.

[82] *Ibid.*, p. XXVII.

[83] *Cligès*, éd. A. Micha, Paris, Champion, CFMA, 1957.

[84] *Cligès*, éd. et trad. P. Walter, dans Chrétien de Troyes, *Œuvres complètes*, dir. D. Poirion, Paris, Gallimard, Bibliothèque de la Pléiade, 1994.

de Chrétien, rejetant ainsi une leçon du manuscrit de base, même si elle est possible, quand elle est contredite par l'ensemble des autres manuscrits[85]. Le texte présenté ci-dessous se veut fidèle (mais sans excès) à celui de Guiot, qui est remarquablement intéressant, surtout quand il innove. Les lacunes sont toutefois systématiquement comblées, les erreurs manifestes de lecture, les vers faux, les rimes du même au même corrigés. Cette édition doit beaucoup aux éditions antérieures, en particulier à celle de Stewart Gregory et Claude Luttrell, dans laquelle on trouvera une minutieuse analyse de la tradition textuelle et l'ensemble des variantes. Le principal manuscrit de contrôle est le manuscrit *B*. C'est donc au texte de *B* que renvoient les passages corrigés, sauf mention contraire.

LA COPIE DE GUIOT[86]

Le texte est découpé par deux grandes initiales ornées et soixante-sept lettres montantes bleues et rouges, qui sont indiquées dans l'édition par une capitale en gras. Au vers 575 la place reste vide pour une lettre montante non exécutée. L'écriture du scribe est très lisible. L'*y* figure dans des mots savants (*yver* 3850, *lyon* 4741), dans des noms propres (*Alys, Fenyce, Clygés*), à l'initiale au voisinage de m (*ymage*), dans le mot latin *explycyt*.

Abréviations: ml't = molt; formes abrégées de *con* presque toujours devant consonne, devant voyelles *com* écrit intégralement.

Graphie

I. *Voyelles et diphtongues*

A. Voyelles orales
1. *a* affaibli en *e*:
   menoir (= *manoir*) 4446, *memeles* 6116, *lermes* (= *larmes*) 2065 etc;
   noter aussi *mereors* pour *mireors* 712.
2. diphtongaison dialectale de *e* entravé:
   quiex 1835, 2248; *tiex* 742, 2820; mais *tex* 111, 559; et *poiche* pour *peche* 850, *floiche* pour *fleche* 849.

---

[85] *Cligès*, éd. S. Gregory et C. Luttrell, Cambridge, Brewer, 1993.

[86] L'analyse qui suit est celle d'A. Micha, dans son introduction (p. XXIII-XXVI), avec quelques additions.

3. *e* protonique compte dans la mesure du vers:
veoir 151, *gueaignier* 4241.

B. Diphtongues
1. Alternance de *ai*, *ei*, *e*:
    remese 43 et *remeise* 6723; *palés* 2456 et *paleis* 6015; *nest* 296 et
    neist 210; *fet* 26 et *feite* 102; *faire* 357 et *feire* 68, 85 etc, beaucoup
    plus fréquent; *set* 526, 530; *fraiz* 4933; *esmai: sai* 661-662; *veir*
    142.
2. Alternance de *ei* et *oi*:
    soloil: vermoil 4859-4860; *paroille: mervoille* 2713-2714; *mer-
    voilles: oroilles* 835-836, *consoille* 413; *conseillié* 405; *acheisons*
    2248; *reiaume* 2353; *desveier* 519; *merveilleus* 1818.
3. Alternance de *oe* et *ue*:
    uevre: oevre 829-830, 5595-5596; *cuevre: oevre* 2267-2268; *avuec*
    238 et *avoec* 902, 1024; *vuel* 19 et *voel* 502; *estuet* 463; *trueve* 213;
    cuer 249 (toujours); *duel* 225 (toujours).
4. Des exemples de *ui* pour *oi*:
    conuist 4663; *conuissances* 1829; *vuilliez* 357, mais *conoissoient*
    2777; *conoiss*e 610. *ui* dans *estuide* 3332, *repruichent: s'antraprui-
    chent* 1735-1736.

C. Diphtongues suivies de *l* + consonne:
    e, précédé ou non de *i* ou de *u*, est représenté par *a*: *mialz* (= *mielz*)
    26 etc...; *solauz* (*soleil*) 1264; *vermauz* 2742; l'*u* précédent devient
    i: *vialt: aquialt* 3775-3776; *dialt* 488; *diax* (*duels*) 1993; *sialt* (*suelt*)
    2229; *ialz* (*ueils*) 259 etc...

D. Voyelles et diphtongues devant nasales:
1. *an* est la notation la plus fréquente, mais non unique, de *a* et *e* suivis
    de nasale. Mais *e* est souvent conservé à l'initiale devant *n :*
    en (*inde*) 3043 etc...; *en* (*in*) 216 etc...; *enor* 2288; *enui* 264; *encor*
    2757; *vantences: lences* 4883-4884; *vengence: viltence* 6623-6624;
    mais *an* (*inde*) 3255; *an* (*in*) 435; *anors* 2680; *ancor* 146; *andui*
    609; *anbedui* 1911; *dant* (*dent*) 825.
    e est conservé après *g* pour garder la valeur continue de cette
    consonne: *logent* 1105, *songent* 3325 (à rapprocher du participe
    demandent 4715) malgré le mélange de *an* et de *en* à la rime:
    acreante: gente 2629-2630.
2. *an* remplace *on*, pronom indéfini:

l'an 291 etc...; *l'en* 378 etc...; *an* 2786; *en* 6050. Les deux graphies alternent à l'intérieur du mot dans *volanté* 538, *volentez* 510 et *dongier* 3334.

3. *ain* remplace souvent *ein*:
   mains 42 etc...; mais *ein* dans *leingue* 340, *jeingleor* 4422, *Eingleterre* 290; *einz* 939 etc...; *einçois* 1221; mais *ainz* 11 etc...

4. *oin* remplace *ein*:
   poinne 168; mais *painne* 277.

5. *oen* et *uen* alternent:
   buen 140 etc...; *boen* 143 etc...; *suen* 139; *huem* (*hom*) 6713.

6. Diphtongue nasalisée marquée par un *g* en fin de mot:
   baing 470, *tieng* 971, *doing* 2330, *loing* 1810 etc...

II. *Hiatus, élision, contraction*

1. Assez fréquents hiatus de *e*:
   après *que* (près de 70 exemples) 139, 641 etc...; après *se* hypothétique 837, 2161 etc...; après *ne* 722, 810 etc...; après *je* 897; après *ce* 926; après *cele* 2256; après des verbes: *blasme* 740, *angoisse* 881.

2. Elisions diverses:
   la plus fréquente est celle de *si* adverbe conjonctif devant un verbe 113 etc...; devant *i* 350; ou devant *an* 1279 etc...

3. Des formes toniques de pronoms peuvent être élidées ou contractées:
   par qu' (*par quoi*) 72; *qu'an* (*qui an*) 225; *l'an* (*li an*) 74 etc...; *l'en* (*lui en*) 75. Elision du pronom atone *ce*: *de c'est gabez* 1854. Au v. 367 *qui est*, avec synérèse, se prononce en une seule syllabe; de même l'élision n'est pas notée par la graphie à 3186 *entre aus*.

4. Aucun cxemple de *Se li* pour *Si li*, 1121, 4783 etc..., alors qu'on en trouve dans *Erec*; mais enclises de *sel* (= *si le*) 1031, *ses* (= *si les*) 1117 etc...; *ques* (= *qui les*) 552.

III. *Consonnes*

1. *l* intérieur devant consonne est souvent maintenu:
   voldra 408, *silt* 6654, *malveise* 932, *altre* 919; mais *autre* 53, etc..., *igaument* 532; *corpe* pour *colpe* 503, *ancorpe* pour *ancolpe* 561.

2. *g* pour noter la fricative prépalatale *j* devant *e*:
   ge 480 etc..., *geus* 676, *geue* 1357; mais *je* 628 etc..., *jeus* 673, *jeue* 2980.

3. La finale de *donc* a été traitée diversement:
    tantôt *dom* devant voyelle, par assimilation formelle avec *com:* 13
    etc…; tantôt *don* devant consonne pour la même raison: 51 etc…;
    tantôt enfin *donc*, beaucoup plus souvent devant consonne 511
    etc…, que devant voyelle 915; *dons* 1389.
4. *l, m, n, r* sont souvent redoublés:
    demainnent 288, *sainne* 1671, *painne* 1672, *croirre* 5301, *emperer-
    riz* 5649; *apanssee* 4036, *responsse* 2497, *forssenez* 6713; avec
    alternances: *forssenent: asenent* 3903-3904, *ennors* 4240, *enors* 39,
    duellent: vuelent 1861-1862.
5. *s* devant consonne intérieure:
    devant *c, hautesce* 202, *proesce: s'adresce* 2901-2902; devant *l,
    crosle* 5767; devant *f, desfandre* 528; devant *r, cresrai* 2486, *des-
    reien* 2018; devant *t, restez* 1356. La graphie *os* correspond parfois
    à une graphie *ol, ou: vostiz* 5600, *soste* 5078, *sostainne* 5546,
    costure 1156, *tost* pft 3 de *tolir* 3714.
6. *c'* pour *qu'(e)* 2079 etc…; *qu* pour *c: queudre* 1158, *quaille* 6415,
    Quantorbire 1055 etc…
7. *n* mouillé rendu par *ign, ingn:*
    Bretaigne 80 et *Bretaingne* 114; *remaingne: praigne* 4505-4506;
    veingne: deteigne 6269-6270; *conpaingnons* 1279 et *conpaignons*
    110; *vergoigne* 4183 et *besoingne* 102 etc…
8. *x* final alterne avec *us, s:*
    leax 536, *oisiax* 2709; *as* notant *a les* 395; *ax* 43 etc… et *aus* 2021
    etc… notant *els.*

Morpho-syntaxe

– Article:
   lou 5534, cas unique.
– Démonstratif:
   celi, reg. sg. pour sujet 3763; *ce* dém. masc. pour *cel* 713 etc…
– Relatif:
   que rég. ind. à la place de *quoi* après préposition 1958.
– Pronom personnel:
   fém. *el* 1570 etc…; mais *ele* 26 etc…
– Substantif:
   murmure masc. 5645, fém. 4908; *mi oel* sujet plur. pour rég. 506.
– Verbe:
   responent (respondent) prés. 6 5742; *veaust* pft 3 de *voloir* 1426,
   1444; *abatié* pft 3 forme champenoise, de *abatre* 4792 (type

archaïqu*e, cf. antanaié, Erec* 6678); *soiens* subj. 4 de *estre* 1834; *siudre* (= *sivre*) inff. 1810, *panre* (= *prendre*) 2679; *songent* 6599, *demandent* 4715, formes de participe présent.

Mélange de style indirect et de style direct 268.

Car est régulièrement employé au lieu de *que* conjonctif introduisant:

une subordonnée complétive: 567, 4174

une subordonnée consécutive: 1405, 1856, 6109.

Il sert à former des locutions conjonctives: *por ce... car* 1397-1398, *de ce ... car* 1854-1855.

On le trouve aussi comme conjonction de subordination à la place de *quant*: 1916.

comme conjonction de subordination à la place de *et* 4057, 5127, 5477, 6121, 6738, *mes* 4479.

ANALYSE

Prologue, v. 1-44

Alexandre

Constantinople

Alexandre, fils aîné de l'empereur de Constantinople, décide de devenir chevalier en Bretagne à la cour du roi Arthur. Son père finit par accéder à son désir et lui recommande instamment de pratiquer la largesse, qui l'emporte sur toutes les autres vertus. (v. 45-269)

Bretagne

Les Grecs débarquent à Southampton et rejoignent à Winchester le roi Arthur, qui accueille avec bienveillance Alexandre et ses douze compagnons. Alexandre est remarqué pour sa largesse et se fait aimer de tous, en particulier de Gauvain, le neveu du roi. (v. 270-421)

Le roi décide de se rendre en Bretagne. Sur le conseil de ses barons, il confie l'Angleterre au comte Angrés de Windsor. Sur le navire qui les conduit en Bretagne, Alexandre et Soredamor, sœur de Gauvain, s'éprennent l'un de l'autre et souffrent en silence, chacun cachant à l'autre les tortures qu'il endure. (v. 422-1049)

Apprenant la trahison du comte Angrés, le roi Arthur regagne l'Angleterre avec une armée pour châtier le traître. Alexandre demande au roi de l'adouber, ainsi que ses douze compagnons. La reine offre pour l'occasion au jeune homme une chemise richement brodée sur laquelle Soredamor a entrelacé aux fils d'or l'un de ses blonds cheveux. (v. 1050-1209).

Au retour du roi, le comte Angrés pille Londres et s'enferme dans Windsor, qu'il a soigneusement fortifiée. L'armée d'Arthur assiège la ville. Alexandre décide d'aller avec ses douze compagnons défier des assiégés qui viennent s'exercer aux armes sur l'autre rive de la Tamise. Ils traversent la rivière et les attaquent, provoquant aussitôt une levée de boucliers dans leur propre camp. Les ennemis s'enfuient, poursuivis par les assaillants, et Alexandre fait quatre prisonniers. Il offre cette première prise de guerre à la reine, par peur de la réaction du roi. Mais Arthur exige que les quatre traîtres lui soient remis et les fait écarteler sur le champ. Le siège se poursuit et le roi promet à celui qui lui livrera Angrés une coupe d'or de grand prix ainsi que, pour un chevalier, le don de son choix. (v. 1210-1548)

Alexandre rend visite tous les soirs à la reine dans sa tente et celle-ci commence à soupçonner qu'il aime Soredamor et est payé de retour. Elle révèle à Alexandre le secret de la chemise et celui-ci passe la nuit en extase devant le cheveu d'or. (v. 1549-1638)

Les assiégés tentent une sortie de nuit, répartis en cinq bataillons, pour surprendre l'armée endormie dans le camp. Mais leur effet de surprise est contrarié par la volonté divine : la lune éclaire brillamment leurs armes et les sentinelles sonnent l'alarme. S'ensuit une mêlée générale qui tourne à l'avantage du roi Arthur. Alexandre, qui s'est brillamment conduit, voit le comte fuir et regagner Windsor par un chemin détourné. Il le poursuit avec trente hommes et a recours à une ruse : tous échangent leurs armes contre celles d'ennemis morts, trompent la vigilance du portier et s'introduisent dans le château à la suite d'Angrés et de ses hommes. Ils se révèlent alors et tuent vingt-quatre chevaliers désarmés et trois des sept hommes qui accompagnaient le comte. L'un des Grecs, Calcedor, est tué par Angrés, qui lutte contre Alexandre avant de se réfugier avec les sept hommes qui lui restent dans le donjon. Par le conseil de l'un des Grecs, Nebunal, Alexandre et ses hommes se séparent en deux groupes. Vingt d'entre eux iront défendre l'accès de la forteresse aux gens du bourg, les dix autres (dont Alexandre) se battront à la porte du donjon, bientôt rejoints par seize de leurs compagnons. La bataille fait rage devant la porte du donjon, Alexandre perd trois hommes avant de vaincre finalement Angrés au corps à corps. (v. 1639-2049)

Pendant ce temps la désolation règne dans le camp d'Arthur, où l'on est persuadé de la mort d'Alexandre et de ses hommes à cause de la substitution des armes. Soredamor est la plus à plaindre car elle doit cacher sa douleur. Mais Alexandre envoie ses prisonniers annoncer sa victoire au roi et solliciter leur pardon, car seul le comte, à ses yeux, a mérité la mort. A cette nouvelle, Arthur se rend en hâte à Windsor et après l'exécution d'Angrés, au milieu de l'allégresse générale, il remet à Alexandre la précieuse coupe d'or et lui demande quel don il a choisi. Alexandre n'ose pas révéler ce qui lui tient le plus à cœur, la main de Soredamor, car il craint de contrarier la jeune fille. C'est la reine, compatissante, qui fera avouer aux deux amants leurs sentiments. Le jour même, Alexandre reçoit le château qu'il a conquis, le meilleur royaume de Galles et surtout la main de sa bien-aimée. Soredamor donne bientôt naissance à un fils, Cligès. (v. 2050-2366)

Cligès

Constantinople

En Grèce l'empereur meurt, non sans avoir recommandé à ses barons d'aller chercher en Bretagne Alexandre, l'héritier légitime du trône. Mais les messagers meurent tous à l'aller dans un naufrage, sauf un seul, qui, attaché au cadet, Alis, revient à Constantinople affirmer qu'Alexandre et son escorte ont péri en mer sur le chemin du retour. Les barons couronnent alors Alis. Mais Alexandre apprend bientôt la vérité et décide de retourner à Constantinople avec sa femme et son fils, pour revendiquer la couronne. A Athènes, Alis refuse d'écouter le messager d'Alexandre, Acorionde, mais doit se rendre à l'avis de ses barons, qui craignent de voir revivre la guerre d'Etéocle et de Polynice. Les deux frères concluent un pacte : Alexandre possèdera la réalité du pouvoir mais le titre d'empereur et la couronne resteront à Alis jusqu'à sa mort. Celui-ci prête toutefois le serment de ne jamais se marier afin qu'à sa mort Cligès hérite de l'empire. (v. 2367-2578)

Vient le jour de la mort d'Alexandre, bientôt suivi dans la tombe par Soredamor. Avant de mourir, Alexandre exhorte son fils à suivre ses traces et à aller en Bretagne éprouver sa valeur contre les meilleurs chevaliers du monde, en particulier son oncle Gauvain. (v. 2579-2613)

L'épisode allemand

Alis se laisse bientôt convaincre par de mauvais conseillers de prendre femme. Ses barons lui vantent la beauté de la fille de l'empereur

d'Allemagne et il se laisse vite persuader de solliciter la main de la
jeune fille. Les messagers transmettent la demande à Ratisbonne à l'empereur d'Allemagne, qui les accueille favorablement. Mais il avait déjà
promis sa fille au duc de Saxe et craint la réaction de celui-ci: Alis
devra donc venir chercher sa fiancée en Allemagne pour la ramener à
Constantinople. Alis se met en route avec une nombreuse escorte (dont
son neveu) et rejoint l'empereur d'Allemagne à Cologne. Cligès et
Fénice, tous deux d'une beauté sans égale, s'éprennent l'un de l'autre au
premier regard. (v. 2614-2836)

Le duc de Saxe, à qui Fénice avait été promise, exige qu'on lui
remette sa fiancée et menace de s'en emparer par la force. Son messager
est le propre neveu du duc, un jeune chevalier impulsif, accompagné de
trois cents Saxons, qui défie Cligès et trois cents chevaliers grecs. Sous
les yeux admiratifs des Allemands, des Grecs et de Fénice, Cligès renverse de son cheval le neveu du duc, tandis que les Saxons fuient devant
les Grecs. Tous apprennent alors l'histoire du vainqueur et le serment
qu'Alis avait prêté à son frère. (v. 2837-2959)

Fénice se désespère à l'idée de devoir épouser Alis. Elle se confie à
sa nourrice Thessala, qui lui fait prendre conscience de son amour et
promet de mettre à son service ses talents de magicienne. Fénice ne veut
pas répéter avec Cligès l'histoire de Tristan et d'Iseut et refuse également de contribuer, par son mariage, à priver le héros de son héritage.
Thessala s'engage alors à empêcher la consommation de l'union: l'empereur ne possèdera jamais son épouse qu'en songe. Elle prépare une
potion magique qu'Alis boit le soir de ses noces. Il s'endort aux côtés de
Fénice, qu'il a l'illusion de posséder. (v. 2960-3354)

Les deux empereurs quittent Cologne pour Ratisbonne, suivis par le
duc de Saxe et ses troupes. Alors qu'ils ont fait halte sur une rive du
Danube, le neveu du duc attaque une nouvelle fois Cligès, qui le
transperce de sa lance. Le héros tue également un chevalier qui s'était
vanté auprès du duc de lui rapporter la tête de son ennemi. Monté sur le
destrier du mort, dont il a fiché la tête au sommet de sa lance, il pénètre
dans le camp des Saxons, qui le prennent pour leur compagnon, tandis
que les siens volent à son secours. Cligès renverse le duc de son cheval
et s'empare du destrier. Mais Fénice est enlevée par douze chevaliers
saxons. Cligès les tue l'un après l'autre, sauf le dernier, qu'il envoie au
duc lui révéler sa honte. Il ramène Fénice aux siens, sans oser lui
avouer son amour. Défié par le duc en combat singulier, il obtient d'être
adoubé par son oncle et contraint le duc à s'avouer vaincu. (v. 3355-
4197)

Bretagne

Sur le chemin du retour vers Constantinople, Cligès décide d'obéir à son père et de se rendre en Angleterre auprès du roi Arthur. Il obtient le congé de l'empereur et fait ses adieux à Fénice, «celle à qui il est tout entier»: l'impératrice médite longuement sur le sens de ces paroles. (v. 4198-4561)

Parvenu à Wallingford, Cligès apprend qu'un grand tournoi va se tenir à Oxford. Il y prend part, incognito, dans le camp opposé à celui des chevaliers du roi Arthur, et change ses armes tous les jours. Le premier jour, il renverse Sagremor et triomphe avec des armes noires et un cheval noir; le deuxième jour il abat Lancelot et remporte le prix avec des armes vertes et un destrier fauve; le troisième jour il vainc Perceval, porte des armes vermeilles et monte un cheval clair. Enfin le quatrième jour il affronte son oncle Gauvain sous des armes blanches et sur un cheval blanc. Les deux adversaires ne parviennent pas à se départager et le roi arrête le combat. Cligès consent alors à se faire reconnaître et fêter par les siens. Il séjourne en Angleterre, éprouve sa prouesse en Bretagne, en France et en Normandie. Mais ne pouvant vivre sans Fénice, il regagne Constantinople, où l'impératrice l'attend avec la même impatience. (v. 4562-5094)

Constantinople

Longtemps après son retour, Cligès, seul avec l'impératrice, finit par lui déclarer son amour. Elle lui avoue le sien et lui révèle la ruse qui lui a permis de se soustraire à Alis pour n'appartenir qu'à lui. Mais elle refuse de s'enfuir avec lui en Angleterre et de répéter l'histoire de Tristan et d'Iseut. Elle décide d'avoir à nouveau recours à un breuvage magique de Thessala et de simuler la mort. Son amant viendra la retirer du tombeau. Thessala accepte de confectionner un breuvage qui donnera à Fénice l'apparence et l'insensibilité de la mort. De son côté, Cligès a recours aux bons offices d'un de ses serfs, Jean, habile artiste et architecte, qui met à la disposition de son maître une tour luxueusement aménagée et équipée d'un logis souterrain où les amants seront en sûreté. Fénice feint d'être malade et Thessala abuse les médecins en leur montrant l'urine d'une malade qu'elle sait condamnée à mourir le jour même. Fénice boit la potion, tombe inanimée et passe pour morte. (v. 5095-5796)

Au milieu du deuil général arrivent trois médecins de Salerne qui, se souvenant de la ruse de la femme de Salomon, soupçonnent une supercherie. Ils examinent l'impératrice et constatant qu'elle est vivante, se font forts de la rendre à la vie. Ils tentent vainement de persuader la fausse morte d'avouer sa ruse, la menacent, la battent et finissent par lui faire couler du plomb fondu dans les mains. Mais les dames de la cour, indignées, les jettent par la fenêtre tandis que Thessala panse les plaies de sa maîtresse, que l'on recouche dans sa bière. (v. 5797-6061)

Les funérailles ont lieu: Jean a préparé lui-même le tombeau, où il a disposé un matelas de plumes. Le soir venu, Cligès et Jean s'introduisent dans le cimetière, dont les gardes se sont endormis, sortent Fénice de son tombeau et la transportent dans la tour, où Thessala vient la soigner. Les amants vivent alors dans un bonheur parfait, durant quinze mois, dans la tour. Fénice souhaitant revoir la lumière du soleil, Jean lui montre un verger bien caché. (v. 6062-6411)

Un jour de printemps, alors que les amants dorment, nus et enlacés, sous un poirier, un jeune chevalier, Bertrand, pénètre dans le verger à la poursuite d'un épervier qui s'est échappé, et les surprend. Fénice s'éveille, alerte Cligès, qui poursuit Bertrand et lui tranche la jambe. Le blessé parvient cependant jusqu'à l'empereur et lui apprend la nouvelle. Mais les amants ont déjà pris la fuite. L'empereur se retourne contre Jean qui, menacé de mort, refuse de trahir son maître et défie Alis en lui rappelant sa trahison à l'égard de son frère et en lui dévoilant la vérité sur ses noces. Cligès et Fénice échappent à toutes les poursuites grâce aux enchantements de Thessala (v. 6412-6655)

Les fugitifs se réfugient en Angleterre et Arthur s'apprête à partir pour Constantinople avec une immense armée quand des messagers, conduits par Jean, viennent apprendre à Cligès que son oncle est mort de rage et que les barons l'attendent pour le couronner, avec Fénice. (v. 6656-6731)

Les noces et le couronnement ont lieu à Constantinople et le couple trouve enfin le bonheur. Mais depuis, les empereurs de Constantinople, instruits par la ruse de Fénice, maintiennent leur épouse recluse sous la garde d'eunuques. (v. 6732-6768)

ÉLÉMENTS DE BIBLIOGRAPHIE

On trouvera une bibliographie exhaustive dans:

D. Kelly, *Chrétien de Troyes. An Analytic Bibliography*, Londres, 1976.

D. Kelly et al., *Chrétien de Troyes. An Analytic Bibliography, Supplement 1*, Londres, 2002.

Bulletin bibliographique de la Société internationale arthurienne (*BBSIA*), publié annuellement depuis 1949.

ÉDITIONS

Chrétien de Troyes, *Cligès*, éd W. Foerster, Halle, Niemeyer, 1884, rpt Amsterdam, Rodopi, 1965 (Grosse Ausgabe); Romanische Bibliothek, Halle, Niemeyer, 1888, 1901, 1910 (Kleine Ausgabe), 1921 (4ᵉ édition abrégée par A. Hilka).

Chrétien de Troyes, *Cligès*, éd. A. Micha, Paris, Champion, CFMA, 1957.

Chrétien de Troyes, *Cligès*, éd. S. Gregory et C. Luttrell, Cambridge, Brewer, 1993.

Chrétien de Troyes, *Cligès*, éd. et trad. P. Walter dans Chrétien de Troyes, *Œuvres complètes*, sous la direction de D. Poirion, Paris, Gallimard, Bibliothèque de la Pléiade, 1994.

Chrétien de Troyes, *Cligès*, éd. et trad. O. Collet et C. Méla, Paris, Le Livre de poche, Lettres gothiques 1994, repris dans Chrétien de Troyes, *Romans*, Paris, Le Livre de Poche, La Pochothèque, 1994.

TRADUCTION

Chrétien de Troyes, *Cligès*, trad. A. Micha, Paris, Champion, 1957.

AUTRES TEXTES

M. Benskin, T. Hunt, I. Short, «Un nouveau fragment du *Tristan* de Thomas», *Romania*, 113, 1992-1995, p. 289-319.

Le Livre de Alixandre, empereur de Constentinoble, et de Cligés son filz, éd. W. Foerster dans *Cligès*, Grosse Ausgabe, p. 281-353.

Le Livre de Alixandre, empereur de Constentinoble, et de Cligés son filz, ed. L. de Poortere, Louvain, 1968.

Le Livre de Alixandre, empereur de Constentinoble, et de Cligés son filz, éd.
   M. Colombo Timelli, Genève, Droz, 2004.

M. Colombo-Timelli, «*Cligès* dans la Bibliothèque universelle des romans,
   Etude et édition», *Il confronto letterario*, 40, 2003, p. 277-306.

Le Roman de Marques de Rome, éd. J. Alton, Tübingen, Bibliothek des Litera-
   rischen Verein, 187, 1889.

Tibaut, *Le Roman de la poire*, éd. C. Marchello-Nizia, Paris, SATF, 1984.

TRADITION MANUSCRITE ET CRITIQUE TEXTUELLE

Album de manuscrits français du XIIIe siècle, Mise en page et mise en texte, par
   M. Careri, F. Fery-Hue, F. Gasparri, G. Hasenohr, G. Labory, S. Lefèvre,
   A-F. Leurquin, C. Ruby, Rome, Viella, 2001, p. 15-17.

K. Busby, T. Nixon, A. Stones, L. Walters éd., *Les Manuscrits de Chrétien de
   Troyes*, Amsterdam, Rodopi, 1993, 2 vol.

L. Cocito, «Per un edizione critica del Cligès», *Mélanges C. Guerrieri-
   Crocetti*, Gênes, Bozzi, 1971, p. 123-133.

G. Cohn, «Textkritisches zum Cligès», *Zeitschrift für französische Sprache und
   Literatur*, 25, 1903, p. 146-220; 26, 1904, p. 114ss; 27, 1905, p. 117-159 et
   349-351.

A. Dees, «Analyse par l'ordinateur de la tradition manuscrite du *Cligès* de
   Chrétien de Troyes», *Actes du 17e congrès international de linguistique et
   de philologie romanes*, Tübingen, 1988, t. VI, p. 62-75.

P.F. Dembowski, «Editing Chretien», in *A Companion to Chrétien de Troyes*,
   ed. N. J. Lacy et J. T. Grimbert, Woodbridge, Boydell and Brewer, 2005,
   p. 76-83.

G. Favati, «Le *Cligès* de Chrétien de Troyes dans les éditions critiques et les
   manuscrits», *Cahiers de civilisation médiévale*, 10, 1967, p. 385-407.

L. F. Flutre, «Nouveaux fragments du manuscrit dit d'Annonay des œuvres de
   Chrétien de Troyes», *Romania* 75, 1954, p. 1-21.

S. Gregory, «Fragments inédits du *Cligès* de Chrétien de Troyes: le manuscrit
   de l'Institut de France», *Romania* 106, 1985, p. 254-269.

S. Gregory et C. Luttrell, «The Manuscripts of *Cligès*», in K. Busby, T. Nixon,
   A. Stones, L. Walters éd., *Les Manuscrits de Chrétien de Troyes*, I, p. 67-95.

S. Gregory et C. Luttrell, «Les Fragments d'Oxford du *Cligès* de Chrétien de
   Troyes», *Romania*, 113, 1992-1995, p. 320-48.

T. Hunt, «Chrétien de Troyes: the textual problem», in K. Busby, T. Nixon,
   A. Stones, L. Walters éd., *Les Manuscrits de Chrétien de Troyes*, I, p. 27-40.

A. Micha, *La Tradition manuscrite des romans de Chrétien de Troyes*, Genève,
   Droz, 1939 et 1966.

–   *Prolégomènes à une édition de* Cligès, Paris, 1938.

T. Nixon, «Romance Collections and the Manuscripts of Chrétien de Troyes», in K. Busby, T. Nixon, A. Stones, L. Walters éd., *Les Manuscrits de Chrétien de Troyes*, I, p. 17-25.

G. Paris, «Edition du fragment de Florence», *Romania* 1879, p. 266-67.

− *Cligès* (compte-rendu de l'édition Foerster), *Mélanges de littérature française du Moyen Age*, Paris, Champion, 1912, p. 229-244.

A. Pauphilet, *Le Manuscrit d'Annonay*, Genève, Droz, 1934.

− «Nouveaux fragments manuscrits de Chrétien de Troyes», *Romania*, 63, 1937, p. 310-323.

M. Roques, «Le manuscrit B.N. fr. 794 et le scribe Guiot», *Romania* 73, 1952, p. 177-199.

H.P. Schwake, *Der Wortschatz des* Cligès *von Chrétien de Troyes*, Tübingen, Niemeyer, 1979 (*Beihefte zur Zeitschrift für romanische Philologie*) 149.

ÉTUDES SUR *CLIGES*

E. Baumgartner, *Romans de la Table Ronde de Chrétien de Troyes*, Paris, Gallimard, Foliothèque, 2003, p. 53-70.

V. Bertolucci, «Commento retorico all *Erec* ed al *Cligés*», *Studi mediolatini e volgari*, 8, 1960, p. 9-51.

V. Bertolucci-Pizzorusso, «Di nuovo su *Cligès* e *Tristan*», *Studi francesi*, 18, 1962, p. 401-413.

S. L. Burch, «*Amadas et Ydoine* and *Cligès*, and the Impediment of Crime», *Forum for Modern Language Studies*, 36, 2000, p. 185-95.

C.J. Chase, «Double Bound: Secret Sharers in *Cligès* and the *Lancelot-Graal*», in K. Busby, D. Kelly, N.J. Lacy ed., *The Legacy of Chretien de Troyes*, Amsterdam, Rodopi, 1988, p. 169-185.

R.H. Cline, «Heart and eyes», *Romance Philology* 25, 1971-1972, p. 263-297.

L. Cocito, *Il* Cligès *di Chrétien de Troyes*, Gênes, 1968.

M. Colombo Timelli, «Talanz li prant que il s'an aille» (*Cligès*, v. 5056): d'un vers de Chrétien de Troyes à l'invention d'un prosateur du XVe siècle», *Mélanges G. Mombello*, éd. P. Cifarelli et A. Amatuzzi, Alessandria, Ed. Dell'Orso, 2003, p. 359-375.

− «*Cligès* lu par un érudit du XVIIIe siècle, Pierre-Jean Baptiste Le Grand d'Aussy, *BBSIA* 56, 2004, p. 395-402.

R. Cormier, «Cinq motifs ovidiens chez Chrétien de Troyes», *Medioevo Romanzo*, 28, 2, 2004, p. 189-207.

R. Curtis, «The Validity of Fénice's Criticism of Tristan and Yseut in Chrétien's *Cligès*, *Bulletin bibliographique de la Société internationale arthurienne*, 41, 1989, p. 293-300.

R. Deist, *Gender and Power: Counsellors and their Masters in Antiquity and Medieval Courtly Romance,* Heidelberg, Winter, 2003.

J. J. Duggan, *The Romances of Chrétien de Troyes,* New Haven, 2001.

J. Enders, «Memory and Psychology in the Interior Monologue in Chrétien's *Cligès»,* *Rhetorica,* 10, 1, 1992, p. 5-23.

G. Favati, «Una traccia di cultura neoplatonica in Chrétien de Troyes: il tema degli occhi come specchio (*Cligès,* vv. 629-749), *Mélanges C. Pellegrini,* Turin, 1963, p. 3-13.

A. Fourrier, *Le Courant réaliste dans le roman courtois en France au Moyen Age,* Paris, Nizet, 1960.

– «Encore la chronologie des œuvres de Chrétien de Troyes», *Bulletin bibliographique de la Société internationale arthurienne,* 2, 1950, p. 69-88.

A. Franz, «Die reflektierte Handlung im *Cligès»,* *Zeitschrift für romanische Philologie,* 47, 1927, p. 61-86.

J. Frappier, *Chrétien de Troyes: Cligès,* Paris, CDU, 1951.

– Chrétien de Troyes, Paris, Hatier, rééd. 1968.

M. Freeman, *The Poetics of translatio studii and conjointure: Chrétien de Troyes' Cligès,* Lexington, 1979.

– «*Cligès»,* in D. Kelly ed., *The Romances of Chrétien de Troyes: a symposium,* Lexington, French Forum Publ., 1985, p. 89-131.

– *"Chrétien's Cligès: a close reading of the prologue",* Romanic Review, 67, 1976, p. 89-101.

– «Transpositions structurelles et intertextualité: le *Cligès* de Chrétien», *Littérature,* 41, 1981, p. 50-61.

C. Gaullier-Bougassas, «L'altérité de l'Alexandre du *Roman d'Alexandre* et, en contrepoint, l'intégration à l'univers arthurien de l'Alexandre de *Cligès»,* *Cahiers de recherches médiévales,* 4, 1997, p. 143-149.

– *La Tentation de l'Orient dans le roman médiéval,* Paris, Champion, 2003.

E. Gilson, «Humanisme et Renaissance», *Les Idées et les Lettres,* Paris, Vrin, 1932, p. 171-196.

J. Tasker Grimbert, «Chrétien, the Troubadours, and the Tristan Legend: The Rhetoric of Passionate Love in *D'Amors qui m'a tolu a moi»,* in *Philologies Old and New: Essays in Honor of P.F. Dembowski,* ed. J. T. Grimbert and C. J. Chase, Princeton, 2001, p. 237-50.

– « On Fenice's Vain Attempts to Revise a Romantic Archetype and on Chrétien de Troyes's Fabled Hostility to the Tristan Legend», in *Reassessing the Heroine in Medieval French Literature,* ed. K. M. Krause, Gainesville, 2001, p. 87-106.

– « *Cligés* and the Chansons: a Slave to Love », in *A Companion to Chrétien de Troyes*, ed. N. J. Lacy et J. T. Grimbert, Woodbridge, Boydell and Brewer, 2005, p. 120-136.

G. Gros, « La semblance de la verrine : description et interprétation d'une image mariale », *Le Moyen Age*, 97, 1991, p. 217-257.

R. Guiette, « Sur quelques vers de Cligès », *Romania* 91, 1970, p. 75-82.

F.E. Guyer, « The Influence of Ovid on Crestien de Troyes », *Romanic Review* 12, 1921, p. 97-134, p. 216-47.

P. Haidu, *Aesthetic Distance in Chrétien de Troyes: Irony and Comedy in* Cligès *and* Perceval, Genève, Droz, 1968.

– « Au début du roman, l'ironie », *Poétique* 36, 1978, p. 443-466.

M. Hamel, « *The Franklin's Tale* and Chrétien de Troyes ». *The Chaucer-Review*, 17, 1983, p. 316-331.

H Hauvette, *La Morte vivante*, Paris, Boivin, 1933.

G. Heyworth, « Love and Honour in Cligès », *Romania* 120, 2002, p. 99-117.

U.T. Holmes Jr., *Chrétien de Troyes,* New York, 1970, p. 80-84.

T. Hunt, « Aristotle, Dialectic and Courtly Literature », *Viator* 10, 1979, p. 95-129.

– « Chrétien and the Comediae », *Medieval Studies*, 40, 1978, p. 120-156.

T. Hunt, « Chrétien's Prologues Reconsidered », in *Conjunctures: Medieval Studies in Honor of Douglas Kelly*, ed. K Busby and N. J. Lacy, Amsterdam, 1994, p. 153-68.

P. Imbs, « Guenièvre et le roman de *Cligès* », *Mélanges Albert Henry*, Paris, Klincksieck, 1970, p. 75-83.

H. et T. Kahane, « L'énigme du nom de Cligès », *Romania* 82, 1961, p. 113-121.

S. Kinoshita, « The Poetics of *Translatio*: French-Byzantine Relations in Chrétien de Troyes's *Cligès* », *Exemplaria*, 8, 1996, p. 315-54.

E. Köhler, *L'Aventure chevaleresque. Idéal et réalité dans le roman courtois*, trad. fr., Paris, Gallimard, 1974.

J. Kooijman, « Cligès héros ou anti-héros ? », *Romania* 100, 1979, p. 505-519.

N.J. Lacy, « Form and pattern in *Cligès* », *Orbis litterarum* 25, 1970, p. 307-313.

– « *Cligès* and Courtliness », *Interpretations*, 15, 1984, p. 18-24.

– « Adaptation as Reception: The Burgundian *Cligès* », *Fifteenth-Century Studies*, 24, 1998, p 198-207.

N.J. Lacy et J. T. Grimbert ed., *A Companion to Chrétien de Troyes*, Woodbridge, Boydell and Brewer, 2005.

H. C. Laurie, « Chrétien de Troyes and the Love Religion », *Romanische Forschungen*, 101, 1989, p. 169-183.

– « Cligès and the Legend of Abelard and Heloïse », *Zeitschrift für romanische Philologie*, 107, 1991, p. 324-342.

H. Legros, « Du verger royal au jardin d'amour : mort et transfiguration du *locus amoenus* d'après Béroul et Cligès », *Senefiance*, 28, 1990, p. 215-235.

P. R. Lonigan, « The *Cligès* and the Tristan Legend », *Studi francesi*, 53, 1974, p. 201-212.

C. Luttrell, « Southampton dans le *Cligès* de Chrétien de Troyes », *Romania* 114, 1996, p. 231-234.

F. Lyons, « La fausse mort dans le *Cligès* de Chrétien de Troyes », *Mélanges Mario Roques*, Paris, Didier, I, 1950, p. 167-177.

–   « Vin herbé et gingembras dans le roman breton », *Mélanges Jean Frappier*, Genève, Droz, 1970, II, p. 689-696.

–   « The Chivalric Bath in the *Roman d'Alexandre* and in Chretien's *Cligès*», *Mélanges Teruo Sato*, Nagoya, 1973, I, p. 85-90.

–   « Interprétations critiques au XXᵉ siècle du prologue de *Cligès* : la *translatio studii* selon les historiens, les philosophes et les philologues », *Œuvres et critiques* V/2, 1980-1981, p. 39-52.

D. Maddox, « Kinship Alliances in the *Cligès* of Chrétien de Troyes », *L'Esprit créateur*, 12, 1972, p. 3-12.

–   « Critical Trends and Recent Works on the *Cligès* of Chrétien de Troyes, *Neuphilologische Mitteilungen* 74, 1973, p. 730-745.

–   « Pseudo-historical discourse in fiction : *Cligès* », in *Essays in Early French Literature presented to Barbara M. Craig*, éd. N.J. Lacy and J.C. Nash, York/South Carolina, 1982, p. 9-23.

A. Micha, « Enéas et Cligés », in *Mélanges de philologie romane et de littérature médiévale offerts à E. Hoepffner,* Paris, 1949, p. 237-43, repris dans *De la chanson de geste au roman*, Genève, 1976, p. 55-62.

–   « Tristan et Cligès », *Neophilologus* 36, 1952, p. 1-10, repris dans *De la chanson de geste au roman*, p. 63-72.

–   «*Cligès* ou les folles journées », *Mélanges Jeanne Wathelet-Willem*, Liège, 1978, p. 447-454.

P. Noble, « Alis and the Problem of Time in Cligès », *Medium Aevum* 39, 1970, p. 28-31.

D.D.R. Owen, « Profanity and its Purpose in Chrétien's *Cligès* and *Lancelot*», in D.D.R. Owen éd., *Arthurian Romance : seven Essays*», Edimbourg et Londres, Scottish Academy Press, 1970, p. 37-48.

G. Paoli, « La relation œil-cœur : recherches sur la mystique amoureuse de Chrétien de Troyes dans *Cligès*», in *Le Cœur au Moyen Age*, *Senefiance* 30, 1991, p. 233-244.

G. Paris, «*Cligès*», *Mélanges de littérature française du Moyen Age*, Paris, 1912, p. 308-326.

–   « La femme de Salomon », *Romania* 9, 1880, p. 436-443.

M. Pelan, *L'Influence du Brut de Wace sur les romanciers français de son temps*, Paris, 1931.

D. Poirion, «*Cligès*, le mythe de la résurgence», dans *Résurgences*, Paris, PUF, 1986, p. 153-164.

L. Polak, *Chrétien de Troyes, Cligès*, Londres, Grant and Cutler, 1982.

– «Cligès, Fénice et l'arbre d'amour», *Romania* 93, 1972, p. 304-316.

J. Ribard, «Le symbolisme des quatre éléments dans le tournoi d'Osenefort du *Cligès* de Chrétien», *Les Quatre Eléments dans la culture médiévale*, Göppingen, 1983, p. 163-169.

D. W. Robertson, «Chrétien's Cligès and Ovidian spirit», *Comparative Literature*, 7, 1955, p. 32-42.

D. J. Shirt, «*Cligès*: Realism in Romance», *Forum for Modern Language Studies* 13, 1977, p. 368-380.

– «*Cligès*, A Twelfth-Century Matrimonial Case-Book?» *Forum for Modern Language Studies*, 18, p. 75-89.

M. Stanesco, «Cligès le chevalier coloré», *Mélanges Daniel Poirion*, Paris, Presses de Paris-Sorbonne, p. 391-402.

J. Stiennon, «Histoire de l'art et fiction poétique dans un épisode du *Cligès* de Chrétien de Troyes», *Mélanges Rita Lejeune*, Gembloux, 1969, I, p. 695-708.

M. Szkilnik, «Medieval Translations and Adaptations", in *A Companion to Chrétien de Troyes*, p. 202-213.

J.H.M. Taylor, «The Significance of the Insignificant: Reading Reception in the Burgundian *Erec* and *Cligès*», *Fifteenth Century Studies* 24, 1998, p. 183-197.

K.D. Uitti, «Chrétien de Troyes' *Cligès*: Romance Translatio and History», *Cunjunctures, Medieval Studies in honour of Douglas Kelly*, Amsterdam, Rodopi 1994, p. 545-557.

A. G. Van Hamel, «Cligès et Tristan», *Romania* 33, 1904, p. 465-489.

K. Varty, «On Birds and Beasts, 'Death' and 'Resurrection', Renewal and Reunion in Chretien's Romances», in *The Legend of Arthur in the Middle Ages: Studies Presented to Armand H. Diverres*, ed. P.B. Grout et al., Cambridge, Brewer, 1983, p. 194-212.

P. Walter, «L'or et l'essai: hermétisme et tradition dans *Cligès*», *Razo*, 11, 1990, p. 9-24.

F. Wolfzettel, «*Cligès*, roman "épiphanique"», in *Miscellanea mediaevalia: Mélanges offerts à Philippe Ménard*, Paris, Champion, 1998, p. 1489-1507.

G. Zaganelli, «Alessandro magno, Tristano, Cligès e una camicia tessuta sul tamigi», in *Percorsi intertestuali*, Universita di Urbino, 1997, p. 13-31.

F. Zambon, « 'Neant tient, a neant parole': Il sogno erotico nel *Cliges* di Chretien de Troyes», in M. Farnetti éd., *Geografia, storia e poetiche del fantastico*, Florence, Olschki, 1995, p. 75-82.

AUTRES ÉTUDES

E. Baumgartner, *Le récit médiéval*, Paris, Hachette, 1995.

– *Tristan et Yseut*, Paris, PUF, 1987.

– Chrétien's Medieval Influence», in *A Companion to Chrétien de Troyes*, p. 214-227.

A. M. Colby, *The Portrait in Twelfth-Century French Literature: an Example of the Stylistic Originality of Chrétien de Troyes*, Genève, Droz, 1965.

E. Faral, *Les Arts poétiques du XIIe et du XIIIe siècles*, Paris, Champion, 1924, rééd. 1971.

– *Recherches sur les sources latines des contes et romans courtois du Moyen Age*, Paris, Champion, 1913.

Y. Foehr-Janssens, *Le Temps des fables. Le Roman des Sept Sages ou l'autre voie du roman*, Paris, Champion, 1994,

A. Guerreau-Jalabert, «Romans de Chrétien de Troyes et contes folkloriques: rapprochements et observations de méthode», *Romania*, 104, 1983, p. 1-48.

– *Index des motifs narratifs dans les romans arthuriens français en vers (XIIe-XIIIe siècles)*, Genève, Droz, 1992.

P. Haugeard, *Du* Roman de Thèbes *à* Renaut de Montauban*, une genèse sociale des représentations familiales*, Paris, PUF, 2002.

D. Kelly, «*Translatio studii*: Translation, Adaptation, and Allegory in Medieval French Literature», *Philological Quarterly*, 57, 1978, p. 287-310.

– «Narrative Poetics: Rhetoric, Orality and Performance», in *A Companion to Chrétien de Troyes*, p. 52-63.

U. Kraemer, *Translatio imperii et studii, Zum Geschichts- und Kulturverständnis in französischen Literatur des Mittelalters und der frühen Neuzeit*, Bonn, Romanistischer Verlag, 1996.

N.J. Lacy, *The Craft of Chrétien de Troyes: An Essay on Narrative Art*, Leiden, 1980.

D. Maddox, *The Arthurian Romances of Chrétien de Troyes: Once and Future Fictions*, Cambridge, 1991.

P. Ménard, «Chrétien de Troyes et le merveilleux», *Europe* 642, 1982, p. 53-60.

– *De Chrétien de Troyes au* Tristan *en prose*, Genève, Droz, 1999.

E. Mullally, *The Artist at Work: Narrative Technique in Chrétien de Troyes*, Philadelphie, 1988.

C. Noacco, «Par nigromance et par enchantement: niveaux et nuances du magique dans les romans de Chrétien de Troyes», *Senefiance* 42, 2003, p 385-397.

P. Nykrog, *Chrétien de Troyes romancier discutable*, Genève, Droz, 1996.

M.L. Ollier, *Lexique et concordance de Chrétien de Troyes d'après la copie Guiot*, Paris, Vrin, 1989.

–   «L'auteur dans le texte: les prologues de Chrétien de Troyes», dans *La Forme du sens*, Orléans, Paradigme, 2000, p. 111-123.

–   «Proverbe et sentence. Le discours d'autorité chez Chrétien de Troyes», *Revue des sciences humaines*, 161, 1976, p. 329-357, repris dans *La Forme du sens*, Orléans, Paradigme, 2000, p. 125-155.

E. Schulze-Busacker, *Les Proverbes dans la littérature narrative du Moyen Age français*, Paris, Champion, 1985.

–   «La culture littéraire de Chrétien de Troyes», *Romania*, 2004, p. 289-319.

L. Walters, «Le rôle du scribe dans l'organisation des manuscrits de Chrétien de Troyes», *Romania* 106, 1985, p. 303-325.

M. Zink, «Une mutation de la conscience littéraire: le langage romanesque à travers des exemples français du XIIe siècle», *Cahiers de civilisation médiévale*, 1981, p. 3-27.

Cil qui fist d'Erec et d'Enide
et les comandemanz d'Ovide
et l'Art d'amors an romans mist
et le Mors de l'espaule fist,   4
del roi Marc et d'Ysalt la blonde
et de la hupe et de l'aronde
et del rossignol la muance,
un novel conte rancomance   8
d'un vaslet qui an Grece fu
del linage le roi Artu.
Mes ainz que de lui rien vos die,
orroiz de son pere la vie,   12
dom il fu et de quel linage.
Tant fu preuz et de fier corage
que por pris et por los conquerre,
ala de Grece an Engleterre,   16
qui lors estoit Bretaigne dite.
Ceste estoire trovons escrite,
que conter vos vuel et retraire,
en un des livres de l'aumaire   20
mon seignor saint Pere a Biauvez ;
de la fu li contes estrez
[don cest romanz fist Crestïens.
Li livres est molt ancïens]¹   24
qui tesmoingne l'estoire a voire ;
por ce fet ele mialz a croire.
Par les livres que nos avons
les fez des ancïens savons   28
et del siegle qui fu jadis.
Ce nos ont nostre livre apris
qu'an Grece ot de chevalerie
le premier los et de clergie.   32
Puis vint chevalerie a Rome
et de la clergie la some,

_____

¹   *2 vers absents AB. Corr. d'après CPRST.*

CLIGÈS

Celui qui a écrit *Érec et Enide*, qui a mis en français les *Commandements* d'Ovide[1] et *L'Art d'aimer*[2], qui a écrit *La Morsure de l'épaule*[3], qui a composé sur le roi Marc et Iseut la Blonde[4], sur la métamorphose de la huppe, de l'hirondelle et du rossignol[5], se remet à un nouveau conte dont le jeune héros, qui vécut en Grèce, appartenait au lignage du roi Arthur. Mais avant de vous parler de lui, je vous apprendrai la vie de son père, de quel pays il fut et de quel lignage. Il était si preux et d'un cœur si fier que pour conquérir gloire et renommée, il quitta la Grèce pour l'Angleterre, que l'on appelait alors Bretagne. Cette histoire que je veux vous raconter, on la trouve écrite dans l'un des livres de la bibliothèque de l'église de monseigneur Saint Pierre à Beauvais. De là vient le conte dont Chrétien a fait ce récit. Ce livre, très ancien, atteste la vérité de l'histoire et la rend d'autant plus digne de foi[6].

Par les livres que nous possédons nous connaissons les faits des Anciens et l'histoire du monde d'autrefois. Nos livres nous apprennent que c'est la Grèce qui eut d'abord la palme de la chevalerie et du savoir. Puis la chevalerie vint à Rome et avec elle la totalité du savoir : elles se

---

[1] Il s'agit vraisemblablement des *Remedia amoris* d'Ovide.

[2] Ces « mises en roman » de Chrétien sont perdues.

[3] Là encore le texte est perdu. Il renvoie à Ovide, *Métamorphoses*, VI, v. 401-411. Pélops, fils de Tantale, fut victime de son propre père, qui, par défi, le servit en repas aux dieux. Ceux-ci rassemblèrent les membres et ramenèrent Pélops à la vie mais durent remplacer l'épaule qui avait été mangée par Déméter en lui façonnant une épaule d'ivoire.

[4] On a perdu ce récit de Chrétien, qui, curieusement, semble mettre l'accent sur Marc et Iseut, contrairement aux autres romans de Tristan.

[5] Ovide, *Métamorphoses*, VI, v. 412-674. Philomèle, violée et mutilée par son beau-frère Térée, se vengea avec l'aide de sa sœur Procné, qui servit à table à Térée les membres de leur fils Itys. Térée fut métamorphosé en huppe, Procné en hirondelle et Philomèle en rossignol. Un récit français du XIIe siècle, *Philomena*, reprend le texte d'Ovide. Ce conte est intégré à *l'Ovide moralisé*, une longue translation des *Métamorphoses* d'Ovide, dont l'auteur dit qu'il l'emprunte à un certain Chrétien, mentionnant dans le cours du récit le mystérieux *Crestïens li gois*. Il est donc tentant de voir dans *Philomena* le conte mentionné dans le prologue de *Cligès*. Mais la question n'est pas tranchée. Voir *Philomena* dans *Pyrame et Thisbé, Narcisse, Philomena*, éd. bilingue E. Baumgartner, Paris, Folio classique, 2000.

[6] Sur ce topos, voir E. Baumgartner, « Du manuscrit trouvé au corps retrouvé », in *Le topos du manuscrit trouvé*, éd. J. Herman et F. Hallyn, Louvain, Peeters, 1999, p. 1-14.

qui or est an France venue.
Dex doint qu'ele i soit maintenue   36
et que li leus li abelisse
tant que ja mes de France n'isse
l'enors qui s'i est arestee.
Dex l'avoit as altres prestee,   40
car des Grezois ne des Romains
ne dit an mes ne plus ne mains :
D'ax est la parole remese
et estainte la vive brese.   44

Crestïens comance son conte,
si con li livres nos reconte,
qui trez fu d'un empereor
puissant de richesce et d'enor,   48
qui tint Grece et Costantinoble.
Empereriz ot cointe et noble
don l'emperere ot .II. enfanz,
mes ainz fu li premiers si granz   52
que li autres nessance eüst,
que li premiers, se lui pleüst,
poïst chevaliers devenir
et tot l'empire maintenir.   56
Li premiers ot non Alixandres,
Alis fu apelez li mandres ;
Alixandres ot non li pere
et Tantalis ot non la mere.   60
De l'empereriz Tantalis,
de l'enpereor et d'Alis
la parole a tant lesseron.
D'Alixandre vos conteron,   64
qui tant fu corageus et fiers
que il [ne]² deigna chevaliers
devenir an sa regïon.
Oï ot feire menssïon   68
del roi Artus, qui lors reignoit,
et des barons que il tenoit

_____

²   ne *absent* A.

trouvent aujourd'hui en France. Dieu veuille que ce soit pour y rester et que le lieu leur plaise assez pour que l'honneur qui s'est arrêté en France n'en parte plus jamais ! Dieu l'avait prêté seulement aux autres peuples, car des Grecs et des Romains on ne dit plus rien aujourd'hui ; le silence est tombé sur eux et leur vive braise est éteinte[7].

Chrétien commence son conte, en suivant le livre, consacré à un empereur puissant en richesse et en terres, qui régnait sur la Grèce et Constantinople. L'impératrice, sa belle et noble épouse, lui donna deux enfants. L'aîné, avant même la naissance du cadet, avait l'âge de devenir chevalier, s'il le souhaitait, et de gouverner tout l'empire. Il se nommait Alexandre et le cadet Alis. Alexandre était aussi le nom du père et Tantalis celui de la mère. De l'impératrice Tantalis, de l'empereur et d'Alis je cesserai de parler maintenant pour me consacrer à Alexandre, qui était si courageux et si fier qu'il refusa de devenir chevalier dans son propre pays. Il avait entendu parler du roi Arthur, qui régnait à cette époque, et des barons qui vivaient en sa compagnie et

---

[7] C'est le mythe de la translation, du transfert d'est en ouest du pouvoir et du savoir (*translatio imperii et studii*). Voir A. G. Jongkees, «*Translatio studii*: les avatars d'un thème médiéval», *Mélanges J.F. Niermeyer*, Groningue, 1967, p. 41-51 ; D. Boutet, *Formes littéraires et conscience historique aux origines de la littérature française*, Paris, P.U.F., 1999, chap. 3 et «De la translatio imperii à la finis saeculi : progrès et décadence dans la pensée de l'Histoire au Moyen Age», in *Progrès, réaction, décadence dans l'Occident médiéval*, éd. E. Baumgartner et L. Harf-Lancner, Genève, Droz, 2003, p. 37-48.

an sa conpaignie toz jorz,
par qu'estoit dotee sa corz   72
et renomee par le monde.
Comant que la fins l'an responde
et comant que il l'en aveingne,
n'est riens nee qui le deteingne   76
el mont que n'an voist an Breteingne.
Mes ainz est droiz que congié preingne
a son pere que il s'an aille
an Bretaigne n'an Cornoaille.   80
Por congié prandre et demander
va a l'empereor parler.
Alixandres li biax, li preuz,
ja li dira quex est ses veuz   84
et que il vialt feire et anprandre :
« Biau pere, por enor aprandre
et por conquerre pris et los,   (f. 54v)
un don, fet il, querre vos os,   88
que je vuel que vos me doingniez,
ne ja ne le me porloigniez,
se otroier le me devez.»
De ce ne cuide estre grevez   92
l'empereres ne po ne bien :
l'enor son fil sor tote rien
doit il voloir et covoitier.
Molt cuideroit bien esploitier   96
(cuideroit? et si feroit il),
s'il acroissoit l'enor son fil.
« Biax filz, fet il, je vos otroi
vostre pleisir, et dites moi   100
que vos volez que je vos doingne !»
Or a bien feite sa besoingne
li vaslez, qui molt an fu liez,
quant li dons li fu otroiez   104
qu'il tant desirroit a avoir.
« Sire, fet il, volez savoir
que vos m'avez acreanté?
Je vuel avoir a grant planté   108
de vostre or et de vostre argent,
et conpaignons de vostre gent

grâce à qui sa cour était redoutée et réputée de par le monde. Quoi qu'il arrive, quelles qu'en soient les conséquences, rien au monde ne pourrait l'empêcher d'aller en Bretagne. Mais il est juste, avant son départ pour la Bretagne et la Cornouailles, qu'il prenne congé de son père. Il va donc parler à l'empereur pour demander et prendre son congé.

Alexandre le beau, le preux, veut lui dire son souhait et le projet qu'il compte réaliser: «Cher père, pour faire l'apprentissage de l'honneur et conquérir gloire et renom, je me permets de vous demander un don, que je vous prie de m'accorder. Ne me faites pas attendre, si vous devez me l'octroyer!». L'empereur n'imagine pas que ce don puisse lui nuire en quoi que ce soit: il se doit de vouloir et désirer par dessus tout l'honneur de son fils. Il pense agir pour le mieux (il le pense? mais c'est bien la vérité!), s'il accroissait l'honneur de son fils. «Cher fils, dit-il, je vous octroie ce que vous désirez: dites-moi ce que vous voulez de moi! [8]» Le jeune homme a bien mené son affaire: il est tout heureux de se voir octroyer le don qu'il désirait tant obtenir. «Seigneur, dit-il, voulez-vous savoir ce que vous m'avez promis? Je veux recevoir de vous or et argent en abondance, et choisir parmi vos hommes ceux qui

---

[8] On reconnaît ici le motif du don contraignant, par lequel le donateur s'engage à l'égard du donataire sans connaître la nature du don. Voir J. Frappier, «Le motif du don contraignant dans la littérature du Moyen Age», *Travaux de linguistique et littérature* 7, 1969, p. 7-46; P. Ménard, «Le don en blanc qui lie le donateur», *Mélanges L. Thorpe*, éd. K. Varty, Glasgow, 1981, p. 37-53 et C. Cooper, *Le don contraignant*, thèse de Paris IV, 2001.

tex con je les voldrai eslire,
car issir vuel de vostre empire,   112
s'irai presanter mon servise
au roi qui Bretaingne justise,
por ce que chevalier me face.
Ja n'avrai armee la face,   116
ne hiaume el chief, jel vos plevis,
a nul jor que je soie vis,
tant que li rois Artus me ceingne
l'espee, se feire le deingne,   120
car d'autrui ne vuel armes prandre.»
L'empereres, sanz plus atandre,
respont : « Biax filz, por Deu, ne dites !
Cist païs est vostres toz quites,   124
et Costantinoble la riche.
Ne me devez tenir por chiche,
quant si bel don vos vuel doner !
Demain vos ferai coroner   128
et chevaliers seroiz demain.
Tote Grece iert en vostre main
et de noz barons recevrez,
si con reçoivre les devez,   132
les seiremanz et les homages.
Qui ce refuse il n'est pas sages !»
Li vaslez antant la promesse
que l'andemain aprés la messe   136
le vialt ses peres adober,
et dit qu'il iert malvés ou ber
en autre païs que el suen :
« Se vos feire volez mon buen   140
de ce que je vos ai requis,
or me donez et veir et gris
et boens chevax et dras de soie,
car einçois que chevaliers soie,   144
voldrai servir le roi Artu.
N'ai pas ancor si grant vertu
que je poïsse armes porter.
Nus ne m'an porroit retorner,   148
par proiere ne par losange,
que je n'aille an la terre estrange

seront mes compagnons ; je veux quitter votre empire et aller offrir mes services au roi qui gouverne la Bretagne pour qu'il me fasse chevalier. Je n'aurai jamais la tête couverte d'un heaume ni le visage protégé, je vous le jure, de toute ma vie, jusqu'à ce que le roi Arthur me ceigne l'épée, s'il l'accepte, car je ne veux recevoir mes armes de nul autre !» L'empereur répond sans plus attendre : « Cher fils, ne parlez pas ainsi, au nom de Dieu ! Ce pays est entièrement à vous, ainsi que la riche Constantinople. Vous n'avez pas lieu de me tenir pour chiche, puisque je veux vous faire un si beau don. Demain je vous ferai couronner et demain vous serez chevalier. La Grèce entière sera en votre pouvoir et vous recevrez, comme il est juste, le serment et l'hommage de nos barons. Refuser serait manquer de sagesse !».

Le jeune homme écoute la promesse que lui fait son père de l'adouber le lendemain après la messe, mais dit que c'est dans un autre pays que le sien qu'il montrera s'il est lâche ou brave. « Si vous voulez exaucer mes vœux à propos de cette requête, donnez-moi donc des fourrures de vair et de petit gris[9], de bons chevaux, des étoffes de soie ! Car avant d'être chevalier, je veux servir le roi Arthur. Je n'ai pas encore assez de valeur pour porter les armes. Nul ne pourrait me dissuader, par des prières ou de bonnes paroles, de me rendre en terre étrangère pour

---

[9] Le *vair* et le *gris* proviennent d'écureuils de l'espèce petit-gris. Le *vair* est une fourrure dans laquelle alternent des dos (gris) et des ventres (blancs).

veoir le roi et ses barons,
de cui si granz est li renons   152
de corteisie et de proesce.
Maint haut home par lor peresce
perdent grant los qu'avoir porroient,
se par la terre cheminoient.   156
Ne s'acordent pas bien ansanble
repos et los, si con moi sanble,
car de nule rien ne s'alose
riches hom qui toz jorz repose.   160
[Proece est fais a mauvais home,
Et a prous est malvestié some][3]:
ensi sont contraire et divers.
Et cil est a son avoir sers   164
qui toz jorz l'amasse et acroist.
Biau pere, tant com il me loist
los conquerre, se je tant vail,
i vuel metre poinne et travail.»   168
De ceste chose, sanz dotance,
l'emperere ot joie et pesance:
joie a de ce que il antant
que ses filz a proesce antant,   172
et pesance, de l'autre part,
de ce que de lui se depart.
Mes por l'otroi qu'il en a fait,
quelque pesance qu'il en ait,   176
li covient son boen consantir,
qu'ampereres ne doit mantir.
« Biax filz, fet il, lessier ne doi,
puis qu'a enor tandre vos voi,   180
que ne face vostre pleisir.
An mes tresors poez seisir
d'or et d'argent plainnes .II. barges,
mes molt covient que soiez larges   184
[et cortois et bien afeitiez.»
Or est li vaslez bien heitiez][4],

---

[3]   2 vers absents A.

[4]   2 vers intervertis A.

voir le roi et ses barons, qui ont une si grande renommée de courtoisie et
de prouesse. Bien des grands seigneurs perdent par leur paresse la gloire
qu'ils pourraient conquérir s'ils voyageaient de par le monde. On ne
peut pas concilier le repos et la gloire, je crois, car il ne gagne aucune
gloire, le puissant seigneur qui passe son temps à se reposer. La prouesse est un fardeau pour le lâche ; quant au preux, c'est la lâcheté qui lui
pèse, tant elles s'opposent l'une à l'autre. Et l'on est l'esclave de ses
biens quand on passe son temps à les amasser et à les accroître. Cher
père, tant que j'ai le loisir de conquérir la gloire, si je vaux quelque
chose, je veux y consacrer ma peine et mes efforts !»

Ce discours suscite sans conteste chez l'empereur à la fois joie et
chagrin : de la joie parce qu'il comprend que son fils ne songe qu'à la
prouesse ; du chagrin d'autre part, parce que celui-ci va le quitter. Mais
ayant donné son accord, il doit, quel que soit son chagrin, exaucer ce
vœu, car un empereur ne saurait mentir. «Cher fils, dit-il, il n'est pas
question, puisque je vous vois chercher l'honneur, que je refuse de faire
votre plaisir. Vous pouvez prendre dans mon trésor assez d'or et d'argent pour en remplir deux barques, mais veillez bien à faire preuve de
générosité, de courtoisie et de politesse !»

Voilà le jeune homme bien heureux de voir son père lui promettre de

quant ses peres tant li promet
qu'a bandon ses tresors li met   188
et si [li enorte et]⁵ comande
que largement doint et despande,
et si li dit reison por coi :
« Biax filz, fet il, de ce me croi   192
que Largesce est dame et reïne
qui totes vertuz anlumine,
ne n'est mie grief a prover.
A quel bien cil se puet torner,   196
ja tant ne soit puissanz ne riches,
ne soit honiz, se il est chiches ?
Qui a tant d'autre bien sanz grace
que largesce loer ne face ?   200
Par soi fet prodome largesce,
ce que ne puet feire hautesce,
ne corteisie, ne savoir,
ne gentillesce, ne avoir,   204
ne force, ne chevalerie,
ne proesce, ne seignorie,
ne biautez ne nule autre chose.
Mes tot ausi come la rose   208
est plus que nule autre flors bele,
quant ele neist fresche et novele,
einsi la ou largesce avient,
desor totes vertuz se tient,   212
et les bontez que ele trueve
an prodome qui bien se prueve
fet a .Vᶜ. dobles monter.
Tant a en largesce a conter   216
que n'an diroie la mitié.»
Bien a li vaslez esploitié
de quanqu'il a quis et rové,
car ses peres li a [trové]⁶   220
tot ce qu'il li vint a creante.   (f. 55)
L'empereriz fut molt dolante

---

⁵   l'enore et li *A*.
⁶   rové *A*.

mettre ses trésors à sa disposition, l'exhorter et lui ordonner de donner et de dépenser avec largesse. L'empereur lui en dit la raison : « Cher fils, fait-il, tu peux m'en croire, Largesse est la dame et la reine qui illumine toutes les vertus, et ce n'est pas difficile à prouver[10]. A quel bien peut prétendre l'homme le plus puissant et le plus riche, et comment peut-il éviter la honte, s'il est avare ? Quelles sont les autres qualités, hormis la grâce divine, que Largesse ne contribue à mettre en valeur ? Largesse à elle seule fait l'homme de bien, ce que ne peuvent faire le rang, la courtoisie, la science, la noblesse, la richesse, la force, la chevalerie, la prouesse, la seigneurie, la beauté ni rien d'autre. Mais tout comme la rose surpasse les autres fleurs en beauté, quand elle naît dans toute sa fraîcheur et sa jeunesse, Largesse, dès qu'elle apparaît, surmonte toutes les autres vertus et fait valoir mille fois les qualités qu'elle trouve chez l'homme de bien qui se conduit noblement. Il y a tant de choses à dire sur Largesse que je ne saurais en dire la moitié ! »

Le jeune homme a bien réussi à obtenir tout ce qu'il a demandé car son père lui a trouvé tout ce qu'il désirait. L'impératrice fut remplie de

---

[10] La largesse, qualité courtoise, est incarnée dans la littérature romanesque du XIIe siècle par un autre Alexandre, Alexandre le Grand : cf le prologue du *Conte du Graal* de Chrétien, où la largesse d'Alexandre est dépréciée par rapport à la véritable générosité, la charité chrétienne incarnée par le comte Philippe de Flandre. Voir aussi le long discours de Floquart à son élève, le jeune Florimont, sur les sept types de largesse, dans le *Roman de Florimont* d'Aimon de Varennes, éd. A. Hilka, Göttingen 1933 (Gesellschaft für romanische Literatur 48), v. 1918-1954 et 2751-2776.

quant de la voie oï parler
ou ses filz an devoit aler.   224
Mes qui qu'an ait duel ne pesance,
ne qui que li tort a enfance,
ne qui que li blasme ne lot,
li vaslez, au plus tost qu'il pot,   228
comande ses nes aprester,
car il n'i vialt plus arester
an son païs plus longuemant.
Les nes par son comandemant   232
furent chargiees cele nuit
de vin, de char et de bescuit.

Les nes sont chargiees au port
et l'andemain a grant deport   236
vint Alixandres el sablon
et avuec lui si conpaignon,
qui lié estoient de la voie.
Li empereres les convoie   240
et l'empereriz, cui molt poise.
Au port truevent lez la faloise
les mariniers dedanz les nes.
[La mers]⁷ fu peisible et soés,   244
li vanz dolz et li airs serains.
Alixandres toz premerains,
qant de son pere fu partiz,
au congié de l'empereriz,   248
qui le cuer a dolant el vantre,
[del batel an la nef]⁸ s'an antre ;
et si conpaignon avuec lui,
ansanble quatre, troi et dui,   252
tancent d'antrer sanz atandue.
Tantost fu la voile tandue
et la barge desaencree.
Cil de terre, cui pas n'agree   256
del vaslet que aller an voient,
tant com il pueent les convoient

---

⁷   L'orez A.
⁸   De la nef el batel A.

tristesse en entendant parler du voyage que son fils devait entreprendre. Mais on a beau en ressentir peine et chagrin, tenir sa décision pour un enfantillage, le blâmer ou le féliciter, le jeune homme fait apprêter ses navires le plus tôt possible car il ne veut pas rester dans son pays plus longtemps. Les navires, selon son ordre, furent chargés cette nuit-là de vin, de viande et de biscuits.

Les navires chargés sont dans le port et le lendemain Alexandre gagne la plage dans l'allégresse avec ses compagnons, heureux eux aussi de partir en voyage. L'empereur les accompagne ainsi que l'impératrice, toute chagrine. Au port ils trouvent, près de la falaise, les marins déjà à bord. La mer était calme et tranquille, le vent doux, l'air serein. Alexandre, en premier, après avoir pris congé de son père et de l'impératrice, qui avait le cœur gros, passa de la barque dans le navire, suivi par ses compagnons, qui, par groupes de quatre, trois et deux, rivalisaient entre eux pour embarquer plus vite. Bien vite on tendit les voiles et on leva l'ancre. Ceux qui sont restés à terre, désolés de voir partir le jeune homme, les suivent du regard le plus longtemps possible et, pour

de la veüe de lor ialz,
et por ce que il puissent mialz   260
et plus longuemant esgarder,
s'an vont tuit ansanble monter
lez la marine an un haut pui :
d'iluec esgardent lor enui.   264
Tant com il pueent plus veoir
lor ami, l'esgardent por voir,
que del vaslet molt lor enuie,
et Dex a droit port le conduie   268
sans anconbrier et sanz peril !
En la mer furent tot avril
et une partie de mai.
Sanz grant peril et sanz esmai   272
vindrent au port desoz Hantone
un jor antre vespres et none ;
gietent encre si ont port pris.
Li vaslet, qui n'orent apris   276
a sosfrir meseise ne painne,
en mer qui ne lor fu pas sainne,
orent longuemant demoré,
tant que tuit sont descoloré,   280
et afebli furent et vain
tuit li plus fort et li plus sain.
Et neporquant grant joie font
quant de la mer eschapé sont   284
et venu la ou il voloient.
Por ce que formant se doloient,
desoz Hantone se remainnent
la nuit et grant joie demainnent   288
et font demander et anquerre
se li rois est an Eingleterre.
L'an lor dist qu'il est a Guincestre
et que molt tost i porront estre   292
s'il vuelent lever par matin
et s'il tienent le droit chemin.
[Ceste novele molt lor plest,
et l'endemain, quant li jorz nest][9],   296

---

[9]   *2 vers absents AB. Corr. d'après CPRST.*

pouvoir regarder mieux et plus longtemps, ils montent tous ensemble
sur une hauteur près du rivage. De là ils regardent l'objet de leur tristesse. Aussi longtemps qu'ils peuvent voir leur ami, ils le regardent de
tous leurs yeux, inquiets pour le jeune homme : que Dieu le conduise à
bon port, sans ennuis et sans péril !

Les voyageurs furent en mer tout le mois d'avril et une partie de mai.
Sans péril et sans inquiétude, ils abordèrent au port de Southampton. Un
jour entre vêpres et none[11], ils jettent l'ancre pour mouiller dans le port.
Les jeunes gens, qui n'avaient pas l'habitude d'endurer malaises et
épreuves, étaient demeurés longtemps en mer, ce qui avait nui à leur
santé : ils avaient tous perdu leurs couleurs et même les plus forts et les
plus vigoureux étaient affaiblis et épuisés. Ils sont tout de même tout
joyeux d'avoir échappé aux périls de la mer et d'être arrivés à bon port.
Durement éprouvés, ils restent à Southampton cette nuit-là, tout joyeux,
et s'informent pour savoir si le roi est en Angleterre. On leur dit qu'il est
à Winchester et qu'ils pourront vite y être s'ils se lèvent de bon matin et
suivent le bon chemin.

Cette nouvelle les réjouit et le lendemain, dès le lever du jour, les

---

[11] Au Moyen Age, les heures correspondent aux heures romaines en partie christia-
nisées : prime (vers 6 h), tierce (vers 9 h), sixte (vers midi), none (vers 15 h), vêpres (vers
18 h), complies (vers 21 h), matines (vers minuit), laudes (vers 3 h).

li vaslet par matin s'esvoillent
si s'atornent et aparoillent;
et quant il furent atorné,
de Hantone s'an sont torné,   300
si ont le droit chemin tenu
tant qu'a Guincestre sont venu,
ou li rois estoit a sejor.
Einçois qu'il fust prime de jor,   304
furent a cort venu li Gré.
Au pié descendent del degré;
li escuier et li cheval
remestrent an la cort a val   308
et li vaslet montent amont
devant le meillor roi del mont
qui onques fust ne ja mes soit.
Et quant li rois Artus les voit,   312
molt li pleisent et abelissent.
Mes ainz que devant lui venissent,
ostent les mantiax de lor cos,
que l'an ne les tenist por fos.   316
Einsi trestuit desafublé
an sont devant le roi alé.
Tuit li baron les esgardoient,
[car li vaslet molt lor pleisoient.   320
Por ce que biax et genz les voient][10],
ne cuident pas que il ne soient
tuit de contes et de roi fil,
et por voir si estoient il.   324
Molt par sont bel de lor aage,
gent et bien fet, de lonc corssage,
et les robes que il vestoient
d'un drap et d'une taille estoient,   328
d'un sanblant et d'une color.
.XII. furent sanz lor seignor,
don je vos dirai tant sanz plus
que miaudres de lui ne fu nus,   332
mains sanz orguel et sanz desroi.
Desfublez fu devant le roi,

---

[10]   *2 vers intervertis A.*

jeunes gens s'éveillent de bon matin, s'équipent et se préparent: une
fois équipés, ils quittent Southampton et suivent tout droit le chemin
jusqu'à Winchester, où séjournait le roi. Avant même l'heure de prime,
les Grecs étaient à la cour. Ils descendent de cheval au pied de l'escalier.
Les écuyers et les chevaux restent dans la cour en bas, tandis que les
jeunes gens gravissent les marches devant le meilleur roi qui fut et qui
sera jamais au monde. Le roi Arthur est heureux et ravi de les voir. Mais
avant de se montrer devant lui, ils retirent leur manteau afin de ne pas
passer pour grossiers. Ainsi tous, sans manteau, sont allés devant le roi.
Tous les barons les regardent avec grand plaisir, pour leur beauté et leur
grâce. Ils ne doutent pas d'avoir affaire pour tous à des fils de comtes et
de rois, et c'est bien ce qu'ils sont. Ils sont dans la fleur de l'âge, gracieux, bien faits, de haute stature; et leurs vêtements sont de la même
étoffe, de la même coupe, du même aspect et de la même couleur. Ils
étaient douze, sans compter leur seigneur, dont je me contenterai de
vous dire qu'il était le meilleur de tous, le plus dépourvu d'orgueil et de
violence[12]. Il se tenait sans manteau devant le roi, très beau, bien décou-

---

[12] Les douze compagnons d'Alexandre, qui seront nommés un peu plus loin (v. 1281-
1289) font écho aux douze pairs d'Alexandre le Grand, eux-même modelés sur les douze
pairs de Charlemagne. Cf. Alexandre de Paris, *Le Roman d'Alexandre*, éd. L. Harf, Paris,
Le Livre de poche, 1994, I, v. 674-695 et *La Chanson de Roland*, éd. J. Dufournet, Paris,
GF-Flammarion, 1993, note p. 388.

qui molt fu biax et bien tailliez ;
devant lui s'est agenoilliez   336
et tuit li autre par [enor][11]
s'agenoillent lez lor seignor.
Alixandres le roi salue,
qui la leingue avoit esmolue   340
a bien parler et sagemant.
« Rois, fet il, se de vos ne mant
Renomee qui vos renome,
des que Dex fist le premier home,   344
ne nasqui de vostre puissance
rois qui an Deu eüst creance.
Rois, li renons qui de vos cort
m'a amené a vostre cort   348
por vos servir et enorer,
et s'i voldrai tant demorer
que chevaliers soie noviax,
se mes servises vos est biax,   352
de vostre main, non de l'autrui,
car se de la vostre nel sui,
ne serai chevaliers clamez.   (f. 55v)
Se vos tant mon servise amez   356
que chevalier me vuilliez faire,
retenez moi, rois debonaire,
et mes conpaignons qui ci sont ».
Li rois tot maintenant respont :   360
« Amis, fet il, ne refus mis
ne vos ne vostre conpaignie,
mes bien veignant soiez vos tuit,
car bien sanblez, et je le cuit,   364
que vos soiez fil de hauz homes.
Dom estes vos ? – De Grece somes.
– De Grece ? – Voire. – Qui est tes peres ?
– Par foi, sire, li empereres.   368
– Et comant as non, biax amis ?
– Alixandres me fu nons mis
la ou ge reçui sel et cresme
et crestïanté et baptesme.   372

---

[11]   amor *A*.

plé. Il s'est mis à genoux et tous les autres, pour honorer le roi, s'agenouillent à ses côtés. Alexandre salue le roi ; il avait l'habitude de parler avec éloquence et sagesse. « Roi, dit-il, si votre renommée ne ment pas, jamais, depuis la création du premier homme, on n'a vu naître un roi croyant en Dieu doté de votre puissance. Roi, la renommée qui vous suit m'a amené à votre cour pour vous servir et vous honorer et je voudrais y rester jusqu'à ce que je devienne nouveau chevalier, de votre main et d'aucune autre, si vous agréez mon service. Car jamais je ne deviendrai chevalier d'une autre main que la vôtre. Si vous agréez assez mon service pour accepter de me faire chevalier, gardez-moi près de vous, noble roi, ainsi que mes compagnons ici présents ! ». Le roi répond aussitôt : « Ami, je n'ai garde de vous refuser, vous et votre compagnie : soyez les bienvenus ! Car il semble, et j'en suis persuadé, que vous êtes tous de haute naissance. D'où êtes-vous ?

– Nous sommes de Grèce.

– De Grèce ?

– Oui, en vérité.

– Qui est votre père ?

– Ma foi, sire, l'empereur.

– Et quel est votre nom, cher ami ?

– On m'a nommé Alexandre quand j'ai reçu le sel et le chrême, le titre de chrétien et le baptême.

– Alixandre, biax amis chiers,
je vos retieng molt volantiers
et molt me plest et molt me heite,
car molt m'avez grant enor feite   376
quant venuz estes a ma cort.
Molt vuel que l'en vos i enort
con franc vaslet et sage et dolz.
Trop avez esté a genolz: 380
relevez sus, jel vos comant,
et soiez des ore en avant
de ma cort et de mes privez,
qu'a boen port estes arivez!»   384
Atant se lievent li Grezois:
lié sont, quant si les a li rois
deboneiremant retenuz.
Bien est Alixandres venuz,   388
car a rien qu'il vuelle ne faut,
n'an la cort n'a baron si haut
qui bel ne l'apialt et acuelle.
Et cil, qui pas ne s'an orguelle   392
ne plus n'an est nobles ne cointe,
a monseignor Gauvain s'acointe
et as autres par un et un.
Molt se fet amer a chascun;   396
nes messire Gauvains tant l'ainme
qu'ami et conpaignon le clainme.
En la vile chiés un borjois
orent pris ostel li Grezois,   400
le meillor qu'il porent avoir.
Alixandres ot grant avoir
de Costantinoble aporté:
a ce que li ot comandé   404
li emperere et conseillié
que son cuer eüst esveillié
a bien doner et a despandre
voldra sor tote rien antendre.   408
Molt i antant et met grant painne,
bele vie a son ostel mainne
et largemant done et despant,
si com a sa richesce apant   412

– Alexandre, mon ami, je vous garde près de moi bien volontiers et j'en suis rempli de joie, car vous me faites un grand honneur en venant à ma cour. Je veux que l'on vous y honore comme le noble jeune homme que vous êtes, plein de sagesse et de douceur. Vous êtes trop resté à genoux : relevez-vous, je vous l'ordonne, et soyez désormais de ma cour et de mes amis : vous êtes arrivé à bon port !»

Les Grecs alors se relèvent, heureux d'être accueillis si chaleureusement par le roi. Alexandre est le bienvenu : on exauce ses moindres désirs ; les plus hauts barons de la cour l'accueillent et lui font fête. Et lui, qui n'en tire pas orgueil, qui ne fait pas le fier ni l'arrogant, devient l'ami de monseigneur Gauvain et de chacun des autres. Tout le monde l'aime et monseigneur Gauvain a tant d'amitié pour lui qu'il l'appelle son ami et son compagnon.

Les Grecs s'étaient logés dans la ville, chez un bourgeois, du mieux qu'ils avaient pu. Alexandre avait apporté de grandes richesses de Constantinople : l'empereur lui avait donné l'ordre et le conseil d'avoir le cœur disposé à largement donner et dépenser, et il veut s'y employer avant toute chose. Il s'y applique de toutes ses forces : il mène grande vie à son logis, donne et dépense largement comme sa richesse le com-

et si con ses cuers l'en consoille.
Trestote la corz s'an mervoille
ou ce que il despant est pris,
qu'il done a toz chevax de pris   416
que de sa terre ot amenez.
Tant s'est Alixandres penez
et tant fet par son bel servise
que molt l'ainme li rois et prise,   420
et li baron et la reïne.
Li rois Artus an cel termine
s'an vost an Bretaigne passer.
Toz ses barons fist amasser   424
por consoil querre et demander
a cui il porra comander
Eingleterre tant qu'il reveingne,
qui an pes la gart et mainteingne.   428
Par le consoil de toz ansanble
fu comandee, ce me sanble,
au conte Angrés de Guinesores,
car il ne cuidoient ancores   432
qu'il eüst baron plus de foi
an tote la terre le roi.
Qant cil tint la terre an sa main,
li rois Artus mut l'andemain,   436
la reïne et ses dameiseles.
An Bretaigne oënt les noveles
que li rois vient et si baron:
molt font grant joie li Breton.   440

En la nef ou li rois passa
vaslet ne pucele n'antra
fors Alixandre seulemant,
et la reïne voiremant   444
i amena Soredamors,
qui desdaigneuse estoit d'amors:
onques n'avoit oï parler
d'ome qu'ele deignast amer,   448
tant eüst biauté ne proesce,
ne seignorie ne hautesce.
Et neporquant la dameisele

mande et comme son cœur le lui conseille. Toute la cour se demandait avec étonnement où il prenait l'argent de ses dépenses car il donnait à tous des chevaux de prix qu'il avait amenés de son pays. Alexandre a fait tant d'efforts et si bien assuré son service que le roi l'aime et l'estime, tout comme les barons et la reine.

Le roi Arthur à cette époque voulut passer en Bretagne[13]. Il rassembla tous ses barons pour leur demander conseil et savoir à qui confier l'Angleterre jusqu'à son retour, pour la garder et la maintenir en paix. On confia le pays, à l'unanimité du conseil, je crois, au comte Angrès de Windsor, car nul ne croyait alors qu'il y eût un baron plus loyal dans tout le royaume. Quand la terre eut été remise en son pouvoir, le roi Arthur se mit en route le lendemain avec la reine et ses demoiselles. En Bretagne, on apprit l'arrivée du roi et de ses barons, nouvelle qui réjouit fort les Bretons.

Sur le navire où le roi faisait la traversée, il n'y avait d'autre jeune homme qu'Alexandre ni d'autre jeune fille que Soredamor, que la reine avait amenée avec elle. Celle-ci dédaignait l'amour : elle n'avait jamais entendu parler d'un homme qu'elle daignât aimer, malgré sa beauté, sa prouesse, sa puissance et son rang. Et pourtant la demoiselle était si

---

[13] Il s'agit bien ici de la Bretagne armoricaine, d'ordinaire désignée comme la Petite Bretagne, alors que la Bretagne désigne le plus souvent ce qui est aujourd'hui la Grande Bretagne. Cf *supra*, v. 17.

estoit tant avenanz et bele   452
que bien deüst d'amors aprandre,
se li pleüst a ce antandre,
mes onques n'i volt metre antante.
Or la fera Amors dolante   456
et molt se cuide bien vangier
del grant orguel et del dangier
qu'ele li a toz jorz menee.
Bien l'a Amors droit assenee :   460
el cuer l'a de son dart ferue.
Sovant palist, sovant tressue,
et maugré suen amer l'estuet.
A grant poinne tenir se puet   464
que vers Alixandre n'esgart ;
molt li estuet qu'ele se gart
de monseignor Gauvain son frere.
Chieremant achate et conpere   468
son grant orguel et son desdaing :
Amors li a chaufé un baing
qui molt l'eschaufe et molt li [quist][12].
Or li est boen et or li nuist,   472
or le vialt et or le refuse.
Ses ialz de traïson encuse
et dist : « Oel, vos m'avez traïe !
Par vos m'a mes cuers anhaïe,   476
qui me soloit estre de foi.
Or me grieve ce que je voi.
– Grieve ? Nel fet, ençois me siet.
Et se ge voi rien qui me griet,   480
don n'ai ge mes ialz an baillie ?
Bien me seroit force faillie
et po me devroie prisier,
se nes pooie justisier   484
et feire autre part esgarder.
Einsi me porrai bien garder
d'Amor, qui justisier me vialt,   (f. 56)
car cui ialz ne voit cuers ne dialt :   488

---

[12]   nuist *AN*.

gracieuse et si belle qu'elle aurait bien dû apprendre l'amour, si elle avait accepté de s'y employer. Mais elle n'y avait jamais consenti. Aujourd'hui Amour va la faire souffrir et compte bien se venger du grand orgueil et du refus qu'elle lui a toujours opposés. Amour a bien visé et son dard l'a atteinte au cœur. Souvent elle pâlit, souvent elle est trempée de sueur, et malgré elle, elle doit céder à l'amour. Elle a du mal à s'empêcher de regarder Alexandre et doit se garder de monseigneur Gauvain, son frère. Elle expie et paie chèrement son grand orgueil et son dédain. Amour lui a chauffé un bain qui la brûle d'une douleur cuisante. Tantôt il lui est agréable, tantôt il lui fait mal. Tantôt elle l'accepte, tantôt elle le refuse. Elle accuse ses yeux de trahison : « Mes yeux, dit-elle, vous m'avez trahie ; par vous mon cœur m'a prise en haine, lui qui m'était fidèle. Je souffre maintenant de ce que je vois.

– Souffrir ? Non pas. J'y prends plaisir, et si je souffre de ce que je vois, n'ai-je pas mes yeux en mon pouvoir ? J'aurais perdu toutes mes forces et je devrais me mépriser, si je ne pouvais les dominer et les obliger à regarder ailleurs. Ainsi je saurai me préserver d'Amour, qui veut me dominer, car si l'œil ne voit pas, le cœur ne souffre pas. Si je ne

se je nel voi, rien ne m'an iert.
Ja ne me prie il ne requiert:
[s'il m'amast, il m'eüst requise.
Des qu'il ne m'aime ne ne prise,]¹³   492
amerai le ge, s'il ne m'ainme?
Se sa biautez mes ialz reclainme
et mi oel [traient a]¹⁴ reclaim,
dirai ge por ce que ge l'aim?   496
Nenil, car ce seroit mançonge!
Por ce n'a il an moi chalonge,
ne plus ne mains n'i puet clamer:
l'an ne puet pas des ialz amer.   500
Et que m'ont donc forfet mi oel,
s'il esgardent ce que je voel?
Quex corpes et quel tort ont il?
Doi les an ge blasmer? – Nenil!   504
– Cui donc? – Moi, qui les ai en garde!
Mi oel a nule rien n'esgarde,
s'au cuer ne plest et atalante.
Chose qui me feïst dolante   508
ne deüst mes cuers pas voloir.
Sa volentez me fet doloir.
– Doloir? Par foi, donc sui je fole,
quant par lui voel ce qui m'afole.   512
Volantez don me vaigne enuis
doi je bien oster, se je puis.
– Se je puis? Fole, qu'ai je dit?
Donc porroie je molt petit,   516
se de moi puissance n'avoie!
Cuide moi Amors metre an voie,
qui les autres sialt desveier?
Autrui li covient aveier,   520
car je ne sui de rien a lui;
ja n'i serai n'onques n'i fui,
ne ja n'amerai s'acointance!»
Ensi a soi meïsmes tance,   524

---

¹³   *2 vers absents A.*
¹⁴   voient le *A.*

le vois pas, il me restera indifférent. Il ne m'adresse ni prière ni requête : s'il m'aimait, il m'adresserait sa requête. Puisqu'il ne m'aime pas, ne m'accorde aucun prix, irai-je l'aimer alors qu'il ne m'aime pas ? Si sa beauté attire mes yeux, si mes yeux répondent à cet appel, dirai-je pour autant que je l'aime ? Non, ce serait un mensonge. Cela ne lui donne aucun droit sur moi et il ne peut rien revendiquer : on ne peut pas aimer seulement avec les yeux.

    – Et quel crime ont commis mes yeux en regardant ce que je désire ? Quelle faute, quel tort ont-ils ? Dois-je les en blâmer ?

    – Non, bien sûr !

    – Qui alors ?

    – Moi-même, qui les ai en garde. Mes yeux ne regardent rien sans l'agrément et l'approbation de mon cœur. Mon cœur ne devrait pas désirer une chose qui me fît souffrir. C'est son désir qui me fait souffrir.

    – Souffrir ? Ma foi, je suis bien folle de désirer à cause de lui ce qui me tourmente. Ce désir qui cause mon tourment, je dois m'en débarrasser, si je puis.

    – Si je puis ? Folle, qu'ai-je dit ? J'aurais bien peu de pouvoir, si je ne pouvais rien sur moi ! Amour s'imagine-t-il me montrer le chemin, lui qui ne fait qu'égarer les autres ? Qu'il montre le chemin aux autres, car je ne lui appartiens pas, jamais je ne lui appartiendrai, jamais je ne lui ai appartenu, jamais je n'aurai affaire à lui !»

    C'est ainsi qu'elle se querelle elle-même : tantôt elle aime, tantôt

une ore ainme et autre het.
Tant se dote qu'ele ne set
lequel li vaille mialz a prandre.
Vers Amors se cuide desfandre   528
mes ne li a mestier desfanse.
Dex !, c'or ne set que vers li panse
Alixandres de l'autre part !
Amors igaument lor depart   532
tel livreison com il lor doit.
Molt [lor]¹⁵ fet bien reison et droit
car li uns l'autre ainme et covoite.
Ceste amors est leax et droite,   536
se li uns de l'autre seüst
quel volanté chascuns eüst.
Mes cil ne set que cele vialt
ne cele de coi cil se dialt.   540
La reïne garde s'an prant,
qui l'un et l'autre voit sovant
descolorer et anpalir ;
Ne set don ce puet avenir   544
ne ne set por coi il le font
fors que por la mer ou il sont.
Espoir bien s'an aparceüst,
se la mers ne la deceüst ;   548
mes la mers l'angingne et deçoit
si qu'an la mer l'amor ne voit :
an la mer sont et d'amer vient
et [s'est amers]¹⁶ li max ques tient.   552
Et de ces trois ne set blasmer
la reïne fors que la mer,
car li dui le tierz li ancusent
et por le tierz li dui s'escusent   556
qui del forfet sont antechié.
Sovant conpere autrui pechié
tex qui n'i a corpes ne tort.
Ensi la reïne molt fort   560

---

¹⁵   li A.
¹⁶   d'amors vient A. Corr. d'après PR.

elle hait. Elle hésite tant qu'elle ne sait quel choix est préférable. Elle croit pouvoir se défendre d'Amour, mais toute défense est inutile.

Dieu!, si seulement elle savait ce qu'Alexandre de son côté pense d'elle! Amour leur distribue équitablement ce qu'il leur doit. Il en use avec raison et justice en les poussant à s'aimer et à se désirer l'un l'autre. Cet amour serait loyal et juste, si seulement chacun d'eux connaissait les sentiments de l'autre. Mais lui ne connaît pas le désir de Soredamor et elle ne sait pas de quoi il souffre. La reine le remarque, en les voyant souvent l'un et l'autre changer de couleur et pâlir: elle ne comprend pas pourquoi et ignorant la cause de leur comportement, ne soupçonne que le mal de mer. Elle aurait peut-être compris si elle n'avait été abusée par la mer. Mais la mer la trompe et l'abuse, et sous le mal de mer elle ne voit pas le mal d'amour. Ils sont en mer et il vient d'aimer et il est amer, le mal qui les tient[14]. De ces trois causes, la reine ne sait blâmer que la mer, car les deux autres accusent la troisième et s'en servent comme excuse alors que ce sont elles les coupables. Souvent paie la faute d'autrui celui qui n'a pas commis le moindre tort[15]. Et la reine d'accuser et de blâmer la mer, mais ce blâme est bien

---

[14] On a ici le jeu de paronomase sur *la mer*, *l'amer* (infinitif substantivé du verbe aimer) et *amer* (l'adjectif) du *Tristan* de Thomas, dans le fragment de Carlisle récemment retrouvé: Thomas, *Le Roman de Tristan*, éd. E. Baumgartner et I. Short, Paris, Champion Classiques, 2003, v. 33-35, 40-42, 48-52 p. 44.

[15] Le Roux de Lincy, *Le Livre des proverbes français*, Paris, Paulin, 1842: «Car on retrait et dist sovent:/ Souvent compere autrui pecié / Teuls qui n'i a de riens pecié».

la mer ancorpe et si la blasme,
mes a tort li met sus le blasme,
car la mers n'i a rien forfet.
Molt a Soredamors mal tret   564
tant qu'a port est la nes venue.
Del roi est bien chose seüe
car li Breton grant joie an firent
et molt volantiers le servirent   568
come lor seignor droiturier.
Del roi Artus parler ne quier
a ceste foiz plus longuemant,
einçois m'orroiz dire comant   572
Amors les .II. amanz travaille
vers cui il a prise bataille.

Alixandres ainme et desirre
celi [qui por]¹⁷ s'amor sopire,   576
mes il [nel]¹⁸ set ne ne savra
desi que maint mal en avra
et maint enui por li soffert.
Por s'amor la reïne sert   580
et les puceles de la chanbre,
mes celi don plus li remanbre
n'ose aparler ne aresnier.
S'ele osast vers lui desresnier   584
le droit que ele i cuide avoir,
volantiers li feïst savoir,
mes ele n'ose ne ne doit.
Et ce que li uns l'autre voit   588
ne plus n'an puet dire ne faire,
lor torne molt a grant contraire,
et l'amors acroist et alume.
Mes de toz amanz est costume   592
que volantiers peissent lor ialz
d'esgarder, s'il ne pueent mialz,
et cuident, por ce qu'il lor plest
ce dont amors acroist et nest,   596

<hr>

¹⁷   por cui *AN*.
¹⁸   ne *AN*.

injuste car la mer n'a rien fait de mal.

Soredamor a bien souffert jusqu'à l'arrivée du navire au port. Quant au roi, on le sait bien, les Bretons furent tout joyeux de sa venue et le servirent de grand cœur comme leur seigneur légitime. Mais je n'ai pas envie de parler davantage du roi Arthur cette fois-ci mais plutôt d'Amour, qui tourmente les deux amants à qui il fait la guerre.

Alexandre aime et désire celle qui soupire pour l'amour de lui, mais il ne le sait pas et ne le saura pas avant d'avoir enduré pour elle bien des souffrances et des tourments. Pour l'amour d'elle il sert la reine et les demoiselles de la chambre royale, mais celle qui ne quitte pas ses pensées, il n'ose pas lui adresser la parole. Si de son côté elle osait revendiquer le droit qu'elle croit avoir sur lui, elle le lui ferait volontiers savoir. Mais elle n'ose pas et ne doit pas le faire. Et de se voir l'un l'autre sans rien pouvoir dire ni faire de plus, leur est source de grande contrariété. Et l'amour croît et s'embrase. Mais tous les amants ont coutume de repaître volontiers leurs yeux de regards, faute de mieux, et de se figurer, parce qu'ils prennent plaisir à ce qui fait naître et croître

qu'aidier lor doie, si lor nuist,
tot ausi con cil [plus]¹⁹ se cuist
qui au feu s'aproche et acoste
[que]²⁰ cil qui arrieres s'an oste.   600
Adés croist l'amors et si monte,
mes li uns a de l'autre honte,
si se cuevre et çoile chascuns
si [que]²¹ n'an pert flame ne funs   604
del charbon qui est soz la cendre.
Por ce n'est pas la chalors mandre,
einçois dure la chalors plus
desoz la cendre que desus.   608
Molt sont andui an grant engoisse
et por ce qu'an ne les conoisse
ne lor conplainte n'aparçoive,
estuet chascun que il deçoive   612
par faus sanblant totes les genz.
Mes la nuit est la plainte granz
que chascuns fet a lui meïsmes.
D'Alixandre vos dirai primes   616
comant il se plaint et demante.
Amors celi li represante
por cui se sant si fort grevé
que de son cuer l'a [esgené]²²   620
ne nel lesse an lit reposer,   (f. 56v)
tant li delite a remanbrer
la biauté et la contenance
celi ou n'a point d'esperance   624
que ja biens l'an doie venir.
«Por fol, fet il, me puis tenir.
– Por fol? – Voiremant sui ge fos,
quant ce que je pans dire n'os,   628
car tost me torneroit a pis.
An folie ai mon panser mis.

---

¹⁹   qui *A*.

²⁰   est *A*.

²¹   qu'an *A*.

²²   eslevé *A*.

l'amour, que ces regards doivent les aider, alors qu'ils leur nuisent. De la même façon qu'on se brûle davantage en s'approchant du feu qu'en se tenant en arrière, l'amour ne fait que croître et progresser. Mais ils ont honte l'un devant l'autre et dissimulent tous deux leurs sentiments pour ne pas laisser paraître la flamme et la fumée du charbon qui couve sous la cendre. La chaleur n'en est pas plus faible pour autant ; elle dure plus au contraire sous la cendre qu'au-dessus. Tous deux endurent la torture et pour éviter qu'on ne découvre leurs sentiments et qu'on ne remarque leurs plaintes, ils sont tous deux obligés de donner le change à tout le monde sous un air de façade. Mais la nuit, grande est la plainte que chacun s'adresse à lui-même.

Je vous parlerai d'abord des plaintes et des lamentations d'Alexandre. Amour lui montre celle qui l'a si grièvement atteint qu'elle a blessé son cœur[16] et ne lui laisse aucun repos, tant il prend plaisir à se remémorer la beauté et la grâce de celle dont il n'espère pas obtenir le moindre soulagement.

« Quel fou je suis ! », dit-il.

– Un fou ?

– Oui, je suis vraiment fou, quand je n'ose dire ce que je pense, et cela pourrait bien me faire du tort. Je me suis mis une folie en tête. Il faut

---

[16] A. Micha justifie la forme *eslevé* du manuscrit A en traduisant *eslever* par « alléger », donc « voler ». Mais le vers a visiblement posé problème. La leçon de B, *esgener* (blesser, endommager) semble la meilleure. Cf. les variantes.

Donc me covient il mialz panser
que fol me feïsse apeler.   632
– Ja n'iert seü ce que [je]²³ vuel ?
Tant celerai ce don me duel
ne ne savrai de mes dolors
aïde querre ne secors ?   636
Fos est qui sant anfermeté,
qui n'an quiert aïde et santé,
se il la puet trover nul leu.
– Mes tex cuide feire son preu   640
et porquerre ce que il vialt,
qui porchace dom il se dialt.
Et qui ne le cuide trover,
por coi iroit consoil rover ?   644
Il se traveilleroit an vain.
Je sant le mien mal si grevain
que ja n'an avrai garison
par mecine ne par poison,   648
ne par herbe, ne par racine.
A chascun mal n'a pas mecine.
Li miens est si anracinez
qu'il ne puet estre mecinez.   652
– Ne puet ? Je cuit que j'ai manti.
Des que primes cest mal santi,
se l'osasse mostrer et dire,
poïsse je parler au mire   656
qui de[l]²⁴ tot me porroit eidier.
Mes molt m'est grief a empleidier :
espoir n'i daigneroit antendre
ne nul loier n'an voldroit prandre.   660
Donc n'est mervoille se m'esmai,
car molt ai mal et si ne sai
quex max ce est qui me justise :
ne sai don la dolors m'est prise.   664
– Nel sai ? – Si faz ! Jel cuit savoir :
cest mal me fet Amors avoir.

_____

²³ je *absent A*.
²⁴ de tot *AB*.

que je raisonne mieux de crainte d'être traité de fou.

    – Ne pas révéler mes sentiments? Cacher l'objet de ma souffrance et ne pas pouvoir chercher aide et secours à mes douleurs? Bien fou le malade qui ne cherche pas de l'aide pour retrouver la santé, s'il peut la trouver quelque part!

    – Mais il y en a qui croient chercher leur profit et l'objet de leurs vœux, alors qu'ils pourchassent leur propre malheur. Si l'on ne pense pas trouver cet objet, pourquoi aller demander assistance? Ce serait un effort inutile. Mon mal, je le sens, est si grave que je ne pourrai en guérir ni par remède, ni par breuvage, ni par herbe, ni par racine. Il est des maux sans remède. Le mien est si fort enraciné qu'il n'existe pour lui aucun remède.

    – Aucun remède? Je crois que je mens. Dès que j'ai commencé à ressentir ce mal, si j'avais osé le montrer et en parler, j'aurais pu parler au médecin qui pourrait m'apporter la meilleure des aides. Mais j'ai peur de plaider ma cause: peut-être ne daignerait-il pas m'écouter et refuserait-il tout paiement. Rien d'étonnant donc si je désespère, car j'ai bien mal, je ne connais pas le mal qui est maître de moi et je ne sais d'où me vient cette douleur.

    – Je ne le sais pas? Mais si, je crois le savoir: c'est Amour qui m'inflige ce mal.

– Comant ? Set donc Amors mal faire ?
Don n'est il dolz et debonaire ?   668
Je cuidoie que il n'eüst
en Amor rien qui boen ne fust,
mes je l'ai molt felon trové.
Nel set, qui ne l'a esprové,   672
de quex jeus Amors s'antremet.
Fos est qui devers lui se met,
qu'il vialt toz jorz grever les suens.
Par foi, ses geus n'est mie buens :   676
malvés joer se fet a lui ;
je cuit qu'il me fera enui.
– Que ferai donc ? Retrerai m'an ?
Je cuit que je feroie san,   680
mes ne sai comant je le face.
S'Amors me chastie et menace
por aprandre et por anseignier,
doi je mon mestre desdaignier ?   684
Fos est qui son mestre desdaingne.
Ce qu'Amors m'aprant et ansaingne
doi je garder et maintenir ;
granz biens m'an porroit avenir.   688
– Mes trop me bat, ice m'esmaie.
– Ja n'i pert il ne cop ne plaie.
Et si m'an plaing ? Don n'ai ge tort ?
– Nenil, qu'il m'a navré si fort   692
que jusqu'au cuer m'a son dart trait,
mes ne l'a pas a lui retrait.
– Comant le t'a donc trait el cors,
quant la plaie ne pert defors ?   696
Ce me diras : savoir le vuel !
Comant le t'a il tret ? – Par l'uel.
– Par l'uel ? Si ne le t'a crevé ?
– A l'uel ne m'a il [rien][25] grevé,   700
mes au cuer me grieve formant.
– Or me di donc reison comant
li darz est par mi l'uel passez
qu'il n'an est bleciez ne quassez.   704

---

[25]   rien *absent A.*

   – Comment? Amour peut donc faire mal? Il n'est donc pas doux et bienveillant? Je me figurais qu'il n'y avait en Amour que du bien, mais je l'ai trouvé très cruel. Il faut les avoir éprouvés pour savoir quels jeux il pratique. Fou celui qui s'enrôle dans ses troupes, car il ne cherche qu'à faire souffrir ses hommes! Ma foi, son jeu n'a rien d'agréable, il ne fait pas bon jouer avec lui, il ne me causera que des tourments, je crois!

   – Que faire alors? me retirer? Je crois que ce serait la sagesse, mais je ne sais comment faire. Si Amour me corrige et me fustige pour me former et m'enseigner, dois-je dédaigner mon maître? Fou qui dédaigne son maître! La leçon et l'enseignement d'Amour, je dois les observer et m'y tenir: il m'en pourrait venir grand bien.

   – Mais il me maltraite trop, c'est ce qui m'effraie.

   – Pourtant on ne voit ni coup ni plaie. Et je me plains? N'ai-je pas tort?

   – Non, car il m'a blessé si profondément que sa flèche m'a atteint au cœur sans qu'il la retire ensuite.

   – Comment t'a-t-il donc percé le corps, puisqu'on ne voit aucune plaie au dehors? Dis-le moi donc: je veux le savoir. Comment t'a-t-il percé le corps?

   – Par l'œil.

   – Par l'œil? et il ne te l'a pas crevé?

   – Ce n'est pas à l'œil qu'il m'a fait mal, mais au cœur, cruellement.

   – Dis-moi donc comment la flèche a traversé l'œil sans le blesser ni

Se li darz par mi l'uel i antre,
li cuers por coi s'en dialt el vantre,
que li ialz aussi ne s'an dialt,
qui le premier cop an requialt?   708
– De ce sai ge bien reison randre :
li ialz n'a soing de rien antandre
ne rien ne puet feire a nul fuer,
mes c'est li mereors au cuer,   712
et par ce mireor trespasse,
si qu'il [nel]²⁶ blesce ne ne quasse,
le san don li cuers est espris.
Donc est li cuers el vantre mis   716
ausi con la chandoile esprise
est dedanz la lenterne mise.
Se la chandoile an departez,
ja n'an istra nule clartez,   720
mes tant con la chandoile dure,
ne est pas la lanterne oscure,
et la flame qui dedanz luist
ne l'anpire ne ne li nuist.   724
Autresi est de la verrine :
ja n'iert si forz ne anterine
que li rais del soloil n'i past
sanz ce que de rien ne la quast,   728
ne ja li voirres si clers n'iert,
se autre clartez ne s'i fiert,
que par le suen voie l'an mialz.
Ce meïsmes sachiez des ialz   732
et del voirre et de la lanterne,
car es ialz se fiert la luiserne
ou li cuers se remire et voit
[l'oevre defors]²⁷, quex qu'ele soit ;   736
si voit maintes oevres diverses,
les unes verz, les autres perses,
l'une vermoille et l'autre bloe :
l'une blasme et l'autre loe,   740

---

²⁶   ne *AS. Corr. d'après PR.*
²⁷   La lumiere *A.*

le briser. Si la flèche passe par l'œil, pourquoi est-ce le cœur qui souffre,
et pas l'œil, qui a reçu le premier coup?
   – Je connais bien l'explication. L'œil ne ressent rien et ne peut absolument rien faire mais c'est le miroir du cœur et c'est par ce miroir que
passe, sans le blesser ni le briser, le sentiment qui enflamme le cœur. Le
cœur est donc, dans la poitrine, comme la chandelle allumée à l'intérieur de la lanterne. Si vous enlevez la chandelle, la lanterne ne donnera
aucune clarté. Mais tant que la chandelle brûle, la lanterne n'est pas
obscure et la flamme qui brille en elle ne lui cause aucun dommage. Il
en va de même pour le vitrail[17]: il a beau être fort et épais, le rayon du
soleil le traverse sans le briser le moins du monde. Et le verre a beau être
clair, il ne donnera de lui-même aucune clarté si une autre source de
lumière ne le frappe. Les yeux, sachez-le, sont comme le verre et la lanterne. La lumière frappe les yeux, où le cœur contemple et voit le monde
extérieur, quel qu'il soit: il voit maints objets divers, les uns verts, les
autres bleus, ou encore vermeils ou azurés. Il critique l'un et admire

---

[17] Cette image de la verrière que le soleil traverse sans la briser est constante au
Moyen Age dans l'évocation du mystère de l'Incarnation et de la virginité de Marie.

l'une tient vil et l'autre chiere.
Mes tiex li mostre bele chiere
el mireor, quant il l'esgarde,
qui le traïst, s'il ne s'i garde.   744
Moi [a li miens tot]²⁸ deceü,
car an lui a mes cuers veü
un rai don je sui anconbrez,
qui dedanz lui s'est anombrez,   748
et por lui m'est mes cuers failliz.
De mon ami sui mal bailliz,
qui por mon anemi m'oblie ;
reter le puis de felenie,   752
car il a molt vers moi mespris.   (f. 57)
Je cuidoie avoir trois amis,
mon cuer et mes .II. ialz ansanble,
mes il me heent, ce me sanble.   756
Ha Dex !, ou sont mes mi ami,
quant cist .III. sont mi anemi,
qui de moi sont et si m'ocient ?
Mi sergent an moi trop se fient,   760
qui tote lor volanté font
et de la moie point ne font.
Or sai ge bien de verité,
par cez qui m'ont deserité,   764
qu'amors de boen seignor perist
par malvés sergent qu'il norrist.
Qui malvés sergent aconpaigne
ne puet faillir qu'il ne s'an plaigne,   768
quanqu'il aveigne, tost ou tart.
Or vos reparlerai del dart
qui m'est comandez et bailliez,
comant il est fez et tailliez,   772
mes je dot molt que ge n'i faille,
car tant en est riche la taille
n'est mervoille se je i fail,
et si metrai tot mon travail   776
a dire ce que moi an sanble.

---

²⁸   et les miens m'ont *A*.

l'autre, juge l'un sans valeur et l'autre précieux. Mais tel objet fait bonne figure, dans le miroir, au cœur qui le contemple, qui le trahit ensuite, s'il n'y prend garde. Mon miroir m'a abusé, mes yeux et moi, car mon cœur y a vu un rayon de lumière dont je suis blessé, qui s'est abrité en lui, et depuis mon cœur ne m'appartient plus. Je suis maltraité par mon ami, qui m'oublie pour mon ennemi. Je peux bien l'accuser de félonie car il a commis un crime contre moi. Je croyais avoir trois amis, mon cœur et mes deux yeux, mais ils me haïssent, semble-t-il. Ah Dieu !, où sont donc mes amis, puisque ces trois-là sont mes ennemis, dépendent de moi et pourtant me tuent ? Mes serviteurs se fient trop à mon indulgence pour agir ainsi à leur gré et nullement au mien. Je sais bien maintenant, pour avoir été dépouillé par eux, qu'un bon maître qui entretient de mauvais serviteurs ne peut compter sur leur amour. Qui s'entoure de mauvais serviteurs ne peut manquer d'avoir à s'en plaindre, quoi qu'il arrive, tôt ou tard.

Maintenant je vais vous parler de la flèche qui est sous ma garde et vous dire comment elle est faite et taillée. Mais je crains fort de ne pas y parvenir, car sa forme est si magnifique que mon échec n'aurait rien d'étonnant ; mais je vais faire tout mes efforts pour dire comment elle

La [koke]²⁹ et li penon ansanble
sont si pres, qui bien les ravise,
que il n'i a c'une devise   780
ausi con d'une greve estroite,
mes ele est si polie et droite
qu'an la [coque]³⁰ sanz demander
n'a rien qui face a amander.   784
Li penon sont si coloré
con s'il estoient tuit doré,
mes doreüre n'i fet rien,
car li penon, ce savez bien,   788
estoient plus luisant ancores.
Li penon sont les treces sores
que je vi l'autre jor an mer :
c'est li darz qui me fet amer.   792
Dex ! con tres precïeus avoir !
Qui tel tresor porroit avoir,
por qu'avroit an tote sa vie
de nule autre richesce anvie ?   796
Androit de moi jurer porroie
que rien plus ne desirreroie,
que seul les penons et la [coce]³¹
ne donroie por [Antïoce]³².   800
Et quant ces .II. choses an pris,
qui porroit esligier le pris
de ce que vaut li remenanz,
qui tant est biax et avenanz   804
et tant boens et tant precïeus
que desirranz et anvïeus
sui ancor de moi remirer
[el]³³ front que Dex a fet tant cler   808
que nule rien n'i feroit glace
ne esmeraude ne topace ?

---

²⁹   floiche *A*.

³⁰   rote *A*.

³¹   floiche *A*.

³²   Antioiche *A*.

³³   le *A*.

m'apparaît. La coche et les pennes sont si proches qu'on n'y voit, en les examinant, que la séparation d'une raie étroite, mais la flèche est si lisse et si droite que dans cette coche, sans conteste, il n'y a rien à corriger. Les pennes sont si colorées qu'on les dirait toutes d'or, mais la dorure n'y est pour rien, car les pennes, vous le savez bien, sont plus luisantes encore. Les pennes, ce sont les tresses blondes que j'ai vues l'autre jour en mer : voilà la flèche qui me fait aimer. Dieu !, quel bien infiniment précieux ! Qui pourrait avoir pareil trésor n'aurait aucune raison dans toute sa vie de désirer nulle autre richesse. Quant à moi, je peux bien jurer que je ne désirerais rien de plus et que même pour Antioche, je ne donnerais pas les pennes ni la coche. Et vu le prix que je leur accorde, qui pourrait fixer la valeur du reste, qui est si beau et si gracieux, si bon et si précieux que je n'ai d'autre désir que de contempler mon reflet dans ce front ? Dieu l'a fait si clair que ni glace, ni émeraude ni topaze ne pourraient rivaliser avec lui. Mais tout cela n'est rien quand on

Mes an tot ce n'a riens a dire,
qui la clarté des ialz remire,   812
car a toz ces qui les esgardent
sanblent .II. chandoiles qui ardent.
Et qui a boche si delivre
qui la face poïst descrivre ?   816
Le nes bien fet et le cler vis,
con la rose oscure le lis,
ensi come li lis esface,
por bien anluminer la face !   820
Et de la bochete riant
que Dex fist tele a esciant,
por ce que nus ne la veïst
qui ne cuidast qu'ele reïst ?   824
Et quel sont li dant an la boche ?
Li uns de l'autre si pres toche
qu'il sanble que il s'antretaingnent ;
et por ce que mialz i avaingnent   828
i fist Nature un petit d'uevre :
qui verroit con la bochete oevre,
ne diroit mie que li dant
ne fussent d'ivoire ou d'argent.   832
Tant a a dire et a retraire
an chascune chose a portraire,
et el manton et es oroilles,
qu'il ne seroit pas granz mervoilles   836
se aucune chose i trespas.
De la [gole]³⁴ ne di ge pas
que vers li ne soit cristax trobles ;
[et li cols est a] ³⁵quatre dobles   840
[plus blans qu'ivoires soz la trece]³⁶.
Tant com il a des la chevece
jusqu'au fermail d'antr'overture,
vi del piz nu sanz coverture   844
plus blanc que n'est la nois negiee.
Bien fust ma dolors alegiee

---

³⁴   boche *ARS.*
³⁵   Li cors est plus blans quatre dobles . *Corr. d'après CMPRS.*
³⁶   Plus clere d'ivoire est la trece *A.*

contemple la clarté des yeux : tous ceux qui les regardent croient voir deux flambeaux qui brûlent. Et qui a assez d'éloquence pour pouvoir décrire son visage : le nez bien fait, le clair visage où la rose atténue la blancheur du lis et la nuance pour la colorer ; et la petite bouche rieuse que Dieu fit volontairement telle que nul ne la vît sans la voir souriante ? Et que dire de ses dents ? Elles sont si parfaitement jointes qu'on les dirait toutes d'une pièce, et pour leur donner un charme de plus, Nature y a mis du sien : quand on voit cette petite bouche entr'ouverte, on jurerait que les dents sont d'ivoire ou d'argent. Il y a tant à dire et à rapporter pour brosser son portrait, et sur son menton et sur ses oreilles, qu'il n'y aurait rien d'étonnant à ce que j'oublie quelque chose. De sa gorge, inutile de dire qu'auprès d'elle le cristal paraît opaque[18]. Son cou est huit fois plus blanc encore que l'ivoire sous sa tresse. Ce que j'ai pu voir sans voile de sa poitrine nue, du cou jusqu'à la fermeture de l'agrafe, est plus blanc que la neige fraîchement tombée[19]. Ma douleur serait bien

---

[18] On a adopté la leçon de BP, la forme *gole* étant attestée dans le *Lancelot* et le *Perceval*.

[19] On retrouve ici tous les éléments topiques du portrait idéal dans la littérature romanesque du XIIᵉ siècle : cf A. Colby, *The Portrait in XIIth century Literature*, Genève, Droz, 1965. Mais à la différence d'Enide ou de Blanchefleur, le portrait est ici placé dans la bouche de l'amant et non du narrateur.

se tot le dart veü eüsse.
Molt volantiers, se je seüsse,   848
deïsse quex an est la floiche.
Ne la vi pas n'an moi ne poiche
se la façon dire n'an sai
de chose que veüe n'ai.   852
Ne m'an mostra Amors adons
fors que la coche et les penons
car la fleche ert el coivre mise :
c'est li bliauz et la chemise   856
don la pucele estoit vestue.
Par foi, c'est li max qui me tue,
ce est li darz, ce est li rais
don trop vilainnemant m'irais.   860
Molt sui vilains qui m'an corroz ;
ja mes festuz n'an sera roz
par desfïance ne par guerre
que je doie vers Amors querre.   864
Or face de moi tot son buen,
si com il doit feire del suen,
car je le vuel et si me plest ;
je ne quier que cist max me lest.   868
Mialz vuel qu'ainsi toz jorz me teingne
que de nelui santez me veingne,
se de la ne vient la santez
dont est venue l'anfertez.»   872

Granz est la conplainte Alixandre,
mes cele ne rest mie mandre
que la dameisele demainne.
Tote nuit est an si grand painne   876
qu'ele ne dort [ne ne][37] repose.
Amors li [a][38] el cuer anclose
une tançons et une rage
qui molt li troble son corage   880
et qui l'angoisse et destraint
que tote nuit plore et se plaint

---

[37]   Ne ne ne *A*.
[38]   est *AS*.

allégée si j'avais vu toute la flèche. Je dirais bien volontiers, si je le savais, toute sa beauté. Mais je ne l'ai pas vue et ce n'est pas ma faute si je ne peux décrire une chose que je n'ai pas vue. Amour ne m'en a montré que la coche et les pennes, car la flèche était rangée dans le carquois, c'est à dire la tunique et la chemise dont la jeune fille était vêtue. Sur ma foi, voilà le mal qui me tue, le trait, le rayon contre lesquels je m'irritais comme un goujat. Je ne suis qu'un goujat de me mettre en colère. Jamais je ne romprai un fétu en signe de défi ou d'une guerre que je voudrais livrer à Amour[20]. Qu'il fasse de moi tout ce qu'il voudra comme si je lui appartenais, car je ne demande rien d'autre. Je ne veux pas guérir de ce mal : j'aime mieux qu'il me possède à jamais plutôt que de retrouver la santé, si la santé ne me vient pas de la même source que la maladie !».

Grande est la plainte d'Alexandre, mais celle de la demoiselle n'est pas moindre. Toute la nuit sa peine est si grande qu'elle ne trouve ni sommeil ni repos. Amour a enclos dans son cœur un conflit et une rage qui la bouleversent, qui la tourmentent et la torturent. Toute la nuit elle pleure et se plaint et s'agite et tressaille à en perdre presque connais-

---

[20] C'est un signe de défi du vassal qui renie son suzerain : M. Bloch, *La société féodale*, Paris, Albin Michel, rééd., 1970, p. 321 : « Le seigneur à l'occasion, le vassal plus souvent, tout en déclarant son dessein de rejeter loin de soi le partenaire félon, lançait violemment à terre une brindille – parfois après l'avoir brisée – ou un poil de son manteau ».

et se degiete et si tressaut
a po que li cuers ne li faut.   884
Et quant ele a tant traveillié,   (f. 57v)
tant sangloti et baaillié
et tressailli et sopiré,
lors a en son cuer remiré   888
qui cil estoit et de quel mors
por cui la destraignoit Amors.
Et quant ele s'est bien refaite
de pansser quanque li anhaite,   892
lors se restant et se retorne,
an panser a folie atorne
tot son panser que ele a fet,
si recomance un autre plet   896
et dit : « Fole, qu'ai je a feire
se cist valez est deboneire
et larges et cortois et proz ?
Tot ce li est enors et proz.   900
Et de sa biauté moi que chaut ?
Sa biautez avoec lui s'an aut !
Si fera ele maugré mien ;
ja ne l'an voel je tolir rien.   904
– Tolir ? Non voir ! Ce ne vuel mon !
S'il avoit le san Salemon
et se Nature mis eüst
an lui tant que plus ne peüst   908
de biauté metre an cors humain,
si m'eüst Dex mis an la main
le pooir de tot depecier,
ne l'an querroie correcier,   912
mes volantiers, se je savoie,
plus sage et plus bel le feroie.
Par foi, donc ne le hé je mie !
– Et sui je por itant s'amie ?   916
Nenil, ne qu'a un autre sui !
– Et por coi pans je donc a lui,
se plus d'un altre ne m'agree ?
– Ne sai, tote an sui esgaree   920
car onques mes ne panssai tant
a nul home el siegle vivant,

sance. Et quand elle a bien souffert, bien sangloté, bâillé, tressailli, soupiré, elle considère alors en son cœur quel est l'homme pour qui Amour la tourmente. Et quand elle s'est réconfortée avec des pensées agréables, elle se rallonge et se retourne dans son lit et traite de folie tout ce qui vient de lui venir à l'esprit. Elle recommence un nouveau débat : «Folle, dit-elle, qu'importe si ce jeune homme est plein de grâce, de largesse, de courtoisie et de prouesse? C'est à son honneur et à son avantage. Mais que me fait sa beauté? Sa beauté, qu'elle s'en aille avec lui! Et c'est ce qu'elle fera, malgré moi. Je ne prétends rien lui enlever.

– Enlever? Non certes, je ne veux pas. S'il avait la sagesse de Salomon, et si Nature avait mis en lui toute la beauté qu'elle pourrait mettre en un corps humain, et si Dieu m'avait donné le pouvoir de tout détruire, je ne voudrais pas le chagriner mais au contraire, si je pouvais, je le ferais encore plus sage et plus beau. Sur ma foi, je ne le hais donc pas!

– Mais suis-je pour autant son amie?

– Non pas, pas plus la sienne que celle d'un autre!

– Pourquoi donc penser à lui, s'il ne me plaît pas plus qu'un autre?

– Je ne sais, je me sens toute perdue, car jamais je n'ai autant pensé à nul homme au monde. Je voudrais le voir toujours et ne jamais le

et mon vuel toz jorz le verroie;
ja mes ialz partir n'an querroie,   924
tant m'abelist, quant je le voi.
Est ce amors? – Oïl, ce croi.
Ja tant sovant nel remanbrasse,
se plus d'un autre ne l'amasse.   928
Or l'aim. Or soit acreanté,
si an ferai ma volanté,
voire, mes qu'il ne li desplaise.
Ceste volantez est malveise,   932
mes Amors m'a si [anvaïe]³⁹
que fole an sui et esbahie,
ne desfansse rien ne m'i vaut,
si m'estuet sofrir son assaut.   936
Ja me sui ge si sagemant
vers lui gardee longuemant,
einz mes por lui ne vos rien faire,
mes or li sui trop deboneire.   940
Et quel gré m'an doit il savoir,
qant par amor ne puet avoir
de moi servise ne bonté?
Par force a mon orguel donté,   944
si m'estuet a son pleisir estre.
Or vuel amer, or sui a mestre,
or m'aprandra Amors… – Et quoi?
– Confeitemant servir le doi.   948
De ce sui je molt bien aprise,
molt sui sage de son servise
que nus ne m'an porroit reprandre;
ja plus ne m'an covient aprandre.   952
Amors voldroit, et je le vuel,
que sage fusse et sanz orguel
et deboneire et acointable,
vers toz por un seul amïable.   956
Amerai les ge toz por un?
Bel sanblant doi feire a chascun
mes Amors ne m'anseigne mie
qu'a toz soie veraie amie.   960

---

³⁹ anhaïe *A. Corr. d'après CMNPRT.*

quitter des yeux, tant je suis heureuse de le voir. Est-ce l'amour? Oui, je
le crois. Je ne penserais pas si souvent à lui si je ne l'aimais plus qu'un
autre. Je l'aime donc, je le reconnais. Je céderai à mon désir, oui, si du
moins cela ne lui déplaît pas. Ce désir est mauvais mais Amour m'a si
bien envahie que j'en suis folle et ébahie, incapable de me défendre et
contrainte à subir ses assauts. Longtemps je me suis si sagement gardée
de lui que jamais je n'ai rien voulu faire pour lui. Mais aujourd'hui je
l'accueille volontiers.

    – Et pourquoi m'en saurait-il gré, quand il ne peut obtenir de moi de
bonne grâce ni service ni faveur? C'est par la force qu'il a dompté mon
orgueil, m'obligeant à être à sa merci. Maintenant je veux aimer, maintenant j'ai un maître, maintenant Amour m'apprendra …

    – Quoi donc?

    – Comment je dois le servir. Je suis bien instruite là-dessus, je
connais si bien mes devoirs qu'on ne saurait m'en remontrer: je n'ai
plus rien à apprendre. Amour voudrait, et moi aussi, que je sois sage et
sans orgueil, et gracieuse et bienveillante et aimable envers tous pour
l'amour d'un seul homme. Faut-il donc tous les aimer pour un seul? Je
dois faire bon visage à chacun mais Amour ne me commande pas d'être
pour tous une loyale amie. Amour ne me donne que de bonnes leçons.

Amors ne m'aprant se bien non.
Por neant n'ai ge pas cest non
que Soredamors sui clamee.
Amer doi, si doi estre amee,   964
si le vuel par mon non prover
qu'amors doi an mon non trover.
Aucune chose senefie
ce que la premiere partie   968
en mon non est de color d'or,
et li meillor sont li [plus sor][40].
Por ce tieng mon non a meillor
qu'an mon non a de la color   972
a cui li miaudres ors s'acorde.
Et la [fins][41] amors me recorde,
car qui par mon droit non m'apele
toz jorz amors me renovele;   976
et l'une mitiez l'autre dore
de doreüre clere et sore,
et autant dit Soredamors
come sororee d'amors.   980
Doreüre d'or n'est si fine
come ceste qui m'anlumine.
Molt m'a donc Amors enoree,
quant il de lui m'a sororee,   984
et je metrai an lui ma cure,
que de lui soie doreüre,
ne ja mes ne m'an clamerai.
Or aim et toz jorz amerai.   988
– Cui? – Voir, ci a bele demande!
Cestui que Amors me comande,
car ja autres m'amor n'avra!
– Cui chaut, quant il ne le savra,   992
se je meïsmes ne li di?
Que feroie, se ne li pri?
Qui de la chose a desirrier
bien doit la requerre et proier.   996

---

[40]   li plusor *A*.
[41]   fine *ABP. Corr. d'après CMNR.*

Ce n'est pas pour rien que je porte ce nom de Soredamor. Je dois aimer et être aimée et je veux en donner la preuve par mon nom, car dans mon nom je trouve nécessairement l'amour. La première partie de mon nom est pleine de sens : elle contient la couleur de l'or et les plus blonds sont les meilleurs[21]. Je tiens mon nom pour le meilleur de contenir la couleur qui s'accorde avec le plus bel or, et la fin du mot me rappelle l'amour, car en m'appelant par mon propre nom, on rappelle toujours l'amour dans mon cœur. Une moitié de mon nom dore l'autre d'une dorure éclatante et blonde et Soredamor signifie « Dorée d'amour ». La dorure de l'or n'est pas aussi pure que celle qui m'illumine. Amour m'a donc fait un grand honneur en répandant sur moi son or. Je vais me consacrer à lui afin d'être sa dorure et je n'y renoncerai jamais. Maintenant j'aime et j'aimerai toujours !

– Qui ?

– Vraiment, la belle question ! Celui qu'Amour me commande d'aimer, car nul autre n'aura jamais mon amour !

– Qu'importe, puisqu'il ne le saura que si je le lui dis moi-même ?

– Et que faire, si je ne le prie ? Quand on désire une chose, il faut bien la requérir et prier pour l'obtenir.

---

[21] *Sore* est le féminin de l'adjectif *sor*, blond, clair. La blondeur est un critère de beauté dans la littérature médiévale. Sur l'étymologie comme système d'interprétation du monde au Moyen Age, voir E. Curtius, *La littérature européenne et le Moyen Age latin*, trad. fr., Paris, P.U.F., 1956, rééd. 1986, excursus 14, « L'étymologie considérée comme forme de pensée », II, p. 317-326 ; C. Buridant éd., *L'étymologie de l'Antiquité à la Renaissance*, *Lexique* n°14, Lille, Presses universitaires du Septentrion, 1999.

Comant? Proierai le je donques?
– Nenil! – Por coi? – Ce n'avint onques
que fame tel forfet feïst
que d'amors home requeïst,   1000
se plus d'autre ne fu desvee.
Bien seroie fole provee,
se je disoie de ma boche
chose don j'eüsse reproche.   1004
Quant de ma boche le savroit,
je cuit que plus vil m'an avroit,
si me reprocheroit sovant
que je l'en ai proié avant.   1008
Ja ne soit amors si vilainne
que je pri cestui premerainne;
plus chiere m'an devroit avoir.
– Dex!, comant le porra savoir   1012
des que je ne l'an ferai cert?
– Ancor n'ai ge gaires soffert
por coi tant demanter me doive!
J'atandrai tant qu'il s'aparçoive,   1016
car ja ne li ferai savoir.   (f. 58)
Bien s'an savra aparcevoir,
s'il onques d'amors s'antremist
ou s'il par parole en aprist.   1020
– Aprist? Or ai ge dit oiseuse.
Amors n'est pas si gracïeuse
que par parole an soit nus sages,
s'avoec n'i est li boens usages.   1024
Par moi meïsmes le sai bien,
car onques n'an poi savoir rien
par losange ne par parole,
s'an ai molt esté a escole   1028
et par mainte foiz losangiee.
Mes toz jorz m'an sui estrangiee,
sel me fet si chier comparer
C'or an sai plus que bués d'arer.   1032
Mes d'une chose me [despoir][42],
que cil n'ama onques espoir;

---

[42]   mervoil *A*.

— Comment? Vais-je donc le prier?

— Non pas!

— Pourquoi?

— On n'a jamais vu une femme commettre le forfait de demander à un homme son amour, à moins d'avoir complètement perdu la raison. Je serais une vraie folle si je laissais sortir de ma bouche des paroles qui me seraient reprochées. S'il les entendait de ma bouche, je suis sûre qu'il me mépriserait et me reprocherait souvent de l'avoir prié la première. Puissé-je ne point avilir mon amour au point de le prier la première! Je devrais ainsi lui être plus chère.

— Mon Dieu, comment pourra-t-il le savoir, si je ne lui apprends rien?

— Je n'ai pas encore souffert au point de me désoler à ce point. J'attendrai qu'il s'aperçoive de mon amour car jamais je ne le lui ferai savoir. Il saura bien s'en apercevoir s'il a déjà connu l'amour ou s'il en a entendu parler.

— Entendu parler? Je dis une sottise, Amour n'accorde à personne la faveur de se laisser connaître par des paroles, s'il ne s'y joint la pratique. J'en ai fait moi-même l'expérience: jamais je n'ai rien pu en apprendre par des paroles et des beaux discours, et pourtant j'ai été à bonne école et entendu bien des doux propos, mais toujours je m'en suis écartée, et maintenant il me le fait payer si cher que j'en sais plus qu'un bœuf sur le labour. Mais ce qui me désespère, c'est que celui que j'aime n'a peut-

et s'il n'ainme ne n'a amé,
donc ai ge en la mer semé,   1036
ou semance ne puet reprandre
neant plus qu'el feroit an cendre.
Or del sofrir tant que je voie
si jel porroie metre an voie,   1040
par sanblant et par moz coverz.
Tant [ferai][43] qu'il an sera cerz
de m'amor, se requerre l'ose.
Or n'i a donc nule autre chose   1044
mes que je l'aim et soe sui.
S'il ne m'ainme, j'amerai lui !»
Ensi se plaint et cil et cele
et li uns vers l'autre se cele: 1048
le jor ont mal et la nuit pis.

A tel dolor ont, ce m'est vis,
an Bretaigne lonc tans esté
tant que vint a la fin d'esté.   1052
Tot droit a l'entree d'oitovre,
vint uns messages devers Dovre,
de Londres et de Quantorbire
au roi unes noveles dire   1056
qui molt li troblent son corage.
Cil li ont conté le message
que trop puet an Bretaingne ester,
car cil li voldra contrester   1060
cui sa terre avoit comandee,
et s'avoit ja grant ost mandee
de sa terre et de ses amis,
si s'estoit dedanz Londres mis   1064
por la cité contretenir
a l'ore que devroit venir.
Qant li rois oï la novele,
trestoz ses barons en apele,   1068
iriez et plains de mautalant.
Et qu'il facent mialz son talant

---

[43]   serai *A*.

être jamais aimé. Et s'il n'aime pas, s'il n'a jamais aimé, alors j'ai semé dans la mer, où la semence ne peut germer, pas plus que dans la cendre. Souffrons donc jusqu'à ce que je voie si je peux le mettre sur la voie par mon attitude et à mots couverts. Je ferai tant qu'il sera sûr d'avoir mon amour s'il ose m'en requérir. Plus rien d'autre ne compte : l'aimer et être à lui. Même s'il ne m'aime pas, moi je l'aimerai !»

C'est ainsi qu'ils se plaignent l'un et l'autre et qu'ils se cachent leurs sentiments. Ils souffrent le jour et encore plus la nuit.

Ils ont longtemps enduré cette douleur, je crois, durant leur séjour en Bretagne, jusqu'à la fin de l'été. Juste au début d'octobre, un messager vint par Douvres de Londres et de Canterbury, porteur de nouvelles inquiétantes pour le roi. Le message était qu'il demeurait trop en Bretagne : l'homme à qui il avait confié sa terre voulait la lui disputer ; il avait déjà constitué une grande armée avec ses vassaux et ses amis et occupait la cité de Londres pour l'interdire au roi à son retour[22].

Le roi, à cette nouvelle, convoque tous ses barons, indigné et plein de colère. Et pour mieux les inciter à écraser le traître, il rejette sur eux

---

[22] Dans l'*Historia regum Britanniae* de Geoffroi de Monmouth et sa translation française, le *Roman de Brut* de Wace (1155), c'est Mordret, neveu d'Arthur, qui commet cette trahison : Geoffroi de Monmouth, *Histoire des rois de Bretagne,* trad. L. Mathey, Paris, Belles Lettres, p. 254 ; Wace, *La geste du roi Arthur*, trad. E. Baumgartner, Paris, UGE, 19, v. 4173ss, p. 244.

de confondre le traïtor,
lors dit que li blasmes est lor   1072
de son tribol et de sa guerre,
car par aus bailla il sa terre
et mist an la main au felon
qui pires est de Guenelon.   1076
N'i a un seul qui bien n'otroit
que li reis a reison et droit,
car ce li conseillierent il;
mes il an iert mis an essil,   1080
et sache bien de verité
que an chastel ne an cité
ne porra garantir son cors
qu'a force ne l'an traie fors.   1084
Ensi le roi tuit aseürent
et afïent formant et jurent
que le traïtor li randront
ou ja mes terre ne tandront.   1088
Et li rois par tote Bretaingne
fet crier que nus n'i remaingne
qui puisse armes porter en ost,
que aprés lui ne veingne tost.   1092
Tote Bretaigne est esmeüe;
onques tex oz ne fu veüe
con li rois Artus assanbla.
A l'esmovoir des nes sanbla   1096
qu'an la mer fust trestoz li mondes
car n'i paroient nes les ondes,
si les orent les nes covertes.
Ceste guerre sera a certes.   1100
An la mer sanble por la noise
que tote Bretaigne s'an voise.
Ja sont les nes totes passees,
et les genz qui sont amassees   1104
se vont logent lez le rivage.
Alixandre vint an corage
que il aille le roi proier
que il le face chevalier,   1108
car se ja mes doit los aquerre,
il l'aquerra an ceste terre.

la faute de ces troubles et de cette guerre, car c'est sur leur conseil qu'il a remis sa terre entre les mains d'un félon encore pire que Ganelon[23]. Pas un seul des barons qui ne reconnaisse que le roi a parfaitement raison et qu'ils lui ont donné ce conseil ; mais le traître sera mis à mort et le roi peut être sûr que ni château ni cité ne pourront permettre au coupable d'échapper au châtiment. Tous rassurent le roi et lui prêtent le serment solennel de lui remettre le traître ou de renoncer à tout fief. Et le roi fait proclamer par toute la Bretagne que tout homme apte à porter les armes doit le rejoindre aussitôt. Toute la Bretagne est sur le pied de guerre : on n'a jamais vu armée pareille à celle que le roi Arthur rassembla. Au départ des navires on aurait cru que le monde entier était sur la mer, car on ne voyait plus les flots, recouverts de navires. Ce sera une guerre terrible. Sur la mer on dirait, au tumulte, que toute la Bretagne s'en va. Déjà la traversée est achevée et les troupes rassemblées se logent le long du rivage.

Alexandre prend la décision d'aller prier le roi de le faire chevalier : si jamais il doit conquérir la gloire, ce sera en ce pays. Suivi de ses

---

[23] Ganelon, dans *La Chanson de Roland*, trahit Charlemagne pour provoquer la mort de Roland.

Ses conpaignons avoec lui prant,
si con sa volantez le prant   1112
de feire ce qu'a anpansé.
Au tref le roi an est alé.
Devant son tref s'estut li rois;
qant il vit venir les Grezois,   1116
ses a devant lui apelez.
« Seignor, fet il, nel me celez:
quex besoinz vos amena ça?»
Alixandres por toz parla,   1120
si li a dit son desirrier.
« Venuz, fet il, vos sui proier,
si con mon seignor proier doi,
por mes conpaignons et por moi,   1124
que vos nos façoiz chevaliers.»
Li rois respont: «Molt volantiers,
que ja respiz n'an sera priz,
puis que vos m'an avez requis.»   1128
Lors comande aporter li rois
a .XIII. chevaliers hernois.
Fet est ce que li rois comande;
chascuns le suen hernois demande: 1132
li rois baille a chascun le suen,
beles armes et cheval buen;
chascuns a le suen hernois pris.
Tuit li .XII. furent de pris,   1136
armes et robes et cheval,
mes autant valut par igal
li hernois au cors Alixandre,
qui le volsist prisier ou vandre,   1140
con tuit li autre .XII. firent.
Droit sor la mer se desvestirent,
si se laverent et baingnierent,
car il ne vostrent ne daignierent   1144
qu'an lor chaufast eve an estuve:
De la mer firent baing et cuve.
La reïne la chose set,
qui Alixandre pas ne het,   1148
einz l'ainme molt et loe et prise;   (f. 58v)
feire li vialt un bel servise:

compagnons et désireux de faire aboutir son projet, il gagne la tente royale. Debout devant sa tente, le roi voit venir les Grecs et les a appelés à lui : «Seigneurs, dit-il, dites-le moi sans détour, quel besoin vous amène?» Alexandre prit la parole au nom de tous pour lui faire part de son désir. «Je suis, dit-il, venu vous prier, comme je dois prier mon seigneur, de nous faire chevaliers, mes compagnons et moi.

— Bien volontiers, répond le roi, et sans retard, puisque vous m'en faites la demande.»

Le roi commande alors d'apporter l'équipement de treize chevaliers; on lui obéit. Chacun demande son équipement et le roi remet à chacun le sien : de belles armes et un bon cheval. Chacun a pris son équipement. Douze sur treize étaient de grand prix, les armes comme les vêtements et le cheval. Mais celui d'Alexandre valait autant, si on avait voulu l'estimer ou le vendre, que les douze autres réunis. Au bord de la mer ils se dévêtirent, se lavèrent et se baignèrent[24], refusant de l'eau chauffée dans une étuve : la mer leur servit de bain et de cuve.

Apprenant l'événement, la reine qui, loin de détester Alexandre, l'aime et le couvre de louanges, veut lui faire un beau présent, qui est

---

[24] On retrouve ici la scène de l'adoubement d'Alexandre dans le *Roman d'Alexandre*, avec le bain du héros et de ses douze compagnons : cf. Alexandre de Paris, *Le Roman d'Alexandre*, *op. cit.*, I, v. 535ss et F. Lyons, «The Chivalric Bath in the *Roman d'Alexandre* and in Chretien's *Cligès*, *Mélanges Teruo Sato*, Nagoya, 1973, I, p. 85-90.

molt est plus granz qu'ele ne cuide.
Trestoz ses escrins cerche et vuide   1152
tant c'une chemise en a treite,
de soie fu, blanche et bien feite,
molt delïee et molt soutil.
Es costures n'avoit un fil   1156
ne fust d'or ou d'argent au mains.
Au queudre avoit mises les mains
Soredamors de leus an leus,
s'avoit antrecosu par leus   1160
lez l'or de son chief un chevol,
et as .II. manches et au col,
por savoir et por [esprover]⁴⁴
se ja porroit home trover   1164
qui l'un de l'autre devisast,
tant cleremant i avisast,
car autant ou plus con li ors
estoit li chevox clers et sors.   1168
[La reïne]⁴⁵ prant la chemise,
si l'a Alixandre tramise.
Et Dex! con grant joie an eüst
Alixandres, s'il le seüst   1172
que la reïne li anvoie!
Molt an reüst cele grant joie
qui son chevol i avoit mis,
s'ele seüst que ses amis   1176
la deüst avoir ne porter.
Molt s'an deüst reconforter,
car ele n'amast mie tant
de ses chevox le remenant   1180
come celui qu'Alixandre ot.
Mes cil ne cele ne le sot:
c'est granz enuis que il nel sevent.
Au port ou li vaslet se levent   1184
vint li messages la reïne;
le vaslet trueve an la marine,

⁴⁴   escouter *A*.
⁴⁵   Soredamors *A*.

encore bien plus beau qu'elle ne pense. Elle fouille et vide tous ses
coffres et en tire une chemise de soie blanche, bien faite, très fine et très
souple. Aux coutures tous les fils étaient d'or ou au moins d'argent.
Soredamor avait participé à plusieurs reprises à sa confection de ses
propres mains et elle avait par endroits cousu près du fil d'or un de ses
cheveux, aux deux manches et au col, pour tenter de savoir s'il pourrait
se trouver un homme particulièrement attentif, capable de distinguer
l'un de l'autre, car le cheveu blond brillait autant que l'or, sinon plus.
     La reine prend la chemise et l'envoie à Alexandre. Ah Dieu !, quelle
joie aurait été celle d'Alexandre, s'il avait su ce que la reine lui
envoyait ! Et quelle joie aurait eue celle qui y avait cousu son cheveu, si
elle avait su que son ami devait porter cette chemise ! Elle en aurait été
comblée car elle aurait préféré à toute sa chevelure le cheveu porté par
Alexandre. Mais ni l'un ni l'autre ne savait ce qu'il en était, et c'est bien
dommage.
     Le messager de la reine se rend au port, où les jeunes gens se bai-
gnent. Il trouve Alexandre au bord de la mer et lui présente la chemise.

s'a la chemise presantee
celui cui ele molt agree,   1188
et por ce plus chiere la tint
que devers la reïne vint.
Mes s'il seüst le soreplus,
ancor l'amast il assez plus,   1192
car en eschange n'an preïst
tot le monde, [einçois an feïst]⁴⁶
[saintuaire, si con je quit,
si l'aorast et jor et nuit]⁴⁷.   1196
Alixandres plus ne demore
qu'il ne se veste en icele ore.
Quant vestuz fu et atornez,
au tref le roi s'an est alez   1200
et tuit si conpaignon ansanble.
La reïne, si con moi sanble,
fu au tref venue seoir,
por ce qu'ele voloit veoir   1204
ses noviax chevaliers venir.
Por biax les poïst an tenir
mes de toz li plus biax estoit
Alixandres au cors adroit.   1208
Chevalier sont, des or m'an tes.
Del roi parlerai des or mes
et de l'ost qui a Londres vint.
Li plus des genz a lui se tint   1212
et contre lui en ra grant masse.
Li cuens Angrés ses genz amasse,
quanque vers lui an pot torner
por prometre ne por doner.   1216
Qant il ot sa gent asanblee,
par nuit s'an foï an enblee
car de plusors estoit haïz,
si redotoit estre traïz.   1220
Mes einçois que il s'an foïst,
quanque il pot a Londres prist

---

⁴⁶   qui li meïst A. *Corr. d'après NMPS.*
⁴⁷   *2 vers absents A.*

Le jeune homme la reçoit avec plaisir et lui accorde encore plus de prix d'être un présent de la reine. Mais s'il en avait su davantage, il l'aurait aimée encore bien plus : il n'aurait pas accepté en échange le monde entier et en aurait fait une relique, je crois, pour l'adorer jour et nuit. Alexandre revêt la chemise sans plus tarder. Quand il s'est vêtu et équipé, il s'est rendu à la tente du roi avec tous ses compagnons. La reine, je crois, était venue s'asseoir dans la tente car elle voulait voir l'arrivée des nouveaux chevaliers. On pouvait juger qu'ils étaient tous beaux mais de tous le plus beau était Alexandre au corps élancé. Les voilà chevaliers, je me tais à leur sujet.

Je parlerai maintenant du roi et de l'armée qui arrivèrent à Londres. La plus grande partie de ses hommes le rejoignirent : ils étaient en foule à ses côtés. Le comte Angrès rassembla ses hommes, cherchant à en rallier le plus possible par des promesses et par des dons. Quand il eut rassemblé ses hommes, il s'enfuit de nuit à la dérobée, car beaucoup le haïssaient et il craignait leur trahison. Mais avant de s'enfuir, il prit à Londres tout ce qu'il put de vivres, d'or et d'argent, et distribua le tout

de vitaille, d'or et d'argent,
si departi tot a sa gent.   1224
Au roi sont les noveles dites
que foïz s'an est li traïtes,
avoec lui tote sa bataille,
et que tant avoit de vitaille   1228
et d'avoir pris an la cité
qu'apovri et deserité
sont li borjois et confondu.
Et li rois a tant respondu   1232
que ja reançon n'an prandra
del traïtor, einz le pandra,
se prendre ne tenir le puet.
Maintenant tote l'oz s'esmuet   1236
tant qu'il vindrent a Guinesores.
A ce jor, comant qu'il soit ores,
qui le chastel volsist desfandre,
ne fust mie legiers a prandre,   1240
car li traïtres le ferma,
des que la traïson soucha,
de dobles murs et de fossez,
et s'avoit les murs adossez   1244
de [forz] pex agus [par derriere][48],
qu'il ne cheïssent par [perriere][49].
Au fermer avoit mis grant coust:
tot juing et juingnet et aoust   1248
mist au feire le roilleïz
et fossez et pont torneïz,
tranchiees et barres et lices
et portes de fer coleïces   1252
et grant tor de pierre quarree.
Onques n'i ot porte fermee
ne por peor ne por assaut.
Li chastiax sist en un pui haut   1256
et par desoz li cort Tamise.
Sor la riviere est l'oz asise,

---

[48]   De pex aguz et de darciere A.
[49]   par derriere A.

à ses hommes. Le roi apprend la nouvelle que le traître s'est enfui avec toutes ses troupes et qu'il a pris tant de vivres et de richesses dans la cité, que les bourgeois sont plongés dans la pauvreté et la misère. Il déclare alors qu'il n'acceptera aucune rançon du traître mais qu'il le pendra dès qu'il le tiendra en son pouvoir. L'armée tout entière se met en marche pour atteindre Windsor. En ce temps-là, le château, quel qu'il soit aujourd'hui, n'était pas facile à prendre pour peu qu'on voulût le défendre : le traître l'avait fortifié, sitôt sa trahison conçue, d'une double enceinte et de fossés, et avait renforcé les murs en plaçant derrière de solides pieux pointus afin qu'ils résistent aux catapultes[25]. Il n'avait pas lésiné à la dépense. Il mit tout juin, juillet et août à faire construire des palissades de troncs d'arbres, des fossés, des ponts-levis, des tranchées, des barrières et des clôtures, des portes de fer coulissantes et une grande tour en moellons carrés. On n'eut pas besoin de fortifier les portes de peur d'une attaque. Le château se dressait sur une hauteur avec la Tamise à ses pieds. L'armée campait au bord de la rivière et se contenta

---

[25] Dans ce passage corrompu, A. Micha voit dans *darciere* «peut-être une mauvaise graphie de *dossiere*, ouvrage de soutènement où des pieux pointus retiennent des dosses ou planches plates d'un côté, bombées de l'autre». Mais *derriere* et *perriere* à la rime sont attestés par les autres manuscrits. S. Gregory et C. Luttrell pensent «que le désaccord entre les manuscrits s'explique à partir d'une leçon *eves* (...) et que celle-ci était une mauvaise lecture de *ovres*, et proposent de corriger *pex aguz* en *forz oevres*. Voir leur note p. 258 de leur édition.

ne ce jor ne lor lut antendre
s'a logier non et as trez tandre.   1260
L'oz est sor [Tamise]⁵⁰ logiee;
tote [la pree]⁵¹ est herbergiee
de paveillons [verz]⁵² et vermauz;
es colors se fiert li solauz,   1264
si reflanboie la riviere
plus d'une grant liue pleniere.
Cil del chastel par le gravier
furent venu esbanoier   1268
seulemant les lances es poinz,
les escuz devant lor piz joinz,
car plus d'armes n'i aporterent.
A ces defors sanblant mostrerent   1272
que gaires ne les redotoient,
qant desarmé venu estoient.

Alixandres de l'autre part
des chevaliers se prist esgart   1276
qui devant aus vont cenbelant.
D'asanbler a aus a talant,
s'an apele ses conpaingnons
l'un après l'autre par lor nons :   1280
premiers Cornix, qu'il ama molt,
aprés Licoridés⁵³ l'Estout
et puis Nebunal de Micenes   (f. 59)
et [Acoriondés]⁵⁴ d'Athenes   1284
et Ferolin de Salenique
et [Calcedor]⁵⁵ de vers Aufrique,
Parmenidés [et]⁵⁶ Franchegel,
Torin le Fort et Pinabel,   1288

---

⁵⁰   sor la pree *A.*
⁵¹   Tamise *A.*
⁵²   viez *A. Corr. d'après CMPRT.*
⁵³   lui Acorde *A.*
⁵⁴   Acoridomés *A.*
⁵⁵   Charquedon *A.*
⁵⁶   de *A.*

ce jour-là de s'installer et de dresser les tentes. L'armée campait au bord de la Tamise et tous les prés étaient couverts de pavillons verts et rouges, dont les couleurs, avivées par le soleil, faisaient flamboyer la rivière sur plus d'une lieue.

Ceux du château étaient venus s'ébattre sur la grève avec seulement leur lance au poing et leur écu contre la poitrine, sans autres armes: ils voulaient ainsi montrer, en venant sans armes, qu'ils ne redoutaient guère les assaillants.

Alexandre, sur l'autre rive, remarque les chevaliers qui joutaient devant lui. Ayant envie de les affronter, il appelle ses compagnons l'un après l'autre par leur nom: d'abord Cornix, qu'il aimait beaucoup, puis Licoridès l'Orgueilleux, Nebunal de Mycènes, Acoriondès d'Athènes, Férolin de Salonique, Calcedor des régions d'Afrique, Parménidès et Franchegel, Torin le Fort et Pinabel, Nérius et Nériolis[26]: «Seigneurs,

---

[26] Parmi les noms des compagnons d'Alexandre, Parménidès est authentiquement grec (c'est le nom du philosophe Parménide). Cornix rappelle Corineus, un Troyen dans le *Brut* de Wace; Pinabel, dans la *Chanson de Roland*, est un parent de Ganelon; Macedor évoque la Macédoine.

[Nerius][57] et Neriolis.
« Seignor, fet il, talanz m'est pris
que de l'escu et de la lance
aille a cez feire une acointance   1292
qui devant moi behorder vienent.
Bien voi que por mauvés me tienent
et po nos prisent, ce m'est vis,
qant behorder devant noz vis   1296
sont ci venu tuit desarmé.
De novel somes adobé,
ancor n'avomes fet estrainne
a chevalier ne a quintainne ;   1300
trop avons noz lances premieres
longuemant gardees antieres.
Notre escu por coi furent fet ?
Ancor ne sont troé ne fret.   1304
C'est uns avoirs qui rien ne valt,
s'a estor non et a assalt.
Passons le gué, ses assaillons !»
Cil dïent : «Ne vos an faillons !»   1308
Ce dist chascuns : «Se Dex me saut,
n'est vostre amis qui ci vos faut !»
Maintenant lor espees ceingnent,
lor chevax ceinglent et estreingnent,   1312
montent et pranent lor escuz.
Qant les orent as cos panduz,
les escuz, et les lances prises,
de colors pointes par devises,   1316
el gué a un frois tuit s'esleissent ;
et cil de la les lances beissent,
ses vont isnelemant ferir.
Mes cil lor sorent bien merir,   1320
qui nes espargnent ne refusent
ne por aus plain pié ne reüsent,
einz fiert chascuns si bien le suen
qu'ainz n'i a chevalier si buen   1324
n'estuisse vuidier les arçons.
Nes tindrent mie por garçons,

---

57   Neruis ARS.

dit-il, j'ai envie d'aller faire la connaissance, avec mon écu et ma lance, de ces gens qui viennent jouter devant moi. Je vois bien qu'ils me prennent pour un lâche et nous méprisent, je crois, en venant jouter sous nos yeux sans armes. Nous venons d'être adoubés et nous n'avons pas encore étrenné nos armes contre un chevalier ou une quintaine. Nos premières lances sont restées trop longtemps intactes. Et nos écus, à quoi servent-ils ? ils ne sont encore ni troués ni fendus ! C'est un bien qui n'a de valeur que dans la bataille et l'assaut. Passons le gué, et à l'attaque !

– Comptez sur nous !», répondent les autres, et chacun d'ajouter: «Que Dieu m'aide !, ce ne sont pas vos amis qui vont vous abandonner !»

Et aussitôt de ceindre leur épée, de seller leur cheval, d'enfourcher leur monture et de prendre leur écu. Ils suspendent leur écu au cou, prennent leur lance peinte à leurs couleurs, ils s'élancent tous d'un seul mouvement dans le gué. Ceux d'en face abaissent leur lance et se précipitent pour les frapper. Mais les Grecs savent leur rendre la monnaie de leur pièce : ils ne cherchent pas à les épargner ni à les éviter et ne leur cèdent pas un pied ; chacun au contraire frappe si bien son adversaire qu'ils les obligent tous, même le meilleur, à vider les arçons. Les vaincus ne peuvent les tenir pour des fantoches, des lâches ou des écer-

por mauvés ne por esperduz.
N'ont pas lor premiers cos perduz,   1328
que .XIII. en ont deschevalez.
En l'ost en est li criz levez
de lor cos, de lor chapleïz.
Par tans fust boens li fereïz,   1332
se cil les osassent atandre.
Par l'ost corent les armes prandre,
si se fierent an l'[eve][58] a bruit;
chascuns de ces de la s'anfuit,   1336
qui lor remenance n'i voient.
Et li Greu aprés les convoient,
ferant de lances et d'espees.
Assez i ot testes colpees,   1340
[mes d'aus n'i ot un seul plaié.
Cel jor s'i sont bien essaié][59]
mes Alixandre en ot le pris,
car par son cors lïez et pris   1344
an mainne .IIII. chevaliers;
et li mort gisent estraiers,
qu'asez i ot des decolez,
des plaiez et des afolez.   1348
Alixandres par corteisie
sa premiere chevalerie
done et presante la reïne;
ne vialt qu'autres en ait seisine,   1352
car tost les feïst li rois pandre.
La reïne les a fez prandre
et ses fist garder an prison
come restez de traïson.   1356
Mes li rois ne s'an geue pas:
a la reïne eneslepas
mande que a lui parler veigne
ne ses traïtors ne deteigne,   1360
car a randre li covandra
ou oltre son gré les tandra.

---

[58] oste *A*.
[59] *2 vers absents AMPS.*

velés. Les Grecs n'ont pas manqué leurs premiers coups : ils ont abattu
treize hommes de leur cheval. Dans l'armée, des cris saluent leurs coups
et leurs exploits. Bientôt la mêlée aurait été générale si les autres avaient
osé les attendre. Dans toute l'armée on court prendre ses armes pour se
précipiter dans l'eau à grand bruit. Mais tous leurs adversaires s'enfuient, voyant qu'ils sont incapables de résister. Et les Grecs les poursuivent, donnant de la lance et de l'épée. Il y eut beaucoup de têtes
coupées, mais pas un seul blessé chez les Grecs, qui brillèrent ce jour-là.
Mais c'est Alexandre qui remporta la palme, car il ramena quatre chevaliers ligotés qu'il avait capturés de sa main. Et les morts gisent aban-
donnés : il y eut nombre de décapités, de blessés et de mutilés.

Alexandre, par courtoisie, offre et dédie à la reine son premier
exploit : il ne veut pas qu'un autre prenne possession des prisonniers, car
le roi s'empresserait de les faire pendre. La reine les a fait prendre et
garder en prison, sous le coup d'une accusation de trahison. Mais le roi
ne plaisante pas avec cette affaire ; il convoque aussitôt la reine auprès
de lui pour lui interdire de garder les traîtres : il lui faut les rendre ou

La reïne est au roi venue,
la parole ont antr'ax tenue   1364
des traïtors, si com il durent.
Et tuit li Grezois remés furent
el tref la reïne as puceles ;
molt parolent li .XII. a eles   1368
mes Alixandres mot ne dist.
Soredamors garde s'an prist,
qui pres de lui se fu assise.
[A sa maissele]⁶⁰ a sa main mise   1372
et sanble que molt soit pansis.
Ensi ont longuemant sis,
tant qu'a son braz et a son col
vit Soredamors le chevol   1376
dom ele ot la costure feite.
Un po plus pres de lui s'est treite,
car ore a aucune acheison
dont metre le puet a reison.   1380
⌜Mes el ne set an quel meniere⌝
ele l'areisnera premiere
[et ques li premiers mos sera,
se par son non l'apelera]⁶¹,   1384
s'an prant consoil a li meïsmes :
« Que dirai ge, fet ele, primes ?
Apelerai le par son non
ou par ami ? – Ami ? Je non !   1388
– Comant dons ? – Par son non l'apele !
Dex ! ja est la parole bele
et tant dolce ami a nomer !
Se je l'osasse ami clamer !   1392
– Osasse ? Qui le me chalonge ?
– Ce que je cuit dire mançonge.
– Mançonge ? Ne sai que sera,
mes se je mant, moi pesera.   1396
Por ce fet bien a consantir
car je n'an querroie mantir.

---

⁶⁰   Delez sa cuisse *A.*
⁶¹   *2 vers absents A.*

s'opposer à la volonté du roi. La reine est venue s'entretenir des traîtres avec le roi, comme il se devait. Et tous les Grecs sont restés dans la tente de la reine avec les demoiselles : les douze autres bavardaient avec elles, mais Alexandre ne disait mot. Soredamor, assise près de lui, le remarque. La main appuyée contre sa joue[27], il semble absorbé par ses pensées. Ils sont restés ainsi longtemps assis jusqu'au moment où Soredamor vit au bras et au cou d'Alexandre le cheveu avec lequel elle avait cousu la chemise. Elle s'est rapprochée de lui car elle tient là un prétexte pour lui adresser la parole ; mais elle ne sait de quelle manière elle peut lui parler la première, quel mot prononcer, si elle doit l'appeler par son nom, et se met à réfléchir :

    – « Que pourrais-je dire pour commencer ? l'appeler par son nom ? lui dire 'Ami' ?
    – Ah non !
    – Comment donc ?
    – Appelle-le par son nom !
    – Dieu !, c'est pourtant un mot si beau et si doux à prononcer que celui d'ami. Si j'osais l'appeler « ami » !
    – Si j'osais ? Qui me l'interdit ?
    – C'est que j'ai peur de dire un mensonge.
    – Un mensonge ?
    – Je ne sais pas ce qu'il en sera, mais si je mens, j'en aurai de la peine. Je peux bien l'accepter parce que je ne croirais pas mentir. Dieu !,

---

[27] Ce geste a constamment une valeur symbolique dans les textes comme dans l'image : il figure une attitude pensive, mélancolique. Voir F. Garnier, *Le Langage de l'image au Moyen Age*, Paris, Le Léopard d'or, tome II, 1989, p. 118.

– Dex ! ja ne mantiroit il mie,
s'il me clamoit sa dolce amie !   1400
Et je mantiroie de lui ?
Bien devrïens voir dire andui
et se je mant, suens iert li torz.
Mes por coi m'est ses nons si forz   1404
car je li vuel voir sornon metre ?
Ce m'est avis trop i a letre,
s'aresteroie tost en mi.
Mes se je l'apeloie ami,   1408
cest non diroie je bien tot.
Por ce qu'a l'autre faillir dot,
voldroie avoir de mon sanc mis
⌊qu'il [eüst non]⁶² « Mes dolz amis »!⌋   1412
An cest panssé tant se sejorne
que la reïne s'an retorne
del roi, qui mandee l'avoit.
Alixandres venir la voit,   1416
contre lui vet, se li demande
que li rois a feire comande
de ses prisons et qu'il en iert.   (f. 59v)
« Amis, fet ele, il me requiert   1420
que je li rande a sa devise,
si l'an les feire sa justise.
De c'est li rois molt correciez
que je ne li ai ja bailliez,   1424
si m'estuet que jes li anvoi,
qu'il les veaust avoir devers soi.»
Ensi ont celui jor passé
et el demain sont amassé   1428
li boen chevalier, li leal,
devant le paveillon real,
por droit et por jugemant dire
a quel poinne et a quel martire   1432
li .IIII. traïtor morroient.
Li un dïent qu'escorchié soient,
li autre qu'an les pande ou arde,
et li rois meïsmes esgarde   1436

---

⁶²   m'apelast *A*.

il ne mentirait pas, lui, s'il m'appelait sa douce amie ! Et moi je menti-
rais à son sujet ? Nous devrions bien dire la vérité tous les deux et si je
mens, c'est lui qui aura tort.

– Mais pourquoi son nom m'est-il si difficile à prononcer que je
veux lui donner un surnom ? C'est qu'il y a, je crois, trop de lettres, et
que je m'arrêterais au milieu. Mais si je l'appelais « ami », je dirais bien
le nom tout entier. Parce que j'ai peur de ne pouvoir prononcer l'autre,
je donnerais bien de mon sang pour que son nom fût « mon doux ami » !

Elle reste plongée dans ses pensées jusqu'à ce que la reine revienne
de chez le roi, qui l'avait convoquée. Alexandre la voit venir, va à sa
rencontre et lui demande les ordres du roi et le sort destiné aux prisonniers. « Mon ami, dit-elle, il me prie de les remettre en ses mains et de le
laisser en faire justice. Le roi s'est fort courroucé de mon retard à les lui
livrer et je dois les lui envoyer car il veut les avoir près de lui ».

Ainsi s'écoule la journée et le lendemain les bons et loyaux chevaliers sont rassemblés devant la tente royale pour rendre leur jugement
selon le droit et dire quelle peine et quel supplice seront infligés aux
quatre traîtres. Les uns proposent qu'on les écorche, les autres qu'on les
pende ou qu'on les brûle et le roi lui-même estime qu'on doit écarteler

qu'an doit traïtor traïner.
Lors les comande a amener.
Amené sont, lïer les fet
et dit que il seront detret   1440
tant qu'antor le chastel seront
et que cil dedanz le verront.
Qant remese fu la parole,
li rois, qui veaust qu'en les afole,   1444
s'en vint ou grant palais ester;
Alixandre fet demender,
si [l']⁶³ apele son ami chier.
«Amis, dist il, molt vos vi hier   1448
bel assaillir et bel desfandre:
le guerredon vos an doi randre.
De .VC. chevaliers galois
vostre bataille vos acrois,   1452
et de mil sergens de ma terre.
Qant j'avrai finee ma guerre,
avoec ce que vos ai doné
ferai de vos roi coroné   1456
del meillor reaume de Gales.
Bors et chastiax, citez et sales
vos i donrai en atandue,
tresqu'a tant que vos iert randue   1460
la terre que tient vostre peres,
don vos devez estre empereres.»
Alixandres por cest otroi
mercie boenemant le roi,   1464
et si conpaignon l'an mercient.
Tuit li baron de la cort dient
qu'an Alixandre est bien assise
l'enors que li rois li devise.   1468
Qant Alixandres voit ses genz,
ses conpaignons et ses sergenz
tex con li rois li vialt doner,
si comande gresles soner   1472
et buisines par tote l'ost.
Boens ne mauvés ne vos en ost

---

⁶³   l' absent *A*.

les traîtres. Il les fait donc amener: on lui obéit et il les fait ligoter et
déclare qu'ils seront écartelés tout autour du château, sous les yeux des
assiégés. Sur ces mots, le roi, qui exige leur mise à mort, se rend à la
tente principale et fait convoquer Alexandre, l'appelant son cher ami.
«Ami, dit-il, je vous ai vu hier attaquer et vous défendre magnifiquement. Je vous dois une récompense: je renforce votre bataillon de cinq
cents chevaliers gallois et de mille fantassins de ma terre. Quand j'aurai
terminé ma guerre, en plus de ces dons je vous offrirai la couronne du
meilleur royaume de Galles: je vous donnerai bourgs et châteaux, cités
et palais, en attendant que vous revienne la terre de votre père, qui vous
vaudra le titre d'empereur». Alexandre remercie de tout cœur le roi
pour ce don, ainsi que ses compagnons. Tous les barons de la cour affir-
ment que le roi a bien placé l'honneur qu'il décerne à Alexandre.

Quand Alexandre voit ses hommes, ses compagnons et ses fantassins, tous les renforts que le roi veut lui donner, il fait sonner dans toute
l'armée clairons et trompettes. Il n'est ni preux ni lâche, je vous le

que chascuns ses armes ne praingne,
cil de Gales et de Bretaingne   1476
et d'Escoce et de Cornoaille,
car de par tot sanz nule faille
fu an l'ost grant force creüe.
Et Tamise fu descreüe,   1480
qu'il n'ot pleü de tot esté,
einz ot granz secheresce esté,
que li poisson i furent mort
et les nes sechiees au port,   1484
si poïst an passer a gué
la ou ele avoit le plus lé.
Outre Tamise est l'oz alee:
li un porprenent la valee   1488
et li autre montent l'angarde.
Cil del chastel s'an pranent garde
et voient venir la mervoille
de l'ost, qui si fort s'aparoille   1492
por le chastel confondre et prandre;
cil se ratornent por desfandre.
Ençois que nul assaut i ait,
li rois antor le chastel fait   1496
traïner a .IIII. chevax
les traïtors parmi les vax
et par tertres et par larriz.
Li cuens Angrés fu molt marriz   1500
por itant que traïner voit
ces devant lui que chiers avoit,
et li autre molt s'an esmaient.
Mes por esmai que il en aient   1504
n'ont nul talant que il se randent.
Mestiers lor est qu'il se desfandent
car bien mostre li rois a toz
son mautalant et son corroz,   1508
et bien voient, s'il les tenoit,
qu'a honte morir les feroit.
Qant li [.IIII.]⁶⁴ traïné furent
et li manbre par le chanp jurent,   1512

---

⁶⁴   autre A.

garantis, qui ne prenne chacun ses armes, ceux de Galles et de Bretagne comme ceux d'Ecosse et de Cornouailles: de tous côtés assurément l'armée s'était considérablement renforcée. La Tamise était en décrue car il n'avait pas plu de tout l'été; il y avait eu une telle sécheresse que les poissons étaient morts et les navires à sec au port: on pouvait donc passer à gué la rivière même dans sa plus grande largeur. L'armée a traversé la Tamise. Les uns occupent la vallée, les autres gravissent la colline. Les occupants du château les remarquent et voient venir la formidable armée qui s'apprête avec de telles forces à prendre et à détruire le château, et ils se préparent à la défense. Avant tout assaut, le roi fait écarteler les traîtres par quatre chevaux autour du château par les vallées, les collines et les friches. Le comte Angrès est profondément blessé de voir écarteler devant lui des hommes qui lui étaient chers, et les siens sont épouvantés mais, malgré leur épouvante, ils n'ont nulle intention de se rendre. Ils ont grand besoin d'assurer leur défense car le roi montre bien à tous sa colère et sa fureur et ils voient bien que s'il les tient, il les fera mourir ignominieusement. Après l'écartèlement des

lors recomance li assauz,
mes toz fu perduz li travauz;
assez lor lut lancier et traire
a ces, mes rien n'i porent faire,   1516
et neporquant bien s'i essaient:
espessemant lancent et traient
quarriax et javeloz et darz;
granz escrois font de totes parz   1520
les arbalestes et les fondes;
saietes et pierres reondes
volent [tot issi melle pelle]⁶⁵,
con fet la pluie avoec la gresle.   1524
Ensi tote jor se travaillent:
cil desfandent et cil assaillent
tant que la nuiz les an depart.
Et li rois de la soe part   1528
fet an l'ost crier et savoir
quel don [devra]⁶⁶ de lui avoir
cil par cui li chastiax iert pris:
«Une coupe de [molt]⁶⁷ grant pris   1532
li donrai de .XV. mars d'or,
la plus riche de mon tresor.»
Molt iert boene et riche la cope
et qui delit avroit de cope,   1536
plus la devroit il tenir chiere
por l'uevre que por la matiere.
Molt est boene la cope d'uevre
et qui la verité descuevre,   1540
mialz que l'uevre ne que li ors
valent les pieres de defors.
S'il est sergenz, la cope avra
par cui li chastiax pris sera,   1544
et s'il est pris par chevalier,
il ne savra querre loier
avoec la cope, qu'il ne l'ait,
se el monde trover se lait.   1548

---

⁶⁵ ausi espés et mesle *AS*.
⁶⁶ voldra *A*.
⁶⁷ mon *A*.

prisonniers, dont les membres gisaient à travers champs, l'assaut reprit de plus belle, mais les efforts furent inutiles : les attaquants eurent beau lancer projectiles et traits aux assiégés, ils n'aboutirent à rien. Et pourtant ils ne ménagent pas leur peine et lancent une pluie de carreaux d'arbalète, de javelots et de dards. Quel fracas de toutes parts que celui des arbalètes et des frondes : les flèches et les pierres rondes volent pêle-mêle comme une pluie mêlée de grêle. Toute la journée les combattants s'acharnent, les uns à se défendre, les autres à attaquer, jusqu'à la tombée de la nuit, qui les sépare.

Le roi pour sa part fait proclamer dans toute l'armée le don qu'il compte faire à celui qui lui permettra de prendre le château : «Je lui donnerai une coupe de très grand prix, valant quinze marcs d'or, la plus riche de mon trésor». La coupe était effectivement fort belle et riche et les amateurs devraient accorder plus de prix encore au travail qu'à la matière : elle est magnifiquement ouvragée. Et en toute vérité les pierres qui l'ornent valent plus encore que le travail et que l'or. Si c'est un fantassin qui permet de prendre le château, il recevra la coupe ; si c'est un

Qant ceste chose fu finee,
n'ot pas sa costume oubliee
Alixandres, qui chascun soir   (f. 60)
aloit la reïne veoir.   1552
A ce soir i refu alez.
Assis se furent lez a lez
Alixandres et la reïne.
Devant aus, prochiene veisine,   1556
Soredamors seule seoit,
qui si volantiers l'esgardoit
qu'an paradis ne volsist estre.
La reïne par la main destre   1560
tint Alixandre et remira
le fil d'or qui molt anpira,
et li chevox [esclarissoit][68]
que que li filz d'or palissoit;   1564
si li sovint par avanture
que feite avoit cele costure
Soredamors, et si s'an rist.
Alixandres garde s'an prist   1568
et li prie, s'il fet a dire,
qu'el li die qui la fet rire.
La reïne au dire se tarde
et vers Soredamors regarde,   1572
si l'a devant li apelee;
cele i est volantiers alee,
si s'agenoille devant li.
Alixandre molt abeli,   1576
qant si pres la vit aproichier
que il la poïst atoichier,
mes il n'a tant de hardemant
qu'il l'ost regarder seulemant,   1580
einz li est toz li sans foïz,
si que pres an est amuïz.
Et cele rest si esbaïe
que de ses ialz n'a nule aïe,   1584
einz met an terre son esgart
si qu'el ne cingne nule part.

---

[68]   anbloïssoit *A*.

chevalier, il pourra, en plus de la coupe, demander la récompense de son choix, si celle-ci se trouve en ce monde.

Après cette proclamation, Alexandre ne manqua pas à son habitude d'aller chaque soir rendre visite à la reine. Il y alla donc ce soir-là. Alexandre et la reine étaient assis côte à côte. Devant eux, tout près, était assise Soredamor, seule, qui le regardait avec tant de plaisir qu'elle n'aurait pas préféré être au paradis. La reine prit Alexandre par la main droite et contempla le fil d'or qui perdait son éclat et pâlissait tandis que le cheveu brillait de toute sa clarté. Elle vint alors à se rappeler que Soredamor avait cousu la chemise et se mit à rire. Alexandre s'en aperçoit et la prie, si elle le veut bien, de lui dire ce qui la fait rire. La reine tarde à répondre, regarde Soredamor et l'appelle: la jeune fille vient avec empressement s'agenouiller devant elle. Alexandre est tout heureux de la voir si près de lui qu'il pourrait la toucher. Mais il n'a même pas l'audace de la regarder: il perd ses esprits au point de rester presque muet. Et Soredamor est si interdite qu'elle ne sait où porter son regard et le baisse vers le sol, où elle le tient fixé. La reine, tout étonnée,

La reïne molt s'an mervoille ;
or la vit pale, et or vermoille,   1588
et panse bien an son corage
et la contenance et l'usage
de chascun et d'aus .II. ansanble.
Bien aparçoit et voir li sanble,   1592
par les muances des colors,
que ce sont accident d'amors.
Mes ne lor an vialt feire angoisse,
ne fet sanblant qu'ele conoisse   1596
rien nule de quanqu'ele voit.
Bien fist ce que ele devoit,
que chiere ne sanblant n'an fist,
fors tant qu'a la pucele dist :   1600
« Dameisele, regardez ça
et dites, ne le celez ja,
ou la chemise fu cousue
que cist chevaliers a vestue.»   1604
La pucele art d'ire et de honte,
neporquant volantiers lor conte,
car bien vialt que le voir en oie
cil qui de l'oïr a tel joie,   1608
qant cele li conte et devise
la feiture de la chemise,
que a grant poinne se retarde,
la ou le chevolet regarde,   1612
que il ne l'aore et ancline.
Si conpaignon et la reïne,
qui leanz erent avoec lui,
li font grant mal et grant enui   1616
car por aus let que il n'en toche
et a ses ialz et a sa boche,
ou molt volantiers la meïst,
s'il ne cuidast qu'an le veïst.   1620
Liez est quant de s'amie a tant,
Car il ne cuide ne n'atant
que ja mes autre bien en ait ;
ses desirriers doter le fait.   1624
Nequedant, quant il est an eise,
plus de .CM. foiz la beise :

la voit pâlir et rougir tour à tour et réfléchit à la contenance et au comportement de chacun et des deux ensemble. Elle a bien l'impression que
ces changements de couleur sont des effets de l'amour. Mais elle ne veut
pas ajouter à leur souffrance et fait semblant de ne rien remarquer. Elle
fit ce qu'il fallait faire, ne laissant rien paraître, et se contenta de dire à
la jeune fille: «Demoiselle, regardez donc et dites-moi en toute franchise où a été cousue la chemise que porte ce chevalier!». La jeune fille
est toute brûlante de gêne et de honte, mais elle leur raconte tout de
même volontiers l'histoire car elle a grande envie qu'Alexandre
connaisse la vérité. Et lui éprouve tant de joie au récit de la confection
de la chemise qu'il a du mal à s'empêcher, en regardant le petit cheveu,
de l'adorer à genoux[28]. Il supporte difficilement la présence de la reine
et de ses compagnons à ses côtés, car il doit renoncer à cause d'eux à
toucher le cheveu, à le porter à ses yeux et à sa bouche, ce qu'il ferait
volontiers, s'il ne craignait d'être vu. Il est heureux de recevoir ce bien
de son amie, car il n'a pas la présomption d'en attendre autre chose. Son
désir le rend craintif. Mais dès qu'il en a l'occasion, il baise plus de cent

---

[28] Dans *Le Chevalier de la Charrette*, Lancelot est de même en adoration, comme
devant une relique, devant les cheveux de la reine Guenièvre, qu'il trouve sur un peigne:
éd. C. Croizy-Naquet, Paris, Champion Classiques, 2006, v. 1457 ss.

molt an fet tote nuit grant joie
mes bien se garde qu'an nel voie.   1628
Qant il est colchiez an son lit,
a ce ou n'a point de delit
se delite, anvoise et solace;
tote nuit la chemise anbrace   1632
et quant il le chevol remire,
de tot le mont cuide estre sire.
Bien fet amors d'un sage fol,
quant cil fet joie d'un chevol.   1636
[Ensi se delite et deduit,
mes il changera cest deduit]⁶⁹.
Einz l'aube clere et le soloil,
li traïtor sont a consoil   1640
qu'il porront feire et devenir:
lonc tans porront contretenir
le chastel, c'est chose certainne,
s'au desfandre metent grant painne;   1644
mes tant sevent de fier corage
le roi qu'an trestot son aage
tant qu'il iert pris n'an tornera:
iluec morir les covandra.   1648
Et se il le chastel [li]⁷⁰ randent,
por ce nule merci n'atandent.
Ensi l'une et l'autre partie
lor est malveisemant partie.   1652
Mes a ce lor consaus repeire
que demain, einz que li jorz peire,
istront del chastel a celee,
si troveront l'ost desarmee   1656
et les chevaliers andormiz,
qui ancor girront an lor liz.
Einz que il soient esveillié,
atorné ne apareillié,   1660
avront tele ocision feite
que toz jorz mes sera retreite

---

⁶⁹   *2 vers intervertis A.*
⁷⁰   ne *AB.*

mille fois la chemise. Toute la nuit il est rempli de joie mais prend bien garde de n'être pas vu. Quand il est couché dans son lit, il trouve délices, plaisir et consolation dans un objet incapable d'en donner. Toute la nuit il embrasse la chemise et en contemplant le cheveu, il se croit le maître du monde. Amour sait bien faire d'un sage un fou, puisqu'Alexandre trouve sa joie dans un cheveu. Il s'abandonne à ce plaisir mais connaîtra bientôt d'autres délices.

Avant la clarté de l'aube et du soleil, les traîtres tiennent conseil sur ce qu'ils pourront faire et devenir: ils pourront tenir longtemps le château, c'est sûr, s'ils s'acharnent à le défendre. Mais ils savent que le roi est d'humeur si farouche qu'il ne tournera pas les talons avant d'avoir pris le château, même s'il doit y passer sa vie: il leur faudra donc mourir sur place. Et s'ils lui livrent le château, ils n'attendent aucune pitié. Ainsi dans l'un et l'autre cas leur situation est tout aussi mauvaise. Ils prennent la décision de sortir du château le lendemain, avant l'aube, à la dérobée: ils trouveront alors l'armée désarmée, les chevaliers endormis dans leur lit et avant qu'ils se réveillent et aient le temps de prendre leurs armes, il y aura un tel massacre qu'on parlera à tout jamais du combat de cette nuit-là. C'est à cette décision que s'arrê-

[la bataille]⁷¹ de cele nuit.
A cest consoil se tienent tuit   1664
li traïtor par desfïance,
car an lor vies n'ont fïance.
Desperance, comant qu'il aille,
les anhardist de la bataille,   1668
qu'il ne voient lor garison
fors que de mort ou de prison.
Tex garisons n'est mie sainne,
ne au [foïr]⁷² n'a mestier painne,   1672
n'il ne voient ou il poïssent
aus garir, se il s'an foïssent,
car la mers et lor enemi
lor sont antor et il en mi.   1676
Par lor consoil plus ne sejornent;
maintenant s'arment et atornent,
si s'an issent devers galerne
par une ancïene posterne.   1680
Serré et rengié s'an issirent;
de lor gent .V. batailles firent,
si ont .IIM. sergenz sanz faille,   (f. 60v)
bien apareilliez de bataille,   1684
et mil chevaliers an chascune.
Cele nuit estoile ne lune
n'orent lor rais el ciel mostrez,
mes ainz qu'il venissent as trez,   1688
comança la lune a lever,
et je cuit que por aus grever
Leva einz qu'ele ne soloit.
et Dex, qui nuire lor voloit,   1692
enlumina la nuit oscure,
car il n'avoit de lor ost cure,
einz les haï por le pechié
dom il estoient antechié,   1696
car traïtor et traïson
het Dex plus qu'autre mesprison,

---

⁷¹   L'ocisions *A*.
⁷²   garir *A*.

tent les traîtres en désespoir de cause, car ils ne donnent pas cher de leur
peau. C'est le désespoir qui les rend hardis, car quoi qu'il en soit, ils ne
voient d'autre solution que la mort ou la prison: ce n'est pas là une
bonne solution. Ce n'est même pas la peine de chercher à fuir, et ils ne
voient pas comment ils pourraient trouver le salut dans la fuite, car ils
sont cernés de toutes parts par la mer et leurs ennemis. Ils décident donc
de ne plus attendre; ils s'arment et s'équipent sur le champ et sortent au
nord-ouest par une ancienne poterne. Ils sortent en rangs serrés et
forment cinq bataillons, composés chacun de deux mille fantassins bien
équipés pour le combat et de mille chevaliers. Cette nuit-là ni les étoiles
ni la lune n'avaient montré au ciel leurs rayons mais avant leur arrivée
au camp, la lune se mit à se lever: je crois que c'est pour leur nuire
qu'elle se leva plus tôt que de coutume et que Dieu, qui voulait leur
perte, illumina la nuit obscure, car il ne voulait pas protéger leur armée
et les haïssait pour le péché dont ils étaient souillés: Dieu hait la traîtrise
et la trahison plus que tout autre crime. Il commanda à la lune de briller

si comanda la lune luire
por ce qu'ele lor deüst nuire.   1700
Molt lor est la lune nuisanz
qui luist sor les escuz luisanz,
et li hiaume molt lor renuisent
qui contre la lune reluisent,   1704
car les eschargaites les voient,
qui l'ost eschargaitier devoient,
si s'escrïent par tote l'ost:
« Sus, chevalier, sus, levez tost !   1708
Prenez voz armes, armez vos !
Li traïtor vienent sor nos !»
Par tote l'ost as armes saillent,
d'armer se painnent et travaillent,   1712
si com a tel besoing estut;
onques uns seus d'ax ne se mut
tant qu'a leisir furent armé;
tuit sont sor lor chevax monté.   1716
Que qu'il s'arment, et cil esploitent,
qui la bataille molt covoitent.
Por ce que [sorprandre les puissent]
et si que [desarmez les truissent]⁷³,   1720
[font]⁷⁴ venir par .V. parties
lor genz qu'il orent departies:
li un devers le bois se tindrent,
li autre la riviere vindrent,   1724
li tierz se mistrent anz el gal,
la quarte furent an un val
et la quinte bataille broche
lez la tranchiee d'une roche,   1728
qu'il se cuidoient de randon
parmi les trez metre a bandon.
Mes il n'i ont trovee pas
la voie sainne ne le pas,   1732
car li real lor contredient,
qui molt fieremant les desfient

---

⁷³   *interversion A entre 1719 et 1720.*
⁷⁴   voient *A.*

pour leur nuire; et la lune leur nuit grandement en se reflétant sur les écus luisants; et leurs heaumes leur nuisent grandement en reluisant au clair de lune[29]: les sentinelles chargées de garder le camp les aperçoivent et s'écrient dans toute l'armée: «Alerte, chevaliers, levez-vous vite! Prenez vos armes, armez-vous! Les traîtres nous attaquent!» Dans toute l'armée on se précipite sur les armes, on s'équipe pour le combat comme le veut l'urgence de la situation. Mais pas un seul ne bouge avant que tous soient prêts. Tous alors montent en selle. Pendant qu'ils s'arment, les ennemis, pressés de se battre[30], se hâtent pour pouvoir les surprendre et les trouver désarmés. Ils font venir de cinq côtés les hommes qu'ils avaient répartis en cinq bataillons: les uns du côté du bois, les autres le long de la rivière, le troisième corps d'armée entre dans la forêt, le quatrième occupe un vallon et le cinquième pique des deux près d'une trouée rocheuse, pensant se jeter de toutes se forces sur les tentes. Mais ils ne trouvent pas la voie libre car les troupes royales leur barrent le chemin en les défiant férocement et en leur reprochant

---

[29] On trouve à la rime dans les vers 1699-1704 tout un système d'*annominatio*, c'est à dire un jeu sur les variations morphologiques à partir d'un même lexème, ici *luire* et *nuire*.

[30] *Et cil esploitent*: On trouve *et* pour introduire la principale après une circonstancielle de temps, pour indiquer «qu'au moment où a lieu l'action exprimée par la subordonnée, il se passe encore quelque chose que la principale va mettre en relief» (L. Foulet, *Petite Syntaxe de l'Ancien Français*, § 421.

et la traïson lor repruichent.
As fers des lances s'antr'apruichent;   1736
autresi fieremant ou plus
corent li un as autres sus
con li lyon a proie corent,
qui quanqu'il ateignent devorent.   1740
D'anbedeus parz por verité
i ot molt grant mortalité
a cele premiere envaïe.
Mes as traïtors croist aïe,   1744
qui molt fieremant se desfandent
et chieremant lor vies vandent.
Qant plus ne se porent tenir,
de .IIII. parz voient venir   1748
lor batailles por aus secorre.
Et li real lor lessent corre
tant con porent esperoner;
sor les escuz lor vont doner   1752
tex cos que avoec les navrez
en ont plus dc .VC. versez.
Li Grezois nes espargnent mie
n'Alixandres pas ne s'oblie,   1756
car de bien ferir se travaille.
El plus espés de la bataille
vet ensi ferir un gloton
que ne li valut un boton   1760
ne li escuz ne li haubers
ne li valut un cendal pers.
Quant a celui ot [trive]⁷⁵ prise,
a un autre offre son servise,   1764
ou pas ne le pert ne ne gaste:
si cruelmant le fiert an haste
que l'ame de son cors li oste,
et li ostex remest sans oste.   1768
Après ces .II. au tierz s'acointe:
un chevalier molt noble et cointe
fiert si par anbedeus les flans
que d'autre part an saut li sans   1772

---

⁷⁵   trives *A*.

leur trahison. Tous brandissent le fer de leurs lances et se jettent les uns
sur les autres aussi férocement que des lions qui courent sur leur proie
et dévorent tout ce qu'ils atteignent. Des deux côtés en vérité les morts
sont nombreux dès la première rencontre. Mais les traîtres, qui se défendent farouchement et vendent chèrement leur vie, ont des renforts. Sur
le point de succomber, ils voient venir de quatre côtés leurs bataillons à
leur secours. Mais les troupes royales s'élancent sur eux à bride abattue,
en éperonnant de plus belle : elles leur assènent de tels coups sur leurs
écus qu'en comptant les blessés, elles en renversent plus de cinq cents.
Les Grecs ne les épargnent pas et Alexandre n'est pas en reste : il s'emploie à porter de beaux coups. Au cœur de la mêlée il vient frapper un
misérable qui est impuissant contre lui ; son écu et son haubert lui valent
autant qu'une étoffe de soie bleue. Quand il en a terminé avec celui-là,
il va offrir ses services à un autre et ne les gaspille pas : il lui assène un
coup si cruel qu'il lui arrache l'âme du corps et que l'hôtel reste sans
hôte. Après ces deux-là il en rencontre un troisième, un chevalier noble
et gracieux qu'il frappe si fort aux flancs que le sang jaillit de la plaie et

et l'ame prant congié au cors,
que cil l'a espiree fors.
Molt en ocit, molt en afole
car ausi con foudre qui vole,   1776
envaïst toz ces qu'il requiert:
[qui de lance ou de l'espee fiert][76]
nes garantist broigne ne targe.
Si conpaignon resont si large   1780
de sanc et de cervele espandre,
bien i sevent lor cos despandre.
Et li real tant an essartent
qu'il les deronpent et departent   1784
come vix genz et esgarees.
Tant gist des morz par ces arees
et tant a duré li estorz
qu'ainçois grant piece qu'il fust jorz,   1788
fu si la bataille derote
que .V. liues dura la rote
des morz contreval la riviere.
Li cuens Angrés let [sa][77] baniere   1792
an la bataille, si s'an anble,
et de ses conpaignons ansanble
en a .VII. avoec lui menez.
Vers son chastel est retornez   1796
par une si coverte voie
qu'il ne cuident que nus les voie.
Mes Alixandres l'aparçoit,
qui fors de l'ost foïr l'an voit   1800
et panse, s'il s'an puet anbler,
qu'il ira a aus asanbler
si que nus ne savra s'alee.
Mes ains qu'il fust an la valee,   1804
vit aprés lui an une sante
chevaliers venir jusqu'a trante,
don li .VI. estoient Grezois
et li .XXIIII. Galois,   1808

---

[76]   Et tant vistemant les requiert A.
[77]   la A.

que l'âme, rendue dans un souffle, prend congé du corps. Il tue, il détruit de tous côtés; plus rapide que la foudre, il s'abat sur tous ceux qu'il attaque: les coups de sa lance et de son épée traversent écus et cuirasses. Ses compagnons, de leur côtés, répandent généreusement le sang et la cervelle sans manquer leurs coups. Et les troupes royales, elles aussi, défrichent si bien le terrain qu'elles taillent les ennemis en pièces et les dispersent comme un vil troupeau éperdu. Il y a tant de morts couchés dans les champs labourés, l'affrontement a duré si longtemps que longtemps avant le jour les ennemis étaient en déroute et que sur cinq lieues la rivière charriait un flot de corps.

Le comte Angrès abandonne sa bannière dans le combat et se retire avec sept de ses compagnons. Il s'en retourne vers son château par un chemin si bien dissimulé qu'il croit échapper aux regards. Mais Alexandre le voit s'enfuir loin de l'armée et décide d'aller affronter les fuyards s'il peut se retirer en passant inaperçu. Mais avant d'être dans la vallée, il voit derrière lui venir sur un sentier une trentaine de chevaliers, six Grecs et vingt-quatre Gallois, qui le suivaient de loin pour le secourir en

qui tant que venist au besoing,
le cuidoient siudre de loing.
Alixandres les aparçut :
por aus atandre s'arestut   1812
et prant garde quel part cil tornent
qui vers le chastel s'an retornent,
tant que dedanz les vit antrer.   (f. 61)
Lors se comance a porpanser   1816
d'un hardemant molt perilleus
et d'un vice molt merveilleus.
Et quant ot tot son pansé fet,
lors s'est vers ses conpaingnons tret,   1820
si lor a reconté et dit :
« Seignor, fet il, sanz contredit,
se vos volez m'amor avoir,
ou face folie ou savoir,   1824
creantez moi ma volanté ! »
Et cil li ont acreanté
que ja ne li seront contraire
de chose que il vuelle faire.   1828
« Chanjons, fet il, noz conuissances !
Prenons les escuz et les lances
as traïtors que ci veons :
ensi vers le chastel irons,   1832
si cuideront li traïtor
de nos que nos soiens des lor,
et quiex que soient les dessertes,
les portes nos seront overtes.   1836
Et savez que nos lor randrons ?
Ou morz ou pris toz les prandrons,
se Damedex le nos consant.
Et se nus de vos s'an repant,   1840
sachiez qu'an trestot mon aage
ne l'amerai de boen corage ! »
Tuit li otroient son pleisir :
les escuz as morz vont seisir,   1844
si [s'esmovent]⁷⁸ an tel ator.
Et as desfansses de la tor

---

⁷⁸   se metent *A*.

cas de besoin. Les apercevant, Alexandre s'arrête pour les attendre et observe la route prise par les fuyards qui retournent au château : il les voit pénétrer à l'intérieur. Alors il échafaude un plan d'une hardiesse folle et d'une ruse étonnante et, son plan fait, se tourne vers ses compagnons pour le leur expliquer : « Seigneurs, dit-il, si vous voulez mon amitié, promettez-moi de m'obéir sans objection, que ma conduite soit folle ou sage ! » Ils lui promettent de ne s'opposer à aucune de ses décisions. « Changeons, fait-il, d'armoiries[31] ! Prenons les écus et les lances des traîtres qui gisent ici : nous irons ainsi au château, les traîtres nous prendront pour les leurs et quel que soit le sort qui nous attend, ils nous ouvriront les portes. Et savez-vous ce que nous leur réservons ? Nous les prendrons tous morts ou vifs, si Dieu y consent. Et si l'un de vous le regrette, sachez que de toute ma vie je n'aurai plus d'amitié pour lui ! ». Tous obéissent à ses ordres. Ils s'emparent des écus des morts et repartent ainsi équipés. Les occupants du château étaient montés aux

---

[31] *Conuissance* désigne ce qui va devenir les armoiries : des figures peintes sur l'écu, qui permettent d'identifier le chevalier.

les genz del chastel monté furent
et les escuz bien reconurent,   1848
et cuident que de lor gent soient
car de l'aguet ne s'apansoient
qui desoz les escuz se cuevre.
Et li portiers les portes oevre,   1852
si les a dedanz reçeüz.
De c'est gabez et deçeüz
car de rien ne les areisone
ne [nus]⁷⁹ de cez mot ne li sone,   1856
et vont outre mu et teisant
et tel sanblant de duel feisant
qu'aprés aus lor lances traïnent
et desoz les escuz s'anclinent,   1860
et molt sanble que il se duellent.
Por ce vont quel part que il vuelent
tant que les .III. murs ont passez.
Lessus truevent sergenz assez   1864
et chevaliers avoec le conte,
don ne vos sai dire le conte,
mes desarmé estoient tuit
fors que tant seulemant li huit   1868
qui de l'ost repeirié estoient;
et cil meïsmes s'aprestoient
de lor armeüres oster.
Mes trop se pueent ja haster   1872
car cil ne se celeront plus
qui sor aus sont venu lessus,
einz lessent corre les destriers;
molt s'afichent sor les [estriers]⁸⁰,   1876
ses anvaïrent et requistrent
si qu'a mort .XXI. an mistrent,
ençois que desfïez les aient.
Li traïtor molt s'an esmaient,   1880
si s'escrïent: «Traï, traï!»
Mes cil ne sont pas esbahi

---

⁷⁹   uns *A*.

⁸⁰   estriés *A*.

créneaux du donjon et reconnurent bien les écus : ils s'imaginent que ce
sont leurs hommes, sans soupçonner le piège qui se cache sous les écus.
Le portier ouvre les portes et les fait entrer. Victime de leur ruse, il ne
leur adresse pas la parole et aucun d'eux n'ouvre la bouche : ils passent,
muets, silencieux, simulant l'abattement en laissant traîner leurs lances
derrière eux, courbés sur leurs écus, comme des hommes accablés. Ils
vont donc où ils veulent et franchissent la triple enceinte de murailles.
Ils trouvent là-haut avec le comte beaucoup de soldats et de chevaliers :
je ne saurais les dénombrer. Mais ils étaient tous désarmés, sauf les huit
qui étaient revenus du combat, et eux-mêmes s'apprêtaient à se débar-
rasser de leurs armes. Mais ils ont tort de se hâter ainsi car leurs ennemis
venus les affronter ne se cachent plus mais s'élancent sur leurs destriers,
s'appuient sur les étriers, les attaquent et les harcèlent si bien qu'ils en
ont tué vingt et un avant même de les avoir défiés. Affolés, les traîtres
s'écrient : « Trahison !, trahison ! », mais les assaillants, impavides,

car tant con desarmez les truevent,
lor espees bien i espruevent   1884
car les .III. en ont si charmez
de ces qu'il troverent armez,
qu'il n'an i ont que .V. lessiez.
Li cuens Angrés s'est eslessiez   1888
et vet sor son escu a or,
veant toz, ferir [Calcedor][81]
si que par terre mort le ruie.
Alixandre molt en enuie   1892
qant son conpaignon voit ocis:
par po que il n'anrage vis;
de mautalant li sans li troble,
mes force et hardemanz li doble   1896
et vet ferir de tel angoisse
le conte que sa lance froisse,
car volantiers, se il pooit,
la mort son ami vangeroit.   1900
Mes de grant force estoit li cuens
et chevaliers hardiz et buens,
que el siegle meillor n'eüst,
se fel et traïtres ne fust.   1904
Cil li revet tel cop doner
que sa lance fet [arçoner][82]
si que trestote esclice et fant.
Mes li escuz ne se desmant   1908
ne li uns l'autre ne esloche
ne plus que feïst une roche,
car molt erent anbedui fort.
Mes ce que li cuens avoit tort   1912
li grieve formant et anpire.
Li uns d'ax sor l'autre s'aïre,
s'ont andui lor espees traites
car il orent lor lances fraites.   1916
N'i eüst mes nul recovrier,
se longuemant cil dui ovrier

---

[81]   Macedor *ACMPS. Corr. d'après BNRT.*

[82]   estroner *A.*

éprouvent la valeur de leurs épées sur tous ceux qu'ils trouvent désarmés ; des huit qu'ils ont trouvés en armes, trois ont disparu, comme sous le coup d'un enchantement, et il n'en est resté que cinq. Le comte Angrès s'élance pour aller, sous les yeux de tous, frapper Calcédor sur son écu d'or et le renverser mort à terre. Alexandre, bouleversé par la mort de son compagnon, manque devenir fou de rage : son sang bouillonne de colère mais sa force et sa hardiesse redoublent et il va frapper le comte avec une telle violence que sa lance se brise. Il voudrait bien venger la mort de son ami, s'il le pouvait, mais le comte était un chevalier si robuste, hardi et valeureux qu'il aurait été le meilleur du monde s'il n'avait été félon et traître. Il porte à son tour à Alexandre un tel coup que sa lance ploie, se fend et vole en éclats. Mais l'écu d'Alexandre tient bon : aucun des deux ne réussit à ébranler l'autre plus qu'il n'aurait fait d'un rocher, tant ils étaient robustes tous les deux. Mais le tort est du côté du comte, ce qui lui porte préjudice et le désavantage. Chacun d'eux s'acharne sur l'autre ; une fois leurs lances brisées, ils dégainent tous deux leur épée. Le mal aurait été sans remède, si ces deux bons ouvriers avaient voulu poursuivre longtemps le

volsissent l'estor maintenir :
maintenant covenist fenir,   1920
lequel que soit, a la parclose.
Mes li cuens remenoir n'i ose,
qu'antor lui voit sa gent ocise,
qui desarmee fu sorprise.   1924
Et cil fieremant les anchaucent
qui les reoignent et estaucent
et detranchent et escervelent
et traïtor le conte apelent.   1928
Qant s'ot nomer de traïson,
vers sa tor cort a garison,
et ses genz avoec lui s'an fuient;
et lor anemi les conduient   1932
et fieremant aprés s'eslessent;
un seul d'aus eschaper n'an lessent
de trestoz ces que il ateingnent :
tant en ocïent et esteignent   1936
que ne cuit pas que plus de set
an soient venu a recet.
Qant an la tor furent antré,
a l'entree sont aresté,   1940
car cil qui venoient aprés
les orent seüz de si pres
que lor genz fust dedanz antree,
se delivre lor fust l'antree.   1944
Li traïtor bien se desfandent,
qui secors de lor gent atandent
qui s'armoient el borc aval.   (f. 61v)
Par le consoil de Nebunal   1948
[(un Grezois qui molt estoit sages),
fu contretenuz li passages][83],
si que a ces venir ne porent,
car trop assez demoré orent   1952
par malvestié et par peresce.
Leissus an cele forteresce
n'avoit antree c'une seule :
se il estopent cele gueule,   1956

---

[83]   *2 vers intervertis A.*

combat : l'un des deux aurait dû mourir à la fin. Mais le comte n'ose pas
rester sur place : il voit autour de lui ses hommes morts, surpris sans
armes ; les autres les pourchassent férocement, tranchant, taillant en
pièces, faisant sauter les cervelles et traitant le comte de traître. Quand
il s'entend accuser de trahison, il court vers son donjon pour s'y réfugier ; ses hommes fuient après lui et leurs ennemis les suivent et s'élancent avec ardeur après eux : de tous ceux qu'ils rattrapent, pas un n'en
réchappe ; ils en tuent et en massacrent tant que pas plus de sept, à mon
avis, ne parviennent à se mettre à l'abri. Arrivés au donjon, ils doivent
s'arrêter à l'entrée car leurs poursuivants les serrent de si près qu'ils
auraient pénétré dans le donjon si le passage avait été dégagé. Les traîtres se défendent vaillamment en attendant le secours des leurs, qui s'arment, en bas, dans le bourg.

Sur le conseil de Nebunal, un Grec plein de sagesse, on interdit
l'accès du donjon et l'on empêche ainsi l'arrivée de ceux du bourg, qui
avaient trop tardé par lâcheté et par négligence. En haut, il n'y avait
qu'un seul accès à la forteresse : si l'on bouche cette ouverture, on

n'avront garde que sor aus veingne
force de que maus lor aveingne.
Nebunal lor dit et enorte
que li .XX. aillent a la porte,   1960
[car tost s'i porroient anbatre,
por anvaïr et por conbatre,][84]
tex genz qui les domageroient,
se force ou pooir en avoient :   1964
li [.XX.][85] la porte fermer aillent,
li dis devant [la tor][86] assaillent,
que li cuens dedanz ne s'ancloe.
Fet est ce que Nebunal loe :   1968
li dis remainnent an l'estor
devant la porte de la tor
et li [.XX.][87] a la porte vont.
Par po que trop demoré n'ont,   1972
car venir voient une jaude,
de conbatre anflamee et chaude,
ou molt avoit arbalestiers
et sergenz de divers mestiers   1976
qui portoient diverses armes :
li un aportoient jusarmes,
et li autre haches denoises,
lances et espees turquoises,   1980
quarriax et darz et javeloz.
Ja fust trop grevains li escoz,
car issir les an covenist,
se ceste genz sor aus venist,   1984
mes il n'i vindrent mie a tans.
Par le consoil et par le sans
Nebunal les adevancirent
et defors remenoir les firent.   1988
Qant il voient qu'il sont forclos,
si se remainnent a repos

---

[84]   *2 vers intervertis A.*
[85]   *.X. A.*
[86]   la porte *ACR.*
[87]   dis *A.*

n'aura pas à craindre l'arrivée de forces ennemies. Nebunal les engage
à envoyer vingt chevaliers se battre devant cette porte car bientôt vont
s'y presser des adversaires qui leur feront tout le mal possible: les
vingt[32] iront barricader l'entrée de la forteresse; dix autres se battront
devant le donjon pour empêcher le comte de s'enfermer à l'intérieur. On
suit le conseil de Nebunal: dix chevaliers restent batailler devant la
porte du donjon, tandis que les vingt autres vont à l'entrée de la forteresse. Ils sont arrivés juste à temps car ils voient venir une troupe à pied,
excitée et belliqueuse, avec beaucoup d'arbalétriers et de soldats por-
teurs d'armes variées: les uns portaient des guisarmes, les autres des
haches danoises, des lances, des épées turques, des carreaux d'arbalète,
des flèches, des javelots. Cela leur aurait coûté cher, si ces gens les
avaient attaqués, car il aurait fallu les faire sortir. Mais ils les prirent de
vitesse: grâce au sage conseil de Nebunal, ils les maintinrent à l'extérieur. Les autres, se voyant refoulés, restent tranquilles car ils voient

---

[32] La leçon de A (li.X.) est en contradiction avec les vers 1806 et 1960.

car par assaut, ce voient bien,
n'i porroient forfeire rien.   1992
Lors comance uns diax et uns criz
de fames et d'anfanz petiz,
de veillarz et de jovenciax
si granz que, s'il tonast es ciax,   1996
cil del chastel rien n'an oïssent.
Li Grezois molt s'an esjoïssent
car or sevent tuit de seür
que ja li cuens por nul eür   2000
n'eschapera que pris ne soit.
Li .IIII. d'aus vont a esploit
as desfansses des murs monter
tant seulemant por esgarder   2004
que cil defors de nule part,
par nul engin ne par nul art,
el chastel sor aus ne s'anbatent.
Avoec les .X. qui se conbatent   2008
en sont li .XVI. retorné.
Ja fu cleremant ajorné
et ja orent tant fet li dis
que an la tor se furent mis.   2012
Et li cuens a tot une hache
se fu mis delez une estache,
ou molt fieremant se desfant;
cui il consiust, par mi le fant.   2016
Et ses genz avoec lui se rangent;
au desreien jornel se vangent
si bien que de rien ne se faignent.
Les genz Alixandre s'an plaignent   2020
car d'aus n'i avoit mes que .XIII.,
qui ore estoient dis et .XVI.
Par po qu'Alixandres n'anrage
qant de sa gent voit tel domage,   2024
qui si est morte et afeblie.
Mes au vengier pas ne s'oblie:
une barre longue et pesant
avoit trovee an un pandant,   2028
s'an vet si ferir un gloton
que ne li valut un boton

bien qu'une attaque ne servirait à rien. Alors s'élèvent les cris de détresse des femmes, des petits enfants, des vieillards et des jouvenceaux, si forts que du château on n'aurait pas pu entendre le tonnerre dans le ciel. Les Grecs sont tout heureux : ils sont sûrs à présent que rien ne permettra au comte d'échapper à la capture. Quatre d'entre eux montent vite aux créneaux des remparts pour veiller à ce que ceux du bourg n'assaillent pas le château par quelque stratagème. Les seize autres rejoignent les dix chevaliers qui continuaient à se battre. Il faisait maintenant grand jour et les dix Grecs avaient déjà réussi à entrer dans le donjon : le comte, armé d'une hache, s'était adossé à un poteau et se défendait farouchement, fendant par le milieu tous ceux qu'il atteignait. Ses hommes étaient rangés à ses côtés ; dans un dernier effort ils mettent tout leur cœur à se venger. Les hommes d'Alexandre souffrent cruellement : ils n'étaient plus que treize, au lieu de vingt-six au départ. Alexandre manque devenir fou de rage en constatant les pertes subies, en voyant sa troupe affaiblie. Mais il n'oublie pas la vengeance. Il avait trouvé sur une hauteur une barre longue et lourde. Le misérable qu'il en frappe tombe à terre à la renverse : écu et haubert ne lui sont d'aucun

ne li escuz ne li haubers
qu'a terre ne le port anvers.   2032
Aprés celui le conte anchauce ;
por bien ferir la barre hauce,
qu'il li done tel esparree
de la barre, qui fu quarree,   2036
que la hache li chiet des mains,
et fu si estordiz et vains
que s'au mur ne se retenist,
n'eüst pié qui le sostenist.   2040
A cel cop la bataille faut.
Vers le conte Alixandres saut,
sel prant et cil ne se remut.
Des autres rien dire n'estut   2044
car de leigier furent conquis,
qant il virent lor seignor pris.
Toz les pristrent avuec le conte,
si les an mainnent a grant honte   2048
si con il desservi l'avoient.
De tot ice rien ne savoient
lor genz qui estoient defors,
mes lor escuz antre les cors   2052
orent trovez la matinee,
quant la bataille fu finee,
si feisoient un duel si fort
por lor seignor li Greu a tort,   2056
por son escu qu'il reconoissent
trestuit de duel feire s'angoissent,
si se pasment sor son escu
et dïent que trop ont vescu.   2060
Cornix et Nereüs se pasment ;
au revenir lor vies blasment.
[Et Thorins][88] et Acorïundes,
des ialz lor coroient a ondes   2064
les lermes jusque sor les piz ;
vie et joie lor est despiz.
Et Parmenidés desor toz
a ses chevolz tirez et roz.   2068

---

[88]   Corniex *AS. Corr. d'après P.*

secours. Après celui-là il poursuit le comte, brandit sa barre pour mieux frapper et lui en porte un tel coup qu'il lui fait tomber la hache des mains: le comte étourdi et chancelant doit se retenir au mur pour rester debout. Avec ce coup la bataille prend fin. Alexandre bondit sur le comte et le saisit sans que celui-ci fasse un geste. Inutile de parler des autres: ils se laissèrent facilement vaincre en voyant leur seigneur prisonnier. Ils sont capturés avec le comte, emmenés et couverts de honte, comme ils l'avaient mérité.

Mais les Grecs demeurés à l'extérieur du château, ne savaient rien de tout cela. Ils avaient trouvé au matin, après la fin du combat, les écus de leurs compagnons parmi les morts et pleuraient à grands cris leur seigneur, mais à tort: reconnaissant son écu, tous s'abandonnent au désespoir, s'évanouissent sur son écu et disent qu'ils ont vécu trop longtemps. Cornix et Nereüs s'évanouissent; en revenant à eux, ils regrettent d'être encore en vie. Quant à Torin et Acoriondès, des flots de larmes coulent de leurs yeux et inondent leur poitrine; la vie et la joie leur sont objet de souffrance. Parménide s'arrache les cheveux plus

Cist .V. font duel de lor seignor
si grant qu'il ne porent graignor.
Mes por neant se desconfortent:
an leu de lui un autre an portent,   2072
s'an cuident lor seignor porter.
Molt les [refont]⁸⁹ desconforter
li autre escu, par coi il croient
que li cors lor conpaignons soient,   2076
si se pasment sus et demantent.
Mes trestuit li escu lor mantent,
que des lor n'i a c'un ocis,   (f. 62)
qui avoit non Lerïolis,   2080
et celui porté an eüssent,
se la verité an seüssent.
Mes ausi sont an grant enui
des autres come de celui,   2084
ses ont toz aportez et pris.
Mes de toz fors d'un ont mespris.
Mes autresi con cil qui songe,
qui por verité croit mançonge,   2088
les boisent li escu boclé,
car la mançonge font verté:
par les escuz sont deceü.
A toz les cors sont esmeü,   2092
si s'an vindrent jusqu'a lor tantes,
ou molt avoit de genz dolantes.
Mes au duel que li Greu feisoient
trestuit li autre se teisoient;   2096
a lor duel ot grant aünee.
Or cuide et croit que mar fust nee
Soredamors, qui ot le cri
et la plainte de son ami.   2100
De [l'angoisse]⁹⁰ et de la dolor
pert fame morte a la color,
et ce la grieve molt et blesce
qu'ele n'ose de sa destresce   2104

---

⁸⁹   refet *AB*.
⁹⁰   La plainte *A*.

encore que les autres. Tous les cinq pleurent leur seigneur : on ne saurait voir plus grand deuil. Mais ce désespoir est sans fondement : ils emportent un autre corps en croyant emporter celui de leur seigneur. Et leur désespoir redouble devant les autres écus car ils croient être devant les corps de leurs compagnons : ils s'évanouissent sur eux dans leur douleur. Mais tous les écus leur mentent, car il n'y a qu'un mort parmi les leurs, nommé Leriolis, et ils auraient emporté son corps s'ils avaient su la vérité. Mais ils mènent le même deuil pour les autres que pour lui ; ils ont relevé et emporté tous les corps, en se trompant sur tous sauf sur un ; mais tout comme le songe donne à l'illusion l'apparence de la vérité, les écus bombés les induisent en erreur et font passer l'illusion pour la vérité. Ils sont trompés par les écus. Chargés de tous les corps, ils regagnent leurs tentes où les attend une foule éplorée. Mais devant le deuil des Grecs tous les autres se taisent ; ce deuil avait suscité un grand rassemblement.

Soredamor, qui entend les cris et les plaintes sur son ami, se croit maudite. La souffrance et le deuil lui font prendre la couleur d'une morte, et ce qui la fait particulièrement souffrir, c'est qu'elle n'ose pas

demostrer sanblant en apert.
An son cuer a son duel covert
et se nus garde s'an preïst,
a sa contenance veïst   2108
con grant destrece avoit el cors,
au sanblant qui paroit defors.
Mes tant avoit chascuns a feire
a la soe dolor retreire   2112
que il ne li chaloit d'autrui.
Chascuns pleignoit le suen enui,
[que lor parens et lor amis
trovent afolés et malmis,   2116
de coi la riviere ert coverte.
Cascuns plagnoit la soie perte]⁹¹,
qui li est pesanz et amere.
La plore li filz sor le pere,   2120
plore li peres sor le fil;
sor son cosin se pasme cil
et cil autres sor son neveu:
einsi pleignent an chascun leu   2124
peres et freres et paranz,
mes desor toz est aparanz
li diax que li Grezois feisoient,
don grant joie atendre pooient: 2128
a grant joie tornera tost
li graindres diax de tote l'ost.
Li Greu defors grant dolor mainnent,
et cil dedanz formant se painnent   2132
comant il lor facent savoir
don grant joie porront avoir.
Lor prisons desarment et lient,
et cil lor requierent et prient   2136
que maintenant les chiés an praignent,
mes il ne vuelent ne ne daignent,
einz dïent qu'il les garderont
tant que au roi les bailleront,   2140
que cil lor randra les merites
de lor dessertes totes quites.

_____

⁹¹   *4 vers absents A.*

manifester ouvertement sa détresse. Elle cache sa douleur au fond de son cœur et si l'on y prenait garde, on verrait bien à sa contenance et à son attitude la profondeur de sa détresse. Mais chacun avait trop à faire avec sa propre douleur pour se soucier de celle d'autrui. Chacun se désolait de son malheur, en trouvant parents et amis morts et mutilés, qui jonchaient les rives. Chacun se désolait de sa propre perte, le cœur lourd et plein d'amertume. Le fils pleurait son père, le père pleurait son fils ; tel s'évanouissait sur le corps de son cousin, tel autre sur celui de son neveu. De tous côtés on pleurait un père, un frère, un parent. Mais le deuil qu'on remarquait le plus était celui des Grecs, qui pourtant allait se transformer en joie : la joie va bientôt effacer le grand deuil de toute l'armée.

Les Grecs, dans le camp, sont plongés dans la douleur, et ceux du château cherchent comment leur faire savoir qu'ils ont tout lieu de se réjouir. Ils désarment et ligotent leurs prisonniers, qui les supplient de leur couper dès maintenant la tête. Mais les vainqueurs refusent, disant qu'ils les tiendront sous bonne garde en attendant de les livrer au roi, qui décidera du sort qu'ils méritent. Une fois tous les prisonniers désarmés,

Qant desarmez les orent toz,
por mostrer a lor gent desoz   2144
les ont as fenestres montez.
Molt lor desplest ceste bontez.
Qant lor seignor pris et lïé
voient, ne s'an font mie lié.   2148
Alixandres, del mur a mont,
jure Deu et les sainz del mont
que ja un seul n'an leira vivre
que toz nes ocie a delivre,   2152
se tuit au roi ne se vont randre
einçois que il les puissent prandre.
« Alez, fet il, jel vos comant,
a mon seignor isnelemant,   2156
si vos metez an sa merci.
Nus (fors le conte qui est ci)
de vos n'i a mort desservie.
Ja n'i perdroiz manbre ne vie,   2160
se an sa merci vos metez.
[Se] de mort ne vos [racatez]⁹²
seulemant por merci crïer,
molt petit vos poez fïer   2164
en voz vies ne an voz cors.
Issiez tuit desarmé la fors
encontre mon seignor le roi
et si li dites de par moi   2168
qu'Alixandres vos i anvoie.
Ne perdrez mie vostre voie
car tot son mautalant et s'ire
vos pardonra li rois mes sire,   2172
tant est il dolz et deboneire.
Et s'autremant le volez feire,
a morir vos i covendra,
que ja pitiez ne m'an prendra.»   2176
Tuit ansanble cest consoil croient :
jusqu'au tref le roi ne recroient,
si li sont tuit au pié cheü.
Ja est par tote l'ost seü   2180

_____

⁹²   Et…rescoez A.

on les fait monter aux fenêtres pour les montrer aux leurs, qui sont au pied du château et qui n'apprécient pas cette bonté : ils ne sont pas en liesse de voir leur seigneur prisonnier et ligoté. Alexandre, du haut du rempart, prête sur Dieu et sur tous les saints le serment de ne laisser aucun prisonnier en vie et de tous les tuer sur le champ si les leurs ne vont tous se rendre au roi avant d'être capturés : « Allez immédiatement, dit-il, je vous l'ordonne, auprès de mon seigneur, vous livrer à sa merci. Nul d'entre vous (hormis le comte que voici) n'a mérité la mort. Vous aurez la vie sauve si vous vous livrez au roi. Vous n'avez qu'à crier merci pour vous racheter, sinon vous avez peu de chances de rester en vie. Sortez tous, désarmés, à la rencontre de monseigneur le roi et dites-lui de ma part que c'est Alexandre qui vous envoie. Vous n'irez pas pour rien car le roi, mon seigneur, oubliera sa colère et vous pardonnera, tant il est doux et généreux. Si vous agissez autrement, il vous faudra mourir car je n'aurai aucune pitié ! ». Ils suivent tous ce conseil et se précipitent à la tente du roi pour se jeter à ses pieds. On sait bientôt dans toute

ce que li ont dit et conté.
Li rois monte et tuit sont monté,
si vienent au chastel poignant,
que plus n'alerent porloignant.   2184
Alixandres ist del chastel
encontre le roi, cui fu bel,
si li a le conte randu.
Et li rois n'a plus atandu   2188
que lors n'an face sa justise.
Mes molt loe Alixandre et prise,
et tuit li autre le conjoent
et formant le prisent et loent.   2192
N'i a nul qui joie ne maint ;
por la joie li diax remaint
que il demenoient einçois,
mes a la joie des Grezois   2096
ne se pot autre joie prandre.
Li rois li fet la cope randre
de .XV. mars, qui molt fu riche,
et si li dit bien et afiche   2200
qu'il n'a nule chose tant chiere,
se il fet tant qu'il la requiere,
fors la corone et la reïne,
que il ne l'an face seisine.   2204
Alixandres de ceste chose
son desirrier dire n'en ose,
et bien set qu'il n'i faudroit mie
se il li requeroit s'amie.   2208
[Mes tant crient qu'il]⁹³ ne despleüst
celi qui grant joie en eüst,
que molt mialz se vialt il doloir
que il l'eüst sor son voloir.   2212
Por ce respit quiert et demande
qu'il ne vialt feire sa demande
tant qu'il an sache son pleisir.   (f. 62v)
Mes a la cope d'or seisir   2216
n'a respit n'atendue prise :
[la cope prant et par francise

---

⁹³   Tant crient que il *A.*

l'armée ce qu'ils lui ont dit. Le roi monte à cheval avec tous ses chevaliers et vient au château à bride abattue sans attendre davantage.
Alexandre sort du château pour venir à la rencontre du roi, tout heureux,
et lui livre le comte. Le roi en fait justice sans plus attendre. Il couvre
Alexandre d'éloges et tous le fêtent et le félicitent, tous pleins de joie,
sans exception. La joie succède au deuil qui régnait auparavant. Mais
nulle joie ne peut se comparer à celle des Grecs. Le roi fait remettre à
Alexandre la précieuse coupe de quinze marcs ; il affirme et répète au
jeune homme qu'il peut lui demander son bien le plus cher (hormis la
couronne et la reine) : ce bien lui sera livré. Pourtant Alexandre n'ose
dire son désir, bien qu'il sache qu'il serait exaucé, s'il demandait son
amie. Mais il craint tant de déplaire à celle qui, au contraire, en aurait eu
une grande joie, qu'il aime mieux souffrir que de l'obtenir malgré elle.
Il demande donc un délai car il ne veut pas faire sa demande sans
connaître les sentiments de la jeune fille. Mais il prend sans attendre la
coupe d'or et dans un geste plein de noblesse, il supplie monseigneur

proia monsignor Gauvain tant
qu'il de lui cele cope prant,   2220
mais a molt grant paine l'a prise][94].

⌈Qant Soredamors a aprise⌉
d'Alixandre voire novele,
molt li plot et molt li fu bele.   2224
Qant cele sot que il est vis,
tel joie en a qu'il li est vis
que ja mes n'ait pesance une ore;
mes [trop][95] ce li sanble demore   2228
que il ne vient si com il sialt.
Par tans avra ce qu'ele vialt
car anbedui par contançon
sont d'une chose an grant tançon.   2232
Molt estoit Alixandre tart
que seulemant d'un dolz regart
se poïst a leisir repestre.
Grant piece a que il volsist estre   2236
el tref la reïne venuz,
se aillors ne fust detenuz.
La demore molt li desplot;
au plus tost que il onques pot   2240
vint a la reïne an son [tré][96].
La reïne l'a encontré,
qui de son pansé molt savoit
sanz ce que dit ne li avoit,   2244
mes bien s'an est aparceüe.
A l'antrer del tref le salue
et de lui conjoïr se painne;
bien set quiex acheisons le mainne.   2248
Por ce qu'an gré servir le vialt,
lez li Soredamors aquialt,
et furent il troi seulemant
loing des autres a parlemant.   2252

---

[94]   *4 vers absents A.*
[95]   tot *A.*
[96]   tref *AR.*

Gauvain d'accepter de lui la coupe, que celui-ci finit par accepter, non sans peine.

Quant à Soredamor, elle est remplie de bonheur en apprenant la vérité sur Alexandre. En apprenant qu'il est vivant, elle ressent une telle joie qu'elle en oublie tout son chagrin ; mais elle languit de voir qu'il ne vient pas la voir comme à son habitude. Bientôt elle obtiendra satisfaction car tous deux rivalisent d'impatience pour la même chose. Alexandre avait hâte de pouvoir se repaître ne serait-ce que d'un doux regard. Depuis longtemps il serait venu dans la tente de la reine, s'il n'avait été retenu ailleurs : ce retard le fait enrager. Dès qu'il le peut, il vient rejoindre la reine dans sa tente. La reine est venue à sa rencontre ; elle connaissait bien ses pensées, même s'il ne lui en avait rien dit, car elle avait tout deviné. A son entrée dans la tente, elle le salue et l'accueille chaleureusement. Elle connaît bien le motif de sa visite. Cherchant à lui être agréable, elle appelle Soredamor auprès d'elle : tous trois se retrouvent ainsi seuls à parler, loin des autres.

La reïne premiers comance,
qui n'estoit de rien an dotance
qu'il ne s'antre-amassent andui,
cil cele et cele celui.   2256
Bien le cuide de fi savoir
et bien set que ne puet avoir
Soredamors meillor ami.
[Entr'ax .II.][97] fu assise en mi,   2260
si lor comance une reison
qui vint an leu et an seison:
« Alixandre, fet la reïne,
amors est pire que haïne,   2264
Qui son ami grieve et confont.
Amant ne sevent que il font,
qant li uns de l'autre se cuevre.
En amors a molt greveuse œvre,   2268
et molt torne a confondemant;
qui ne comance hardemant
a poinne an puet venir a chief.
L'en dit que il n'i a si grief   2272
au trespasser come le suel.
D'amors andoctriner vos vuel
car bien voi qu'amors vos afole;
por ce vos vuel metre a escole,   2276
et gardez ne m'an celez rien,
qu'aparceüe m'an sui bien,
as contenances de chascun,
que de .II. cuers avez fet un.   2280
Ja vers moi ne vos an covrez!
De ce trop folemant ovrez
que chascuns son panser ne dit,
qu'au celer li uns l'autre ocit: 2284
d'amors omecide serez.
Or vos lo que ja ne querez
force ne volanté d'amor.
Par marïage et par enor   2288
vos antre-aconpaigniez ansamble!
Ensi porra, si con moi sanble,

_____

[97]   Antredeus *A*.

La reine prend la parole la première. Elle n'a aucun doute sur l'amour réciproque que se vouent les jeunes gens, lui pour elle et elle pour lui. Elle est sûre d'avoir raison et elle sait bien que Soredamor ne peut avoir un meilleur ami. Assise entre eux deux, elle leur tient un discours approprié : « Alexandre, dit la reine, l'amour est pire que la haine, car il blesse et détruit son propre ami. Les amants ne savent ce qu'ils font quand ils se cachent l'un de l'autre. L'amour est un ouvrage difficile qui peut tourner à la perte des amants : il faut l'entreprendre hardiment si on le veut mener à bien. On dit que le plus dur est d'en franchir le seuil. Je veux vous enseigner l'amour car je vois bien qu'il vous met au supplice. Je veux donc vous donner une leçon, mais gardez-vous de me dissimuler quelque chose, car j'ai bien remarqué, à votre contenance à tous deux, que vos deux cœurs n'en font plus qu'un. Surtout ne me cachez rien ! Vous vous conduisez comme des fous en taisant vos sentiments : vous vous tuez l'un l'autre en dissimulant et vous risquez de devenir meurtriers par amour. Je vous conseille donc de ne jamais rechercher une liaison fondée sur la toute-puissance de l'amour ou le désir d'y céder[33]. Unissez-vous dans l'honneur, par le mariage. C'est ainsi, je crois, que votre amour pourra être durable. Je vous promets

---

[33] Ces deux vers posent problème. G. Paris propose de lire *Forsen en volonté* (« folie dans votre désir d'amour »). Tobler comprend : « que vous ne recherchiez ni la violence ni le désir charnel » ; mais le sens ne s'harmonise pas aussi bien avec le contexte des conseils donnés par la reine que dans l'interprétation de Suchier : « Je vous conseille de ne jamais chercher de résistance à l'amour ni de complaisance pour l'amour », c'est à dire, il est aussi inutile de lutter contre l'amour quand il existe que de vouloir le provoquer quand il n'existe pas (note de A. Micha). Mais l'interprétation la plus satisfaisante est celle de S. Gregory et C. Luttrell, qui opposent *Force ne volanté d'amor* au vers suivant, *Par mariage et par enor* : « Le conseil de la reine consiste à ne pas rechercher du tout une liaison amoureuse ni en cédant à la force irrésistible de l'amour (*force*) ni en choisissant de leur propre gré d'être amants (*volanté*) mais à opter pour un amour lié à *mariage* et *enor*. (p. 273).

vostre amors longuemant durer.
Je vos os bien asseürer,   2292
se vos en avez boen corage,
j'asanblerai le marïage.»
Qant la reïne ot dit son buen,
Alixandres respont le suen;   2296
«Dame, fet il, je ne m'escus
de rien que vos me metez sus,
einz otroi bien ce que vos dites.
Ja d'amor ne quier estre quites   2300
que toz jorz n'i aie m'antante.
Ce me plest molt et atalante,
vostre merci, que dit m'avez.
Qant vos ma volanté savez,   2304
ne sai por coi le vos celasse.
Molt a grant piece, se j'osasse,
que l'eüsse reconeü,
car molt m'a li celers neü.   2308
Mes puet cel estre an nul androit
cele pucele ne voldroit
que je suens fusse n'ele moie.
S'ele de li rien ne m'otroie,   2312
totevoies m'otroi a li.»
A cest mot cele tressailli
qui cest presant pas ne refuse;
le voloir de son cuer ancuse   2316
et par parole et par sanblant,
car a lui s'otroie an tranblant
si que ja n'an metra defors
ne volanté ne cuer ne cors   2320
que tote ne soit anterine
a la volanté la reïne
et trestot son pleisir n'an face.
La reïne andeus les anbrace   2324
et fet de l'un a l'autre don.
[En riant][98] dit: «Je t'abandon,
Alixandre, le cors t'amie;
bien sai qu'au cuer ne fauz tu mie.   2328

---

[98]   Ansimant *A*.

sans hésiter que si c'est vraiment votre désir, j'arrangerai ce mariage ».

Quand la reine eut donné son avis, Alexandre fit connaître le sien : « Madame, dit-il, je ne récuse aucun des sentiments que vous me prêtez ; je reconnais la vérité de vos paroles. Je veux ne jamais être quitte envers l'amour mais me consacrer à lui à jamais. Vos propos, dont je vous remercie, me remplissent de plaisir. Puisque vous connaissez mes sentiments, à quoi bon vous les cacher ? Il y a longtemps que je les aurais révélés, si je l'avais osé, et j'ai bien souffert de les cacher. Mais il pourrait se faire que cette jeune fille ne veuille pas que je sois à elle ni elle à moi. Même si elle ne me donne rien, moi, je me donne tout entier à elle ! »

Soredamor tressaille à ces mots. Elle ne refuse pas ce présent. Elle trahit le désir de son cœur par sa voix et sa contenance et se donne à lui en tremblant : de toute sa volonté, de tout son cœur, de tout son corps elle suivra la volonté de la reine et agira entièrement selon le bon plaisir de celle-ci. La reine les prend tous les deux dans ses bras et les donne l'un à l'autre. Elle déclare en riant : « Alexandre, je te remets le corps de ton amie ; je sais bien que tu possèdes déjà son cœur. Qu'on en pense ce

Qui qu'an face chiere ne groing,
l'un de vos .II. a l'autre doing :
tien tu le tuen et tu la toe !»
Cele a le suen et cil la soe,   2332
⌊cil li tote, cele lui tot.⌋
A Guinesores, sanz redot,
[furent][99], au los et a l'otroi
monseignor Gauvain et le roi,   2336
le jor [faites][100] lor esposailles.
De la richesce et des vitailles
et de la joie et del deduit
ne savroit nus dire, ce cuit,   2340
tant qu'as noces plus n'en eüst.
Por tant qu'as plusors despleüst,
ne vuel parole user ne [perdre][101]
qu'a mialz dire me vuel aerdre.   2344
A Guinesores en un jor
ot Alixandres tant d'enor
et tant de joie con lui plot.
Trois joies et trois enors ot :   2348
l'une fu del chastel qu'il prist,
l'autre de ce que li promist
li rois Artus qu'il li donroit,   (f. 63)
quant sa guerre finee avroit,   2352
le meillor reiaume de Gales ;
le jor l'en fist roi an ses sales.
La graindre joie fu la tierce,
de ce que s'amie fu fierce   2356
de l'eschaquier dom il fu rois.
Einz que fussent passé troi mois,
Soredamors se trova plainne
de semance d'ome et de grainne,   2360
si la porta jusqu'à son terme.
Tant fu la semance an son germe
que li fruiz vint an sa nature
d'anfant : plus bele crïature   2364

---

[99]   firent *A*.

[100]   firent *A*.

[101]   perdrer *A*.

qu'on voudra, je vous donne l'un à l'autre : tu es à elle, elle est à toi !».
L'une eut ainsi le sien et l'autre la sienne ; lui l'a tout entière ; elle l'a tout
entier. A Windsor, le jour même, ils célébrèrent leurs noces avec l'accord et l'approbation de monseigneur Gauvain et du roi. Quant à la
richesse, aux festins, à la joie et aux réjouissances de ces noces, nul ne
saurait, je crois, leur rendre justice. De crainte de déplaire à certains, je
ne gaspillerai pas là-dessus mes propos : je veux me consacrer à un
meilleur sujet.

A Windsor, en un seul jour, Alexandre reçut autant d'honneur et de
joie qu'il pouvait en souhaiter. Il reçut trois joies et trois honneurs :
d'abord la prise du château ; puis la promesse que lui fit le roi Arthur de
lui donner, à la fin de la guerre, le meilleur royaume de Galles : il l'en fit
roi le jour même dans son palais. Mais la plus grande joie fut la troisième : c'est que son amie était la reine sur l'échiquier dont il était le roi.
Avant trois mois Soredamor se trouva grosse de semence et de graine
d'homme, qu'elle porta jusqu'à son terme ; la semence germa jusqu'au
moment où le fruit vint à maturité sous la forme d'un enfant : ni près ni

ne pot estre ne loing ne pres.
L'anfant apelerent Cligés.

Ce est Cligés an cui mimoire
fu mise an romans ceste estoire.   2368
De lui et de son vasselage,
qant il iert venuz en aage
que il devra en pris monter,
m'orroiz [assés dire et]¹⁰² conter.   2372
Mes an la fin an Grece avint
qu'a sa fin l'empereres vint
qui Constantinoble tenoit.
Morz fu, morir le covenoit,   2376
qu'il ne pot son terme passer.
Mes einz sa mort fist amasser
toz les hauz barons de sa terre
por Alixandre anvoier querre   2380
an Bretaigne, ou il estoit,
ou molt volantiers [s']¹⁰³ arestoit.
De Grece murent li message,
[par mer]¹⁰⁴ acuellent lor veage,   2384
si les a pris une tormante
qui lor nef et lor gent tormante.
En la mer furent tuit noié
fors un felon, un renoié,   2388
qui amoit Alis le menor
plus qu'Alixandre le graignor.
Qant il fu de mer eschapez,
an Grece s'an est retornez   2392
et dit qu'avoient tuit esté
dedanz cele mer tenpesté
qant de Bretaigne revenoient
et lor seignor en ramenoient;   2396
n'en est eschapez mes que il
de la tormante et del peril.

---

¹⁰² adés de lui *A*.
¹⁰³ arestoit *A. Corr. d'après SP*.
¹⁰⁴ por voir *A*.

loin on ne pouvait trouver plus belle créature. Ses parents l'appelèrent
Cligès.

C'est Cligès en mémoire de qui cette histoire a été traduite en français. C'est de lui et de sa bravoure que vous m'entendrez beaucoup
parler, quand il sera venu en âge de grandir en mérite. En Grèce il arriva
un jour où l'empereur qui régnait sur Constantinople vit venir sa fin. Il
mourut, il le fallait : il ne pouvait dépasser le terme fixé. Mais avant sa
mort il réunit les plus grands seigneurs de sa terre pour envoyer chercher Alexandre, qui séjournait en Bretagne, où il se tenait volontiers.
Les messagers quittèrent la Grèce et commencèrent leur périple, mais
ils furent pris dans une tourmente qui détruisit et le navire et les
hommes. Tous furent noyés en mer sauf un félon, un renégat, qui préfé-
rait Alis le cadet, à Alexandre l'aîné. Le rescapé du naufrage s'en revint
en Grèce et dit qu'ils avaient tous essuyé cette tempête quand ils reve-
naient de Bretagne en ramenant leur seigneur : il était le seul à avoir
échappé à la tourmente et au danger. On crut son mensonge et sans la

Cil fu creüz de sa mançonge ;
sanz contredit et sanz chalonge   2400
prenent Alis, si le coronent,
l'empire de Grece li donent.
Mes ne tarda mie granmant
qu'Alixandres certainnemant   2404
sot qu'anperere estoit Alis.
Au roi Artus a congié pris,
qu'il ne voldra mie sanz guerre
a son frere lessier sa terre.   2408
Li rois de rien ne le destorbe,
einçois li dit que si grant torbe
en maint avoec lui de Galois,
d'Escoz et de Cornoalois   2412
que ses frere atandre ne l'ost,
qant assanblee verra s'ost.
Alixandres, se lui pleüst,
grant force menee en eüst,   2416
mes n'a soing de sa gent confondre,
se ses freres li vialt respondre
que il li face son creante.
Chevaliers an mainne quarante   2420
et Soredamors et son fil :
ices .II. lessier ne vost il
car molt feisoient a amer.
A [Sorhan][105] monterent sor mer   2424
au congié de tote la cort.
Boen vant orent, la nes s'an cort
assez plus tost que cers qui fuit.
Einz que passast [li mois][106], ce cuit,   2428
pristrent devant Athenes port,
une cité molt riche et fort.
L'empereres an la cité
ert a sejor por verité   2432
et s'i avoit grant assanblee
des hauz barons de la contree.

---

[105]   Sorlan *A*.
[106]   la nuiz *A*.

moindre contestation on couronna Alis et on lui donna l'empire de Grèce. Mais Alexandre ne tarda guère à apprendre de source sûre qu'Alis était empereur. Il prit congé du roi Arthur car il ne voulait pas abandonner sa terre à son frère sans la lui disputer. Le roi, loin de vouloir le dissuader, lui dit d'emmener avec lui une si grande troupe de Gallois, d'Ecossais et de Cornouaillais que son frère, en voyant l'armée, n'oserait l'affronter.

Alexandre, s'il l'avait voulu, aurait emmené des forces énormes. Mais il n'eut pas envie d'écraser son propre peuple, si son frère acceptait d'accéder à ses vœux. Il emmena quarante chevaliers avec Soredamor et son fils, qu'il refusa d'abandonner, tant il les aimait. Ils s'embarquèrent à Shoreham après avoir pris congé de toute la cour. Le vent était favorable, le navire vola plus vite qu'un cerf dans sa fuite. Moins d'un mois s'était écoulé, je crois, quand ils entrèrent dans le port d'Athènes, une cité riche et puissante. L'empereur séjournait dans cette cité, où étaient rassemblés les plus grands seigneurs du pays. Dès son arrivée,

Tantost qu'il furent arivé,
Alixandres un suen privé   2436
envoie an la cité savoir
se recet i porroit avoir
ou s'il li voldront contredire
qu'il ne soit lor droituriers sire.   2440
De ceste chose fu messages
uns chevaliers cortois et sages
qu'an apeloit Acorïonde,
riches d'avoir et de faconde,   2444
et s'estoit molt bien del païs
car d'Athenes estoit naïs.
An la cité d'ancesserie
[avoient]¹⁰⁷ molt [grant]¹⁰⁸ seignorie   2448
[tos tans]¹⁰⁹ si ancessor eüe.
Qant il a la chose seüe
qu'an la vile estoit l'emperere,
de par Alixandre son frere   2452
li [va]¹¹⁰ chalongier la corone
ne ce mie ne li pardone
qu'il l'a tenue contre droit.
El palés est venuz tot droit   2456
et trueve assez qui le conjot,
mes ne respont ne ne dit mot
a nul home qui le conjoie,
einçois atant tant que il oie   2460
quel volanté et quel corage
il ont vers lor droit seignorage.
Jusqu'a l'empereor ne fine;
il nel salue ne ancline   2464
ne empereor ne l'apele:
« Alis, fet il, une novele
de par Alixandre t'aport,
qui la defors est a ce port.   2468

---

¹⁰⁷   avoit *ACMT*.
¹⁰⁸   grande *AM*.
¹⁰⁹   Et ont *A*.
¹¹⁰   vialt *A*.

Alexandre envoie un ami sûr dans la cité pour savoir s'il y sera bien accueilli ou si on lui contestera le titre de seigneur légitime. Le messager était un chevalier courtois et sage qui se nommait Acoriondès, riche de biens et d'éloquence, et très bien vu dans le pays car il était natif d'Athènes. Dans la cité ses ancêtres possédaient de tout temps de grands domaines. Quand il apprend que l'empereur se trouve dans la ville, il va lui disputer la couronne au nom de son frère Alexandre : il ne lui pardonne pas de la détenir contre le droit. Il se rend tout droit dans la salle du palais, où on l'accueille chaleureusement. Mais il ne répond à aucun de ceux qui le saluent avant de connaître leurs sentiments envers leur seigneur légitime. Il va droit à l'empereur sans le saluer, sans s'incliner, sans lui donner le titre d'empereur : « Alis, dit-il, je t'apporte une nouvelle de la part d'Alexandre, qui se trouve ici-même, dans ce port.

Antant que tes freres te mande :
la soe chose te demande
ne contre reison rien ne quiert.
Soe doit bien estre et soe iert   2472
Costantinoble que tu tiens.
Ce ne seroit reisons ne biens
qu'antre vos .II. eüst descorde.
Par mon consoil a lui t'acorde,   2476
si li rant la corone an pes,
car bien est droiz que tu li les.»
Alis respont : « Biax dolz amis,
de folie t'ies antremis,   2480
qui cest message as aporté.
Ne m'as de rien reconforté,
car bien sai que mes frere est morz.   (f. 63v)
Ne croi pas que il soit as porz.   2484
S'il estoit vis et jel savoie,
ja nel cresrai tant que jel voie.
Morz est piece a, ce poise moi ;
rien que tu diës je ne croi.   2488
Et s'il est vis, por coi ne vient ?
Ja redoter ne li covient
que assez terre ne li doigne.
Fos est, se il de moi s'esloigne,   2492
et s'il me sert, ja n'en iert pire.
De la corone et de l'empire
n'iert ja nus contre moi tenanz.»
Cil ot que n'est pas avenanz   2496
la responsse l'empereor.
Ne lesse por nule peor
que son talant ne li responde :
« Alis, fet il, Dex me confonde   2500
se la chose remaint ensi !
De par ton frere te desfi
et de par lui, si con je doi,
semoing toz ces que je ci voi   2504
qu'il te lessent et a lui veignent.
Reisons est que a lui se teignent,
de lui doivent lor seignor feire.
Qui leaus sera, or i peire !»   2508

Ecoute le message de ton frère : il te demande ce qui lui appartient et son exigence n'a rien de déraisonnable. C'est à lui qu'appartient Constantinople, que tu détiens, et c'est à lui qu'elle appartiendra. Il ne serait ni raisonnable ni juste que la discorde règne entre vous. Crois-en mon conseil : réconcilie-toi avec lui, et rends-lui la couronne pacifiquement, car la justice veut que tu la lui laisses ». « Mon cher ami, répond Alis, c'est une folie que de me transmettre ce message. Tu ne m'apportes aucun réconfort, car je sais bien que mon frère est mort et qu'il n'est pas dans le port : je ne te crois pas. Et même s'il était vivant et qu'on me l'apprît, je ne le croirais pas avant de l'avoir vu. Il y a longtemps qu'il est mort et j'en suis affligé. Je ne crois pas un mot de ce que tu dis. S'il est vivant, pourquoi ne vient-il pas ? Il n'a pas à redouter que je lui refuse une vaste terre. Il est bien fou s'il reste loin de moi : s'il se met à mon service, il ne s'en portera pas plus mal. Quant à la couronne et à l'empire, nul ne me les enlèvera ! ». Acorionde entend la réponse de l'empereur, qui n'est pas acceptable, et sans peur lui dit sa pensée : « Alis, dit-il, que Dieu me maudisse si l'affaire en reste là ! Au nom de ton frère je te défie et en son nom, comme je le dois, je somme tous ceux que je vois ici de t'abandonner et de le rejoindre. La raison veut qu'ils se rallient à lui et qu'ils fassent de lui leur seigneur. On verra bien qui est loyal ! »

A cest mot de la cort se part.
L'empereres de l'autre part
apele cez ou plus se fie.
De son frere qui le desfie   2512
lor quiert consoil et vialt savoir
s'il puet en aus fïance avoir
que ses frere a ceste anvaïe
n'ait par aus force ne aïe,   2516
et si vialt esprover chascun.
Mes il n'en i a neïs un
qui de la guerre a lui se teingne :
tuit li dïent qu'il li soveingne   2520
de la guerre Polinicés
que il prist contre Ecïoclés,
qui estoit ses freres germains,
si s'antr'ocistrent a lor mains.   2524
« Autel puet de vos avenir,
s'il vialt la guerre maintenir,
et confondue en iert la terre. »
Por ce loënt tel pes a querre   2528
qui soit resnable et droituriere
et li uns l'autre ne sorquiere.
Or ot Alys, se il ne fet
a son frere resnable plet,   2532
que tuit si bani li faudront,
et dit que ja plet ne movront
qu'il ne face par avenant,
mes il met an son covenant   2536
que la corone li remaigne,
comant que li afeires praigne.
Por feire ferme pes estable
Alys par un suen conestable   2540
mande Alixandre qu'a lui veigne
et tote la terre mainteigne,
mes que tant li face d'enor
qu'il [ait][111] le non d'empereor   2544
et la corone [avoir][112] li lest :

―――――――

[111]   lest *A*.
[112]   avoec *AT*.

Sur ces mots il quitte la cour. L'empereur, de son côté, convoque ses plus fidèles partisans et leur demande conseil sur le défi de son frère : il veut savoir s'il peut leur faire confiance et être sûr que dans ce conflit son frère ne recevra d'eux aucune aide ; il veut les mettre tous à l'épreuve. Mais pas un seul ne se rallie avec lui au parti de la guerre. Tous lui disent de se rappeler la guerre qu'entreprit Polynice contre Etéocle, son propre frère, et comment ils s'entretuèrent de leurs mains[34]. « Vous pouvez connaître le même sort, s'il vous déclare la guerre, et ce sera la destruction du royaume ». On conseille donc à Alis de rechercher une paix raisonnable et juste, sans exigences déraisonnables d'un côté ou de l'autre. Alis comprend bien que s'il ne conclut pas avec son frère une paix raisonnable, tous ses vassaux lui feront défaut. Il déclare qu'il acceptera volontiers le traité qu'ils lui proposeront mais à la condition qu'il conserve la couronne, quelle que soit l'issue des tractations. Pour conclure une paix solide et durable, Alis demande à Alexandre, par l'intermédiaire de son connétable, de venir à lui et de gouverner tout le pays, mais de lui laisser l'honneur de porter le nom d'empereur et la

---

[34] L'histoire d'Etéocle et de Polynice, les fils d'Œdipe, était surtout connue au Moyen Age par la *Thébaïde* de Stace, qui a donné naissance, vers 1150, au *Roman de Thèbes*, que Chrétien a pu également connaître.

ensi puet estre, se lui plest,
entr'aus .II. [l'acorde][113] bien feite.
Et quant la chose fu retreite   2548
et Alixandre recontee,
avoec lui est sa genz montee,
si sont a Athenes venu;
a joie furent receü.   2552
Mes Alixandre ne plest mie
qant il ot la parole oïe
que ses freres ait la corone,
se sa fïance ne li done   2556
que ja fame n'esposera,
mes aprés lui Cligés sera
de Constantinoble emperere.
Ensi sont acordé li frere.   2560
Alixandres li eschevist
et cil li otroie et plevist
que ja en trestot son aage
n'avra fame par marïage.   2564
Acordé sont, ami remainnent;
li baron grant joie demainnent.
Alis por empereor tienent
mes devant Alixandre vienent   2568
li grant afeire et li petit;
fet est ce qu'Alixandres dit
et po fet an se por lui non.
Alys n'i a fors que le non,   2572
qui emperere est clamez,
mes cil est serviz et amez,
et qui ne le sert par amor,
servir li covient par peor.   2576
Par l'un et par l'autre justise
tote la terre a sa devise.

Mes cele qu'an apele Mort
n'espargne home foible ne fort   2580
que toz ne les ocie et tut.
Alixandre morir estut,

---

[113] La chose *A*.

couronne : le conflit peut ainsi, s'il accepte, se régler à l'amiable entre eux deux.

Quand Alexandre apprend la proposition, il monte à cheval avec ses hommes pour venir à Athènes : on les y reçoit avec joie. Mais Alexandre n'accepte pas la proposition que son frère conserve la couronne, à moins que celui-ci ne lui donne sa parole de ne jamais se marier et de laisser après lui à Cligès l'empire de Constantinople. Les frères tombent d'accord sur ces termes. Alexandre fait prêter serment à son frère et Alis s'engage solennellement à ne jamais prendre femme de toute sa vie. Ils sont d'accord, ils restent amis. Les barons sont remplis de joie : ils tiennent Alis pour leur empereur mais c'est devant Alexandre que passent toutes les affaires, grandes et petites ; on fait ce qu'Alexandre dit de faire et on n'exécute guère que ses ordres. Alis ne possède que le titre : c'est lui que l'on salue du nom d'empereur, mais c'est Alexandre qui est servi et aimé, et ceux qui ne le servent pas par amour, doivent le faire par crainte. Par l'un et l'autre de ces sentiments il gouverne tout l'empire selon sa volonté.

Mais celle qu'on appelle la Mort n'épargne ni le faible ni le fort et les tue tous. Alexandre dut mourir d'un mal qui s'empara de lui et dont

c'uns max l'a mis an sa prison,
don ne puet avoir garison.   2584
Mes ainz que morz le sorpreïst,
son fil manda et si li dist:
«Biax filz Cligés, ja ne savras
conuistre conbien tu vaudras   2588
de proesce ne de vertu,
se a la cort le roi Artu
ne te vas esprover einçois
et as Bretons et as Einglois.   2592
Se avanture la te mainne,
ensi te contien et demainne
que tu n'i soies coneüz
jusqu'a tant qu'as plus esleüz   2596
de la cort esprovez te soies.
De ce te lo que tu me croies
et s'an leu viens, ja ne t'esmaies
que a ton oncle ne t'essaies,   2600
monseignor Gauvain, ce te pri
que tu nel metes en obli.»
Aprés cest amonestemant
ne vesqui gaires longuemant.   2604
Soredamors tel duel en ot
que aprés lui vivre ne pot;
de duel fu morte avoeques lui.
Alys et Clygés anbedui   2608
en firent duel si com il durent,
mes de duel feire se recrurent:
mauvés est diax a maintenir
car nus biens n'an puet avenir.   2612
A neant est li diax venuz.
Et l'empereres s'est tenuz
lonc tans aprés de fame prandre   (f. 64)
car a leauté voloit tandre.   2616
Mes il n'a cort an tot le monde
qui de mauvés consoil soit monde;
par le mauvés consoil qu'il croient
li baron sovant se desvoient   2620
si que leauté ne maintienent.
Sovant a l'empereor vienent

il ne put guérir. Mais avant d'être emporté par la mort, il appela son fils et lui dit : « Cligès, mon cher fils, jamais tu ne pourras évaluer ta prouesse et ton courage si tu ne vas pas d'abord à la cour du roi Arthur pour te mesurer aux Bretons et aux Anglais. Si l'aventure te mène là-bas, veille à ne pas faire connaître ton nom avant de t'être mesuré à l'élite des chevaliers de la cour. Crois-moi, je t'en prie, et si tu en as l'occasion, ne crains pas de te mesurer à ton oncle, monseigneur Gauvain : je t'en prie, ne l'oublie pas ! » Il mourut peu après ces recommandations. Soredamor en éprouva une telle douleur qu'elle ne put lui survivre et mourut de deuil avec lui. Alis et Cligès en eurent tous deux un grand chagrin, comme il était naturel, mais ce chagrin finit par s'épuiser. Il est mauvais d'entretenir le deuil car nul bien ne peut en advenir. Le deuil a donc pris fin et pendant longtemps l'empereur s'abstint de prendre femme car il voulait rester loyal. Mais il n'est aucune cour au monde qui soit préservée des mauvais conseillers. C'est en suivant de mauvais conseils que souvent les barons s'écartent du droit chemin et trahissent la loyauté. Les vassaux de l'empereur viennent souvent lui donner des conseils ; ils

si home qui consoil li donent:
de prandre fame le semonent,   2624
si li enortent et [angressent]¹¹⁴
et chascun jor tant l'en apressent
que par lor grant engresseté
l'ont de sa fiance gité,   2628
et lor voloir lor acreante;
mes molt estuet qu'ele soit gente
et sage et bele et cointe et noble
qui dame iert de Constantinoble.   2632
Lors li dïent si conseillier
qu'il se vuelent apareillier,
s'an iront an tïesche terre
la fille l'empereor querre.   2636
Celi li loënt que il praigne,
car l'empereres d'Alemaigne
est molt riches et molt puissanz
et sa fille tant avenanz   2640
c'onques an la crestïanté
n'ot pucele de sa biauté.
L'empereres tot lor otroie
et cil se metent a la voie   2644
si come gent bien atornees
et chevauchent par lor jornees
tant que l'empereor troverent
a Reneborc; la li roverent   2648
que il sa fille la greignor
doint a Alis l'empereor.
Molt fu liez de cest mandemant
l'empereres; molt lieemant   2652
lor a otroiee sa fille
car il de neant ne s'aville
ne de rien s'enor n'apetise.
Mes il dit qu'il l'avoit promise   2656
au duc de Sessoigne a doner,
si ne l'an porroient mener
se l'empereres n'i venoit
et s'il grant force n'amenoit,   2660

---

¹¹⁴ anpressent A.

l'engagent à prendre femme, ils l'exhortent et le poussent et le pressent tant chaque jour qu'à force d'insistance ils lui font rompre son serment et céder à leur volonté. Mais il faut qu'elle soit aimable et sage et belle et gracieuse et noble, la future souveraine de Constantinople. Les conseillers se déclarent alors prêts à se rendre en pays tudesque pour demander la main de la fille de l'empereur. <u>C'est elle qu'ils conseillent à Alis d'épouser car l'empereur d'Allemagne est très riche et puissant et sa fille si ravissante que dans toute la chrétienté aucune jeune fille ne l'égale en beauté.</u> L'empereur s'accorda à tout et ils se mirent en route, bien équipés. Au terme de leur chevauchée ils trouvèrent l'empereur à Ratisbonne. Là ils le prièrent de donner sa fille aînée à l'empereur Alis. L'empereur d'Allemagne, ravi de ce message, est tout heureux de leur accorder sa fille : il n'encourt ainsi aucune mésalliance et son honneur n'en est pas abaissé. Mais il l'avait promise au duc de Saxe, dit-il, et les Grecs ne pourraient l'emmener que si l'empereur venait lui-même avec une puissante armée pour empêcher le duc de leur créer honte et ennui

que li dus ne li poïst feire
honte ne enui au repeire.
Qant li message ont antandu
que l'enperere a respondu,   2664
congié prenent, si s'an revont;
a l'empereor venu sont,
si li ont la response dite.
Et l'enperere a gent eslite,   2668
chevaliers les mialz esprovez,
les plus hardiz qu'il a trovez,
et mainne avoec lui son neveu,
por cui il avoit fet tel veu   2672
que ja n'avra fame an sa vie;
mes cest veu ne tandra il mie
se venir puet jusqu'a Coloigne.
A un jor de Grece s'esloigne   2676
et vers Alemaigne s'aproche,
que por blasme ne por reproche
fame a panre ne lessera,
mes s'anors [i]¹¹⁵ abeissera.   2680
Devant Coloigne ne s'areste,
ou l'emperere a une feste
d'Alemaigne molt grant tenue.
Or est a Coloigne venue   2684
la conpaignie des Grezois;
tant i ot Grex et tant Tiois
qu'il an estut fors de la vile
logier plus de .XL. mile.   2688

Granz fu l'asanblee des genz
et formant fu la joie granz
que li dui empereor firent,
qui molt volantiers s'antrevirent.   2692
El palés, qui molt estoit lons,
fu l'asanblee des barons,
et l'empereres maintenant
manda sa fille isnelemant.   2696
La pucele ne tarda pas;

_____
¹¹⁵ i *absent A.*

au retour.

Après cette réponse de l'empereur, les messagers prirent congé et
s'en retournèrent chez eux : ils transmirent à Alis la réponse de l'empereur. Alors Alis choisit parmi ses hommes les chevaliers les plus éprouvés et les plus hardis, et parmi eux son neveu, pour qui il s'était engagé
à ne jamais prendre femme de sa vie. Mais il ne tiendra pas son engagement, s'il peut arriver à Cologne. Le jour fixé, il quitte la Grèce et se
dirige vers l'Allemagne : ni blâme ni reproche ne l'empêcheront de
prendre femme, mais c'est son honneur qui en souffrira. Déjà il est à
Cologne, où l'empereur d'Allemagne célèbre une grande fête. Voici
venue à Cologne la compagnie des Grecs : il y avait une telle foule de
Grecs et de Tudesques[35] qu'il fallut en loger plus de quarante mille en
dehors de la ville.

Grande était la foule et grande aussi la joie des deux empereurs,
heureux de se rencontrer. Dans la longue salle du palais les barons s'as-
semblèrent et l'empereur fit aussitôt venir sa fille. La jeune fille, sans

---

[35] Chrétien distingue les Tiois (*Tyois*), du nord de l'Allemagne, et les Allemands, du
sud de l'Allemagne.

el palés vint eneslepas
et fu si bele et si bien feite
con Dex meïsmes [l'avoit][116] feite,   2700
qui molt i [plot][117] a traveillier
por la gent feire merveillier.
Onques Dex, qui la façona,
parole a home ne dona   2704
qui de biauté dire seüst
tant que cele plus n'an eüst.
Fenyce ot la pucele a non;
ce ne fu mie sans reison,   2708
car si con fenix li oisiax
est sor toz les autres plus biax,
ne estre n'an pot c'uns ansanble,
ice Fenyce me resanble :   2712
n'ot de biauté nule paroille.
Ce fu miracles et mervoille,
c'onques a sa paroille ovrer
ne pot Nature recovrer.   2716
Por ce que g'en diroic mains,
ne braz ne cors ne chief ne mains
ne vuel par parole descrivre,
car se mil anz avoie a vivre   2720
et chascun jor doblast mes sans,
si perdroie gié mon porpans
einçois que le voir an deïsse.
Bien sai, se m'an antremeïsse   2724
et tot mon san i anpleasse,
que tote ma poinne i gastasse
et ce serait poinne gastee.
Tant s'est la pucele hastee   2728
que ele est el palés venue
chief descovert et face nue,
et la luors de sa biauté
rant el palés plus grant clarté   2732
ne feïssent .IIII. escharboncle.

---

[116]   l'eüst *ABC. Corr. d'après SMP.*
[117]   pot *A.*

tarder, vint rapidement au palais. Elle était belle et bien faite, modelée par Dieu lui-même, qui y avait mis volontiers tout son art pour éblouir le monde entier. Jamais Dieu, son créateur, ne dota de parole un homme capable de rendre compte de sa beauté en lui faisant justice. Elle se nommait Fénice et ce n'était pas sans raison, car le phénix est le plus beau de tous les oiseaux et il ne peut y en avoir qu'un dans le monde; de même Fénice, à mon avis, n'avait pas sa pareille au monde en beauté. C'était un miracle et un prodige: jamais Nature ne put renouveler cet ouvrage. Ne pouvant qu'être inférieur à la tâche, je renonce à décrire ses bras, son corps, sa tête, ses mains, car dussé-je vivre mille ans et voir chaque jour doubler mon talent, je perdrais mes efforts à vouloir en dire la vérité. Je sais bien que si je me lançais dans cette entreprise en y mettant tout mon talent, je ne ferais que perdre ma peine sans aucun succès. La jeune fille entra en hâte au palais, la tête et le visage décou-verts, et l'éclat de sa beauté dégageait dans le palais plus de clarté que celle de quatre escarboucles. Cligès se tenait devant l'empereur son

Devant l'empereor son oncle
estoit Clygés desafublez.
Un po fu li jorz enublez   2736
mes tant estoient bel andui,
antre la pucele et celui,
c'uns rais de lor biauté issoit,
don li palés resplandissoit   2740
tot autresi con li solauz
qui nest molt clers et molt vermauz.
Por la biauté Clygés retreire
vuel une descriptïon feire   2744
don molt sera briés li passages.
En la flor estoit ses aages
car ja avoit pres de .XV. anz.   (f. 64v)
Mes tant ert biax et avenanz   2748
que Narcisus, qui desoz l'orme
vit an la fontainne sa forme,
si l'ama tant, si com an dit,
qu'il an fu morz quant il la vit,   2752
por tant qu'il ne la pot avoir.
Molt ot biauté et po savoir;
mes Clygés en ot plus grant masse,
tant con li ors le cuivre passe   2756
et plus que je ne di encor.
Si chevol resanbloient d'or
et sa face rose novele;
nes ot bien fet et boche bele   2760
et fu de si boene estature
con mialz le sot feire Nature,
que an lui mist trestot a un
ce que par parz done a chascun.   2764
En lui fu Nature si large
que trestot mist en une charge,
si li dona quanque ele ot.
Ce fu Cligés, qui an lui ot   2768
san et biauté, largesce et force.
Si ot le fust a tot l'escorce,
si sot plus d'escremie et d'[arc][118]

---

[118]   art *A*.

oncle, sans manteau. Le jour était un peu sombre mais ils étaient si beaux tous les deux, la jeune fille et lui, que de leur beauté émanait un rayon de lumière qui faisait resplendir le palais comme le soleil levant clair et vermeil. Pour décrire la beauté de Cligès, je veux faire son portrait en peu de mots. Il était dans la fleur de l'âge, car il avait près de quinze ans. Il était aussi beau et gracieux que Narcisse, qui dans l'eau de la source, sous l'orme, vit son reflet et quand il le vit, l'aima jusqu'à mourir, dit-on, de ne pouvoir le posséder : il avait beaucoup de beauté mais peu de sagesse[36]. Mais Cligès en avait beaucoup plus, tout comme l'or surpasse le cuivre et plus encore que je ne saurais dire. Ses cheveux semblaient de l'or et son visage une rose nouvelle ; il avait le nez bien fait, la bouche bien dessinée et sa taille était si bien prise que Nature n'aurait pu faire mieux, car elle lui avait prodigué à lui seul tous les dons qu'elle partage d'ordinaire entre plusieurs. Nature s'était montrée si généreuse avec lui qu'elle lui avait donné en une fois tout ce qu'elle possédait. Tel était Cligès, qui unissait sagesse et beauté, force et générosité. Il avait le bois avec l'écorce et s'y connaissait mieux en escrime

---

[36] Le récit des *Métamorphoses* d'Ovide a donné naissance, au XIIᵉ siècle, à un *Lai de Narcisse* (*Pyrame et Thisbé, Narcisse, Philomena*, éd. bilingue E. Baumgartner, *op. cit.*).

que Tristanz li niés le roi Marc,   2772
et plus d'oisiax et plus de chiens :
en Cligés ne failli nus biens.
Clygés, si biax com il estoit,
devant le roi son oncle estoit   2776
et cil qui ne le conoissoient
de lui esgarder s'angoissoient,
et ausi li autre s'angoissent
qui la pucele ne conoissent,   2780
qu'a mervoilles l'esgardent tuit.
Mes Clygés par amors conduit
vers li ses ialz covertemant
et ramainne si sagemant   2784
que a l'aler ne au venir
ne l'an puet an por fol tenir,
mes debonairemant l'esgarde.
Et de ce ne se [prent il]¹¹⁹ garde   2788
que la pucele a droit li change :
par boene amor, non par losange,
ses ialz li baille et prant les suens.
Molt li sanble cist changes buens   2792
et miaudres li sanblast a estre
s'ele seüst point de son estre.
N'an set plus mes que bel le voit
et s'ele rien amer devoit   2796
por biauté qu'an home veïst,
n'est droiz qu'aillors son cuer meïst.
Ses ialz et son cuer i a mis,
et cil li ra son cuer promis.   2800
– Promis ? Qui done quitemant !
– Doné ? Ne l'a ! Par foi, je mant,
que nus son cuer doner ne puet ;
autremant dire le m'estuet.   2804
Ne dirai pas si com cil dient
qui an un cors .II. cuers alient,
qu'il n'est voirs, n'estre ne le sanble,
qu'an un cors ait .II. cuers ansanble ;   2808
et s'il pooient assanbler,

_____
¹¹⁹   prenent A. Corr. d'après SM.

et à l'arc que Tristan, le neveu du roi Marc, tout comme au dressage des oiseaux et des chiens : aucune qualité ne lui manquait.

Cligès, dans toute sa beauté, se tenait devant le roi son oncle et ceux qui ne le connaissaient pas ne pouvaient se lasser de le contempler ; et ceux qui ne connaissaient pas la jeune fille ne pouvaient non plus se lasser de la contempler avec émerveillement. Mais Cligès porte discrètement vers elle un regard plein d'amour et le détourne ensuite si habilement que ni dans un sens ni dans l'autre on ne peut lui faire le moindre reproche : il la regarde avec douceur et ne remarque pas que la jeune fille, à bon droit, lui rend la pareille. Avec un amour sincère, sans tromperie, elle lui donne ses yeux et prend les siens. Cet échange la ravit et la ravirait plus encore si elle savait qui il était. Tout ce qu'elle sait, c'est qu'elle le trouve beau et que si elle devait aimer un homme pour sa seule beauté, il ne serait pas juste qu'elle donne son cœur à un autre. Elle lui a donné ses yeux et son cœur et il lui a promis son cœur en retour.

— Promis ? Non, il le donne entièrement !

— Il le donne ? Mais il ne l'a plus !

— Ma foi, je mens, car nul ne peut donner son cœur. Je dois m'exprimer autrement. Je ne parlerai pas comme ceux qui unissent deux cœurs en un seul corps, car il n'est ni vrai ni vraisemblable qu'il y ait deux cœurs en un seul corps, et l'idée de les réunir est invraisemblable.

Ne porroit il voir resanbler.
Mes s'il vos pleisoit a entandre,
bien vos ferai le voir antandre,   2812
comant dui cuer a un se tienent
sanz ce qu'ansanble ne parvienent.
Seul de tant se tienent a un
que la volanté de chascun   2816
de l'un a l'autre s'an trespasse,
si vuelent une chose a masse.
Et por tant c'une chose vuelent,
i a de tiex qui dire suelent   2820
que chascuns a le cuer as deus,
mes uns cuers n'est pas an deus leus.
Bien pueent lor voloir estre uns,
et s'a adés son cuer chascuns,   2824
ausi con maint home divers
pueent an chançons et an vers
chanter a une concordance.
Si vos pruis par ceste sanblance   2828
c'uns cors ne puet .II. cuers avoir,
ce sachiez vos trestot de voir,
ne por ce que se li uns set
quanqu'il covoite et quanqu'il het.   2832
Ne plus que les voiz qui assanblent
si que tote une chose sanblent,
et si ne pueent estre a un,
ne puet cors avoir cuer que un.   2836

Mes ci nen a mestier demore,
qu'autre besoigne me cort sore.
De la pucele et de Clygés
m'estuet parler des ore mes,   2840
si orroiz del duc de Sessoigne,
qui a envoié a Coloigne
un sien neveu, valet molt juevre,
qui [a l'empereor][120] descuevre   2844
que ses oncles li dus li mande
qu'a lui pes ne trives n'atande,

---

[120]   la besoigne li *A*.

Mais si vous acceptez de m'écouter, je vous expliquerai, en toute vérité, comment deux cœurs n'en forment qu'un sans se trouver ensemble. S'ils ne forment qu'un, c'est que le désir de chacun passe de l'un à l'autre; ils désirent la même chose ensemble et comme ils désirent la même chose, on dit parfois que chacun a le cœur des deux. Mais un cœur ne peut habiter deux corps. Un même sentiment peut être commun à deux personnes mais chacune conserve son cœur, de même que plusieurs hommes peuvent chanter une chanson ou des couplets à l'unisson. Cette comparaison vous montre qu'un seul corps ne peut renfermer deux cœurs, soyez en sûrs; et même si l'un sait tout ce que l'autre convoite et tout ce qu'il déteste, ils sont comme les voix qui se fondent et semblent n'en plus faire qu'une mais ne peuvent appartenir à la même personne: un corps ne peut avoir qu'un seul cœur.

Mais sans tarder davantage, passons à un autre sujet: c'est de la jeune fille et de Cligès que je dois parler désormais. Sachez que le duc de Saxe a envoyé à Cologne son neveu, un tout jeune homme. Celui-ci transmet à l'empereur le message de son oncle le duc: l'empereur ne peut compter sur aucune paix, sur aucune trêve, s'il ne lui envoie pas sa

se sa fille ne li envoie;
et cil ne se fit an la voie   2848
qui avoec lui mener l'an cuide,
qu'il ne la trovera pas vuide,
einz li ert molt bien desfandue,
se ele ne li est randue.   2852
Bien fist li vaslez son message
tot sanz orguel et sanz oltrage,
mes ne trueve respondeor
ne chevalier n'enpereor.   2856
Et quant vit que tuit se teisoient
et par desdaing ice feisoient,
ee cort se part par desfiance.
Mes jovenetez et anfance   2860
li firent Cligés anhatir
de behorder au departir.
Por behorder es chevax montent;
d'andeus parz a [IIIC][121] se content,   2864
si furent par igal de nonbre.
Et la sale vuide et desconbre;
il n'i remest ne cil ne cele,
ne chevaliers ne dameisele   2868
qui tuit n'aillent monter as estres,
as batailles et as fenestres
por veoir et por esgarder
ces qui devoient behorder.   2872
Nes la pucele i est montee,
cele qui d'Amors iert dontee
et a sa volanté conquise.
A une fenestre est assise,   2876
ou molt se delite [a seoir][122],
por ce que d'iluec pot veoir
celui qui son cuer a repost,
n'ele n'a talant que l'en ost   2880   (f. 65)
ne ja n'amera se lui non.
Mes ne set comant il a non

---

[121]   III *A*.
[122]   asseoir *A*.

fille. Et celui qui croit pouvoir l'emmener doit prendre garde sur sa route, car il ne la trouvera pas vide mais bien défendue, si on ne lui livre pas la jeune fille. Le jeune homme délivra bien son message, sans orgueil et sans insolence. Mais il ne trouva personne pour lui répondre, ni chevalier ni empereur. Quand il vit que tous se taisaient et gardaient un silence dédaigneux, il quitta la cour d'un air de défi. Mais la jeunesse et la légèreté le poussèrent, à son départ, à provoquer Cligès à la joute. Ils montent à cheval pour jouter, accompagnés de chevaliers en nombre égal: trois cents de chaque côté. Et la salle se vide entièrement: il n'y reste personne, ni chevalier, ni demoiselle, tous montés à l'étage, aux meurtrières et aux fenêtres, pour observer la joute. Même la jeune fille y est montée, dominée par Amour et soumise à sa volonté. Elle s'assied près d'une fenêtre où elle prend plaisir à rester, car de là elle peut voir celui qui a volé son cœur: elle n'a nulle envie de lui reprendre ce cœur et n'aimera jamais que lui. Mais elle ne sait quel est son nom, ni qui il

ne qui il est ne de quel gent,
n'a demander ne li est gent,   2884
si li est tart que ele en oie
chose de coi ses cuers ait joie.
Par la fenestre esgarde hors
les escuz ou reluist li ors   2888
et cez qui a lor cos les portent,
qui au behorder se deportent.
Mes son pansé et son esgart
a trestot mis a une part,   2892
qu'an nul autre leu n'est pansive :
a Clygés esgarder estrive,
sel siust des ialz, quel part qu'il aille.
Et cil por li se retravaille   2896
del behorder apertemant,
por ce qu'ele oie seulemant
que il [est][123] preuz et bien adroiz,
car totevoies sera droiz   2900
que ele le lot de proesce.
Vers le neveu le duc s'adresce,
qui molt aloit lances brisant
et les Grezois desconfisant ;   2904
mes Cligés, cui formant enuie,
es estriés s'afiche et apuie,
sel vet ferir toz esleissiez
si que maugré suen a leissiez   2908
les arçons de la sele vuiz ;
au relever fu granz li bruiz.
Li vaslez relieve, si monte
et cuide bien vangier sa honte.   2912
Mes tiex cuide, se il li loist,
vangier sa honte, qui l'acroist.
Li vaslez vers Clygés s'esleisse,
et cil vers lui sa lance [beisse][124],   2916
sel vet si duremant requerre
que de rechief le porte a terre.

_____

[123]   est *absent* A.
[124]   beise *AS*.

est, de quel lignage, et elle n'ose pas le demander. Mais il lui tarde d'entendre dire de lui une nouvelle qui donne la joie à son cœur. Elle regarde par la fenêtre les écus où l'or reluit et ceux qui les portent à leur cou et s'ébattent à la joute. Mais sa pensée et son regard ne vont que d'un seul côté et elle ne s'intéresse à rien d'autre : elle ne songe qu'à contempler Cligès et le suit des yeux où qu'il aille. Quant à lui, c'est pour elle qu'il met tous ses efforts dans la joute, sous les yeux de tous, rien que pour qu'elle entende dire qu'il est preux et adroit : ainsi il sera juste qu'elle le loue pour sa prouesse. Il se dirige vers le neveu du duc, qui brisait force lances et mettait les Grecs en déroute. Cligès, furieux, s'assure et s'appuie sur ses étriers pour aller le frapper d'un tel élan qu'il l'a contraint à vider les arçons. Le jeune homme se relève, au milieu du tumulte, et remonte en selle, croyant bien venger sa honte. Mais tel croit pouvoir venger sa honte qui l'accroît[37]. Le Saxon s'élance vers Cligès, qui abaisse sa lance contre lui et l'attaque si violemment qu'il l'envoie de nouveau à terre. La honte du Saxon est redoublée et ses hommes boule-

---

[37] Morawski, *Proverbes français antérieurs au XVᵉ siècle*, Paris, Champion, 1925, proverbe 2351.

Or a cil sa honte doblee,
s'an est sa genz tote troblee,   2920
qui bien voient que par enor
n'en istront huimés de l'estor,
car d'aus n'i a nul si vaillant,
se Clygés le vient consuiant,   2924
qu'es arçons devant lui remaingne;
s'an sont molt lié cil d'Alemaingne
et cil de Grece, quant il voient
que li lor les autres convoient,   2928
si s'an vont come desconfit.
Et cil les chacent par afit
tant qu'a une eve les ataignent;
assez en i plungent et baignent.   2932
Cligés el plus parfont del gué
a le neveu le duc versé
et tant des autres avoec lui
qu'a lor honte et a lor enui   2936
s'an vont fuiant, dolant et morne.
Et Cligés a joie retorne;
de .II. parz le pris en aporte
et vint tot droit a une porte   2940
qui estoit veisine a l'estage
ou cele estoit, qui le passage
a l'entrer de la porte prant
d'un dolz regart, et cil [li rant]¹²⁵,   2944
que des ialz se sont ancontré:
ensi a li uns l'autre outré.
Mes n'i a Tyois n'Alemant
qui sache parler seulemant,   2948
qui ne die: «Dex!, qui est cist
an cui si granz biautez florist?
Dex!, don li est tot ce venu
que si grant pris a retenu?»   2952
Ensi demande cist et cil:
«Qui est cist anfés, qui est il?»,
tant que par tote la cité
an sevent tuit la verité,   2956

----
¹²⁵   le part A.

versés, car ils voient bien qu'ils ne sortiront pas de l'affrontement avec
les honneurs : aucun d'entre eux n'est assez vaillant pour se maintenir
sur ses arçons, si Cligès l'atteint. Les Allemands sont ravis, tout comme
les Grecs, de voir comment les leurs s'occupent des Saxons, qui se retirent en déroute. Leurs adversaires les poursuivent par défi jusqu'à une
rivière, où plus d'un se voit imposer un plongeon et un bain. Cligès a
renversé le neveu du duc au plus profond du gué, et tant d'autres avec
lui que les Saxons s'enfuient pour leur honte, dolents et mornes. Quant
à Cligès, il revient, tout joyeux, remportant le prix des deux côtés. Il
arrive tout droit à une porte près de laquelle se trouvait, dans la galerie,
celle qui perçoit le péage, à l'entrée, sous la forme d'un doux regard,
qu'il lui rend, car leurs yeux se sont rencontrés ; ainsi chacun a vaincu
l'autre. Mais il n'est pas un seul Tudesque ni un seul Allemand doué de
parole qui ne dise : « Dieu !, qui est donc ce jeune homme en qui fleurit
tant de beauté ? Dieu !, comment a-t-il donc fait pour acquérir tant de
gloire ? » Et chacun de demander : « Qui est donc ce jeune homme ? qui
est-il ? » Finalement dans toute la ville on sait bientôt la vérité : et son

et le suen non et le son pere
et le covant que l'emperere
li avoit fet et otroié ;
s'est ja tant dit et puepleié   2960
que neïs cele dire l'ot
qui an son cuer grant joie en ot,
por ce c'or ne puet ele mie
dire qu'Amors l'ait eschernie,   2964
ne de rien ne se puet clamer,
car le plus bel li fet amer,
le plus cortois et le plus preu
que l'en poïst trover nul leu.   2968
Mes par force avoir li estuet
celui qui pleire ne li puet,
s'an est angoisseuse et destroite,
car de celui qu'ele covoite   2972
ne se set a cui conseillier
s'a panser non et a veillier.
Et ces .II. choses si [l'ateingnent]¹²⁶
que molt la [palissent et teingnent]¹²⁷,   2976
qu'ele voit bien tot en apert,
a la color que ele pert,
qu'el n'a mie ce qu'ele vialt,
car moins jeue qu'ele ne sialt   2980
et moins rit et moins s'esbanoie,
mes bien le çoile et bien le noie,
se nus li demande qu'ele a.

Sa mestre avoit non Thessala,   2984
qui l'avoit norrie en anfance,
si savoit molt de nigromance.
Por ce fu Thessala clamee
qu'ele fu de Tessalle nee,   2988
ou sont feites les deablies,
ansegniees et establies ;
les fames qui el païs sont
et charmes et charaies font.   2992

---

¹²⁶   la ceingnent *A*.
¹²⁷   plessent et ateingnent *A*. Corr. d'après PS.

nom, et celui de son père, et la promesse que l'empereur avait accepté de lui faire. Et à force de se répandre, la rumeur parvient à la jeune fille, qui en ressent une grande joie. Elle ne peut pas dire qu'Amour s'est moqué d'elle, et n'a pas lieu de se plaindre, car il lui fait aimer le plus beau, le plus courtois et le plus preux du monde. Mais on l'oblige à épouser un homme qui ne peut lui plaire : elle en est anxieuse et affligée car elle ne sait à qui se confier au sujet de celui qu'elle désire. Elle est plongée dans ses pensées, en butte à l'insomnie, et ces deux sentiments qui s'emparent d'elle font pâlir son teint : elle doit bien constater, à la perte de ses couleurs, qu'elle n'a rien de ce qu'elle veut ; elle joue, rit et se divertit moins qu'à son habitude. Mais elle cache et nie ce changement si on lui pose des questions.

Sa nourrice, qui l'avait élevée depuis son enfance, se nommait Thessala : elle était experte en magie[38]. On l'appelait Thessala parce qu'elle était née en Thessalie, là où l'on enseigne et pratique les maléfices[39]. Les femmes du pays se livrent aux charmes et aux sortilèges.

---

[38] *Nigromance* résulte d'un croisement entre *necromantia* (en grec, évocation des morts) et *niger*, « noir », pour désigner la magie noire.

[39] La littérature antique atteste cette réputation de la Thessalie : le héros de *L'Âne d'or* d'Apulée, métamorphosé en âne, est victime d'une sorcière thessalienne.

Thessala voit tainte et palie
celi qu'Amors a en baillie,
si l'a a consoil aresniee :
« Dex !, fet ele, estes vos fesniee,   2996
ma dolce dameisele chiere,
qui si avez tainte la chiere ?
Molt me mervoil que vos avez.
Dites le moi, qui le savez,   3000
an quel leu cist max vos tient plus,
car se garir vos an doit nus,
a moi vos an poëz atandre,
car bien vos savrai santé randre.   3004
Je sai bien garir d'itropique,
si sai garir de l'arcetique,
de quinancie et de cuerpous ;
tant sai d'orines et de pous   3008
que ja mar avroiz autre mire.
Et sai, se je l'osoie dire,
d'anchantemanz et de charaies[128]
bien esprovees et veraies   3012   (f. 65v)
plus c'onques Medea n'an sot,
n'onques mes n'an vos dire mot,
si vos ai jusque ci norrie.
Mes ne m'an encusez vos mie,   3016
car ja rien ne vos an deïsse
devant que certemant veïsse
que tex max vos a envaïe
que mestier avez de m'aïe.   3020
Dameisele, vostre malage
me dites, si feroiz que sage,
einçois que il plus vos sorpraingne !
Por ce que de vos garde praingne   3024
m'a a vos l'enpereres mise,
et je m'an sui si antremise
que molt vo ai gardee sainne.
Or avrai gastee ma painne   3028
se de cest mal ne vos respas.
Or gardez nel me celez pas

---

[128]   *vers répété au bas du folio 65 et en haut du folio 65v ds A.*

Thessala voit pâle et blême celle qu'Amour tient en son pouvoir et l'interroge en privé : « Dieu !, dit-elle, êtes-vous victime d'un sort, ma douce demoiselle chérie, pour avoir le visage si pâle ? Je me demande bien ce que vous avez. Dites-moi, vous qui le savez, à quel endroit vous souffrez le plus. Si quelqu'un doit vous guérir, vous pouvez compter sur moi : je saurai vous rendre la santé. Je sais guérir l'hydropisie, tout comme la goutte, l'esquinancie et l'asthme. Je m'y connais si bien en matière d'urine et de pouls que vous n'avez pas besoin d'un autre médecin. Je connais aussi, mais je n'ose pas trop le dire, des enchantements et des sortilèges bien éprouvés et sûrs, plus que n'en sut jamais Médée[40]. Jamais je n'ai voulu en parler depuis que je vous élève. Mais ne m'en faites pas reproche, car je ne vous en aurais jamais rien dit si je ne voyais avec certitude qu'un mal s'est emparé de vous et que vous avez besoin de mon aide. Demoiselle, dites-moi votre maladie, ce sera plus sage, avant qu'elle n'empire ! L'empereur m'a mise à votre service et je m'y suis si bien employée que j'ai su vous garder en bonne santé. Mais j'aurai perdu ma peine si je ne vous délivre de ce mal. Dites-moi donc, sans plus rien cacher, si c'est une maladie ou autre chose ! »

---

[40] Médée la magicienne aida Jason à conquérir la Toison d'or et l'accompagna à Iolcos, en Thessalie, où elle usa encore de ses talents de magicienne pour se venger de lui.

se ce est max ou autre chose !»
La pucele apertemant n'ose 3032
descovrir sa volanté tote,
por ce que formant se redote
qu'ele ne li blasme ou deslot.
Et por ce qu'ele antant et ot 3036
que molt se vante et molt se prise
[que]¹²⁹ d'anchantemant est aprise,
de charaies et [de puisons]¹³⁰,
li dira quele est s'acheisons 3040
por coi a pale et taint le vis.
Mes ainz li a en covant mis
qu'ele toz jorz l'en celera
et ja ne li desloëra. 3044
«Mestre, fet ele, sanz mantir,
nul mal ne cuidoie santir,
mes je le cuiderai par tans.
Ce seulemant que je i pans 3048
me fet grant mal et si m'esmaie.
Mes comant set qui ne l'essaie
que puet estre ne max ne biens ?
De toz max est divers li miens 3052
car se voir dire vos an vuel,
molt m'abelist et si m'an duel,
et me delit an ma meseise.
Et se max puet estre qui pleise, 3056
mes enuiz est ma volantez
et ma dolors est ma santez,
ne ne sai de coi je me plaigne,
car rien ne sant don max me vaingne 3060
se de ma volanté ne vient.
Mes voloirs est max, se devient,
mes tant ai d'aise an mon voloir
que dolcemant me fet doloir, 3064
et tant de joie an mon enui
que dolcemant malade sui.

---

¹²⁹   Et *A*.
¹³⁰   d'acheisons *A*.

La jeune fille n'ose pas lui ouvrir entièrement son cœur, par crainte de blâmes ou de reproches. Mais en l'entendant se vanter de ses talents et de son expérience en enchantements, en sortilèges et en philtres, elle décide de lui dire la cause de son teint pâle et altéré. Mais elle lui fait d'abord jurer de garder toujours le secret et de ne lui faire aucun reproche. « Nourrice, dit-elle, sans mentir, je croyais ne sentir aucun mal, mais c'est bien fini. Rien que d'y penser me fait grand mal et me fait peur. Mais comment savoir, sans expérience, ce qui fait du mal ou du bien ? Mon mal diffère de tous les autres car, pour vous dire la vérité, il me plaît fort tout en me faisant souffrir ; je trouve du charme à mon chagrin, et si un mal peut faire plaisir, mon tourment, c'est aussi mon désir et ma douleur c'est aussi ma santé ; et je ne sais de quoi me plaindre car je sens que mon mal ne vient que de mon désir. Mon désir me fait mal, peut-être, mais je trouve tant de bonheur dans ce désir qu'il me fait souffrir avec douceur, et j'ai tant de joie dans mon chagrin que ma maladie est douce. Thessala, nourrice, répondez-moi, ce mal n'est-il pas

Tessala mestre, car me dites,
cist max don n'est il ipocrites,   3068
qui dolz me sanble et si m'angoisse?
Je ne sai comant jel conoisse
se c'est anfermetez ou non.
Mestre, car m'an dites le non   3072
et la meniere et la nature!
Mes sachiez bien que je n'ai cure
de garir an nule meniere,
car je ai molt la dolor chiere.»   3076
Thessala, qui molt estoit sage
d'amor et de tot son usage,
set et antant par sa parole
que d'amor est ce qui l'afole.   3080
Por ce que dolz l'apele et clainme,
est certainne chose qu'ele ainme,
car tuit autre mal sont amer
fors seulemant celui d'amer,   3084
mes cil retorne s'amertume
en dolçor et an soatume
et sovant retorne a contraire.
Mes cele qui bien sot l'afaire   3088
li respont: «Je ne dotez rien,
de vostre mal vos dirai bien
la nature et le non ansanble.
Vos m'avez dit, si con moi sanble,   3092
que la dolors que vos santez
vos sanble estre joie et santez:
de tel nature est max d'amors
qu'il vient de joie et de dolçors.   3096
Donc amez vos, si le vos pruis,
car [dolçor an][131] nul mal ne truis
s'an amor non tant seulemant.
Tuit autre mal comunemant   3100
sont toz jorz felon et orrible,
mes amors est dolce et peisible.
Vos amez, tote an sui certainne.
ne vos an tieng pas a vileinne,   3104

---

[131]   an dolçor nul mal *AN*.

hypocrite pour me paraître doux, alors qu'il me tourmente? Je ne sais comment reconnaître si c'est une maladie ou non. Nourrice, dites-moi son nom, son caractère et sa nature! Mais sachez bien que je ne veux surtout pas en guérir, car cette douleur m'est trop chère!»

Thessala, qui connaissait bien l'amour et toutes ses pratiques, comprend à ce discours que la jeune fille est torturée par l'amour: qu'elle trouve de la douceur dans le mal est la preuve qu'elle aime, car tous les maux sont amers sauf le mal d'aimer, qui transforme son amertume en douceur et en suavité, mais produit souvent ensuite l'effet contraire. Elle répond: «Ne craignez rien, je vais vous dire à la fois la nature et le nom de votre mal. Vous m'avez dit, je crois, que la douleur que vous éprouvez vous semble joie et santé: telle est la nature du mal d'amour, qui s'accompagne de joie et de douceur. Vous aimez donc, la preuve en est qu'on ne trouve de douceur en nul autre mal que l'amour[41]. Toutes les autres maladies sont habituellement cruelles et horribles, mais l'amour est doux et paisible. Vous aimez, j'en suis certaine, et je ne vois là rien d'indigne, mais ce serait une indignité que de me cacher vos

---

[41] On retrouve ici le jeu de paronomase, issu du *Tristan* de Thomas, sur *amer* (adjectif) et *amer* (infinitif du verbe *aimer*): cf. *supra*, v. 548 ss.

mes ce tandrai a vilenie
se par peresce ou par folie
vostre corage me celez.
– Dame, voir de neant parlez,   3108
[q'ains][132] serai certainne et seüre
que vos ja par nule avanture
n'en parleroiz a rien vivant.
– Dameisele, certes li vant   3112
an parleront einçois que gié,
se vos ne m'an donez congié.
Et ancor vos fïancerai
que je vos en avancerai   3116
si que certainnemant savrez
que j'en ferai voz volantez.
– Mestre, molt m'avrïez garie,
mes l'empereres me marie,   3120
don je sui iriee et dolante,
por ce que cil qui m'atalante
est niés celui que prendre doi.
Et sc cil a joie de moi,   3124
donc ai ge la moie perdue
ne je n'i ai nule atandue.
Mialz voldroie estre desmanbree
que de nos .II. fust remanbree   3128
l'amors d'Ysolt et de Tristan,
don mainte folie dit an
et honte en est a reconter.
Ja ne m'i porroie acorder   3132
a la vie qu'Isolz mena.
Amors en li trop vilena,
que ses cuers fu a un entiers
et ses cors fu a .II. rentiers.   3136
Ensi tote sa vie usa
n'onques les .II. ne refusa.
Ceste amors ne fu pas resnable,
mes la moie iert toz jorz estable,   3140
car de mon cors et de mon cuer
n'iert ja fet partie a nul fuer.

---

[132]   Qant *ANR*.

sentiments par lâcheté ou par folie.

– Dame, vous n'aurez pas à craindre mon silence, dès lors que je serai sûre et certaine que quoi qu'il arrive, vous n'en parlerez à personne au monde.

– Demoiselle, les vents en parleront avant moi, sauf si vous m'en donnez la permission. Je vous promets sur l'heure de faire progresser vos affaires et vous pouvez être assurée que je réaliserai vos désirs !

– Nourrice, alors je serais guérie ! Mais l'empereur me prend pour femme, ce qui me désole et me désespère, car celui qui me plaît est le neveu de celui que je dois épouser. Et si l'empereur trouve sa joie en moi, alors c'est moi qui ai perdu toute joie et tout espoir. J'aimerais mieux être écartelée plutôt que de voir rappeler à notre propos l'amour de Tristan et d'Iseut, dont on raconte tant de folies et que j'ai honte à évoquer. Jamais je ne pourrais m'accommoder de la vie menée par Iseut. L'amour en elle fut bien avili, car son cœur n'appartenait qu'à un seul homme mais son corps à deux. Elle passa ainsi toute sa vie sans se refuser à aucun des deux. Cet amour manquait à la raison, le mien sera toujours immuable : mon corps et mon cœur ne seront jamais séparés à

Ja mes cors n'iert voir garçoniers   (f. 66)
n'il n'i avra .II. parçoniers.   3144
Qui a le cuer, cil a le cors,
toz les autres an met defors.
Mes ce ne puis je pas savoir
comant puisse le cors avoir   3148
cil a cui mes cuers s'abandone,
qant mes peres autrui me done
ne je ne li os contredire.
Et quant il est de mon cors sire,   3152
s'il an fet chose que ne vuelle,
n'est pas droiz c'un autre i acuelle;
ne cil ne puet fame espouser
sanz sa fïance trespasser,   3156
einz avra, s'an ne li fet tort,
Cligés l'empire aprés sa mort.
Mes se vos tant savïez d'art
que ja cil an moi n'eüst part   3160
cui je sui donee et plevie,
molt m'avrïez an gré servie.
Mestre, car i metez antante
que cil sa fïance ne mante,   3164
qui au pere Clygés plevi,
si com il meïsme eschevi,
que ja n'avroit fame esposee.
Sa fïance en iert reüsee   3168
car adés m'espousera il.
Mes je n'ai pas Cligés si vil
que mialz ne vuelle estre anterree
que ja par moi perde danree   3172
de l'enor qui soe doit estre.
Ja de moi ne puisse anfés nestre
par cui il soit desheritez!
Mestre, or vos an entremetez,   3176
por ce que toz jorz vostre soie!»
Lors li dit sa mestre et otroie
que tant fera conjuremanz
et poisons et anchantemanz   3180
que ja de cest empereor
mar avra garde ne peor,

aucun prix. Jamais mon corps ne se prostituera pour se partager entre deux hommes. Qui a le cœur a aussi le corps, à l'exclusion de tous les autres hommes[42]. Mais je ne vois pas comment pourrait avoir mon corps celui à qui je donne mon cœur, quand mon père me donne à un autre et que je n'ose pas m'y opposer. Et puisqu'un époux est maître de mon corps, même s'il en use malgré moi, je n'ai pas le droit d'en accueillir un autre. En outre l'empereur ne peut prendre femme sans rompre son serment : c'est Cligès, à moins qu'on ne lui fasse du tort, qui aura l'empire après la mort de son oncle. Mais si vous étiez assez habile pour empêcher celui à qui je suis promise et donnée d'avoir rien de moi, vous me rendriez un immense service. Nourrice, mettez tous vos soins à empêcher qu'il ne manque à sa parole, lui qui a juré au père de Cligès, sur la foi du serment, qu'il ne se marierait jamais. Il va rompre son serment car il va bientôt m'épouser. Mais j'ai tant d'estime pour Cligès que je préfère être enterrée vivante plutôt que de le voir perdre par ma faute ne serait-ce qu'un denier de son héritage légitime. Puisse ne jamais naître de moi un enfant par qui il serait déshérité ! Nourrice, à vous d'agir, et je serai vôtre à jamais !»

Alors la nourrice lui garantit que grâce à ses sorts, ses philtres et ses enchantements, Fénice n'aura rien à craindre de l'empereur : ils couche-

---

[42] Dans le roman de Thomas, au moment du mariage de Tristan avec Iseut aux Blanches mains, on a une longue intervention du narrateur sur la situation de Marc, Iseut la Blonde, Tristan et Iseut aux Blanches Mains, fondée de la même façon sur la répartition du corps et du cœur. Marc souffre parce qu'il possède le corps d'Iseut mais pas son cœur. Tristan et Iseut ont le cœur de l'être aimé mais pas son corps et Iseut doit en outre subir le corps de son époux. Enfin Iseut aux Blanches mains ne possède ni le corps ni le cœur de l'homme qu'elle aime : éd. cit., p. 115-121, v. 1165-1288.

dt si girront ansanble andui,
mes ja tant n'iert ansanble o lui   3184
qu'ausi ne puisse estre a seür
con s'antre aus .II. avoit un mur.
Mes seul itant ne li enuit
qu'il a en dormant son deduit,   3188
car quant il dormira formant,
de li avra joie a talant
et cuidera tot antresait
que an veillant sa joie en ait,   3192
et ja rien n'en tenra a songe,
a losange ne a mançonge.
Einsi toz jorz de lui sera:
an dormant joër cuidera.   3196
La pucele ainme et loe et prise
ceste bonté et cest servise.
En boene esperance la met
sa mestre, qui ce lui promet   3200
et se li fïance a tenir,
car par ce cuidera venir
a sa joie, que que il tart,
que ja tant n'iert de male part   3204
Cligés, s'il set que ele l'aint,
que por li grant joie ne maint
(garder cuide son pucelage
Por lui sauver son heritage),   3208
qu'il aucune pitié n'an ait,
s'a boene nature retrait
et s'il est tex com estre doit.
La pucele sa mestre croit   3212
et molt s'i fïe et aseüre;
l'une a l'autre fïance et jure
que cist consauz iert si teüz
que ja n'iert en avant seüz,   3216
si est la parole finee.
Et quant vint a la matinee,
l'empereres sa fille mande;
Cele vint, quant il le comande.   3220
Que vos iroie tot contant?
Lor afeire vont apruichant

ront dans le même lit mais durant tout le temps qu'ils seront ensemble, elle sera en sécurité comme s'il y avait un mur entre eux deux. Mais il faut seulement qu'elle accepte qu'il ait son plaisir en dormant : quand il sera profondément endormi, il aura d'elle son plaisir à volonté ; il sera persuadé d'avoir ce plaisir en état de veille, sans être victime d'un songe, d'une tromperie ni d'un mensonge. Il en ira toujours ainsi pour lui : en dormant il croira connaître les jeux d'amour.

La jeune fille, reconnaissante, félicite sa nourrice et apprécie ce dévouement et ce service. Thessala lui donne bon espoir et lui garantit de tenir ses promesses. Fénice pense pouvoir ainsi parvenir au bonheur malgré les obstacles : Cligès ne sera pas assez cruel, s'il sait qu'elle l'aime, pour ne pas être heureux de cet amour. Elle veut garder sa virginité pour lui sauver son héritage : il est impossible qu'il n'ait pas pitié d'elle, s'il est d'une noble nature et tel qu'il doit l'être. La jeune fille, convaincue, accorde toute sa confiance à sa nourrice. L'une et l'autre se prêtent le serment de ne rien dire de ce plan afin que le secret soit bien gardé.

Après cet entretien, le matin venu, l'empereur convoque sa fille, qui obéit à son ordre. Que dire de plus ? Les deux empereurs concluent si

li dui empereor ansanble
que li marïages asanble   3224
et la joie el palés comance.
Mes n'i voel feire demorance
de parler de chascune chose;
a Thesala qui ne repose   3228
des poisons feire et atranprer
voel ma parole retorner.
Thessala tranpre sa poison;
espices i met a foison   3232
por adolcir et atranprer.
Bien les fet batre et destranprer
et cole tant que toz est clers
ne rien n'i est aigres n'amers,   3236
car les espices qui i sont
dolces et de boene oldor sont.
Qant la poisons fu atornee,
s'ot li jorz feite sa jornee   3240
et por soper furent assises
les tables et les napes mises;
mes le souper met an respit.
Thessala covient qu'ele espit   3244
par quel engin, par quel message
ele anvoiera son [bevrage]¹³³.
Au mangier furent tuit assis,
mes orent eüz plus de dis   3248
et Clygés son oncle servoit.
Thessala, qui servir le voit,
panse que son servise pert,
qu'a son deseritemant sert,   3252
si l'en enuie molt et poise.
Puis s'apanse come cortoise
del boivre servir an fera
celui cui joie et preuz sera.   3256
Por Cligés mande Thessala
et cil maintenant i ala,
si li a quis et demandé
por coi Thessala l'a mandé.   3260

─────────────
¹³³   message *AT*.

bien leur affaire que le mariage est célébré et que la fête commence au palais. Mais je ne m'attarderai pas à ces détails ; c'est à Thessala que je veux revenir, Thessala qui s'affaire à fabriquer et mélanger ses potions. Thessala prépare sa potion : elle y met des épices à foison pour l'adoucir et la couper ; elle les agite bien et les fait macérer et filtre le tout pour le rendre clair et enlever toute aigreur et toute amertume car les épices qu'elle y met sont douces et odorantes.

Quand la potion fut prête, le jour touchait à sa fin ; on dressa les tables pour le souper et l'on disposa les nappes. Mais je laisse là le souper. Thessala doit maintenant chercher par quelle ruse, par quel messager faire porter son breuvage. Tous les convives étaient à table et avaient eu plus de dix mets, et Cligès servait son oncle. Thessala, qui le voit servir, se dit qu'il emploie mal son service, car il travaille à se déshériter lui-même : elle en est contrariée et chagrine puis s'avise avec finesse de faire servir la boisson par celui qui en retirera joie et profit. Thessala fait venir Cligès, qui se rend aussitôt auprès d'elle et lui demande ce qu'elle lui veut. « Ami, dit-elle, je veux régaler l'empereur

«Amis, dist ele, a cest mangier
voel l'empereor losangier
d'un boivre qu'il avra molt chier,
si vos di bien, par saint Richier,   3264
ne vuel qu'enuit mes d'autre boive.
Je cuit que molt amer le doive,
c'onques de si boen ne gosta
ne nus boivres tant ne costa.   3268
Et gardez bien, jel vos acoint,
que nus autres n'an boive point,
por ce que trop en i a po.
Et ce meïsmes vos relo   3272
que ja ne sache dom il vint,
fors que par avanture avint
qu'antre les presanz le trovastes[134],
et por ce que vos esprovastes   3276   (f. 66v)
et santistes au vant de l'air
des boenes espices le flair,
et por ce que cler le veïstes,
le vin an sa coupe meïstes.   3280
Se par avanture l'enquiert,
sachiez que a tant peis en iert.
Mes por chose que vos ai dite,
n'en aiez ja mal souspite,   3284
car li boivres est clers et sains
et de boenes espices plains,
et puet cel estre an aucun tans
vos fera lié, si con je pans.»   3288
Quant cil ot que biens l'en vandra,
la poison prant, si l'en porta,
verse an la cope de cristal,
car ne set qu'il i ait nul mal.   3292
Devant l'empereor l'a mise.
L'emperere a la cope prise,
qui an son neveu molt se croit;
de la poison un grant tret boit,   3296
et maintenant la force sant
qui del chief el cors li descent

_____

[134]   *vers répété en bas du folio 66 et en haut du folio 66v ds A.*

à ce repas d'une boisson qu'il goûtera fort. Je vous le dis, par saint
Riquier, je veux qu'il ne boive rien d'autre ce soir. Je crois qu'il devrait
beaucoup l'aimer, car il n'a jamais rien bu d'aussi bon ni d'aussi cher. Et
veillez bien, je vous le recommande, à ce que personne d'autre n'en
boive, parce qu'il y en a trop peu. Et je vous en conjure également : qu'il
ignore l'origine du breuvage ! Dites que vous l'avez trouvé par hasard
parmi les cadeaux, que vous avez senti dans l'air la bonne odeur des
épices, que vous avez vu sa limpidité et que vous l'avez donc versé dans
sa coupe ! Si jamais il s'en informe, cette réponse le satisfera. Mais que
ces paroles ne vous donnent pas de mauvais soupçons ! Le breuvage est
limpide, sain et plein de bonnes épices, et peut-être qu'un jour il fera
votre bonheur, comme je le crois !» Quand Cligès entend qu'il s'en trouvera bien, il prend la potion, l'emporte, la verse, sans y voir rien de mal,
dans la coupe de cristal, qu'il dépose devant l'empereur. Et l'empereur
prend la coupe, confiant dans son neveu : il boit une grande gorgée et
sent aussitôt la force du philtre descendre de sa tête dans son corps puis

et del cors li remonte el chief
et le cerche de chief an chief;   3300
tot le cerche sanz rien grever.
Et quant vint as napes lever,
s'ot l'empereres tant beü
del boivre, qui li ot pleü,   3304
par nuit sera en dormant ivres
ne ja mes n'an sera delivres,
einz le fera tant traveillier
qu'an dormant le fera veillier.   3308
Or est l'empereres gabez.
Molt ot evesques et abez
au lit seignier et beneïr,
qant ore fu d'aler gesir.   3312
L'empereres, si com il dut,
la nuit avoec sa fame jut.
Si com il dut? Ai ge manti,
qu'il ne la beisa ne santi,   3316
mes an un lit jurent ansanble.
La pucele de peor tranble,
qui molt se dote et molt s'esmaie
que la poisons ne soit veraie.   3320
Mes ele l'a si anchanté
que ja mes n'avra volanté
de li ne d'autre, s'il ne dort,
et lors en avra tel deport   3324
con l'an puet an songent avoir,
et si tendra le songe a voir.
Neporquant cele le resoingne;
premieremant de lui s'esloigne   3328
ne cil apruichier ne la puet,
qu'araumant dormir li estuet.
Il dort et songe et veillier cuide,
s'est an grant poinne et an estuide   3332
de la pucele losangier.
Et ele li feisoit dongier
et se desfant come pucele,
et cil la prie et si l'apele   3336
molt dolcemant sa dolce amie.
Tenir la cuide n'an tient mie,

remonter du corps dans la tête et circuler dans tout son être, sans lui faire le moindre mal. Et au moment d'enlever les nappes, l'empereur a tant bu de cette boisson qui lui plaît fort que la nuit il sera ivre pendant son sommeil : le philtre ne le lâchera plus et travaillera si bien son corps qu'en dormant il croira être éveillé.

L'empereur est bien dupé. Il y eut des évêques et des abbés en grand nombre pour bénir le lit d'un signe de croix. Quand vint l'heure du coucher, l'empereur, comme il se devait, passa la nuit avec sa femme. Comme il se devait ? C'est un mensonge, car il ne l'embrassa pas, il ne la toucha pas, alors qu'ils étaient couchés ensemble dans le même lit. La jeune fille tremble de peur, angoissée, redoutant que le philtre n'agisse pas. Mais l'envoûtement est si puissant que l'empereur ne désirera plus jamais ni Fénice ni une autre femme que pendant son sommeil, et n'en aura alors que le plaisir qu'on peut avoir en songe, en prenant le songe pour la réalité. Pourtant Fénice a peur de lui ; d'emblée elle s'éloigne de lui mais il ne peut l'approcher, car aussitôt il tombe de sommeil. Il dort et rêve en croyant être éveillé : il se donne beaucoup de peine et de mal à cajoler la jeune fille, qui lui résiste et défend sa virginité. Lui la supplie et l'appelle tendrement sa douce amie ; il croit l'étreindre et ne l'étreint

mes de neant est a grant eise,
car neant tient et neant beise,   3340
neant tient, a neant parole,
neant voit et neant acole,
a neant tance, a neant luite.
Molt fu la poisons bien confite   3344
qui si le travaille et demainne.
De neant est an si grant painne,
car por voir cuide, et si s'an prise,
qu'il ait la forteresce prise.   3348
[Einsi le cuide, einsi le croit.
Et devient lassez et recroit][135].
A une foiz vos ai tot dit,
c'onques n'en ot autre delit.   3352
Ensi l'estovra demener
toz jorz mes, s'il l'en puet mener.
Mes ainz qu'a salveté la teigne,
criem que granz anconbriers li veigne,   3356
car quant il s'an retornera,
li dus pas ne sejornera
cui el fu premerains donee.
Grant force a o lui amenee,   3360
s'a totes les marches garnies ;
et a la cort sont les espies
qui li font savoir chascun jor
tot le covine et tot l'ator,   3364
et conbien il sejorneront
et quant il s'an retorneront,
par quel leu et par quel trespas.
L'empereres ne tarda pas   3368
aprés ses noces longuemant ;
de Coloigne part lieemant,
et l'empereres d'Alemaingne
le conduist a riche conpaingne,   3372
por ce que molt crient et ressoigne
la force le duc de Sessoigne.

_____

[135]   2 vers intervertis A.

pas: c'est du néant avec lequel il tire sa jouissance, du néant qu'il étreint, du néant qu'il embrasse, du néant qu'il tient, du néant auquel il parle, du néant qu'il voit, du néant qu'il enlace, du néant avec lequel il lutte et se débat. La potion avait été bien concoctée pour le tourmenter et le travailler ainsi. C'est pour du néant qu'il se donne ainsi tant de peine: il s'imagine, et s'en vante même, avoir pris la forteresse. C'est du moins ce qu'il se figure, et il se sent las et épuisé. Je vous le dis une bonne fois pour toutes: il n'eut jamais d'autre jouissance. C'est ainsi qu'il devra vivre désormais, si du moins il peut emmener son épouse.

Mais avant qu'il ne l'ait mise en lieu sûr, je crains qu'il ne rencontre de sérieux obstacles car sur la route du retour, le duc, à qui on l'avait d'abord promise, ne se tiendra pas tranquille. Il a amené une grande armée et posté des troupes à toutes les frontières; à la cour, il a ses espions qui lui font savoir chaque jour la situation et les préparatifs, la durée du séjour des Grecs, la date de leur départ, leur itinéraire et les passages qu'ils doivent emprunter. L'empereur ne s'attarda pas long-temps après ses noces: il quitta Cologne dans la liesse et l'empereur d'Allemagne l'accompagna avec une puissante escorte, de crainte d'une attaque du duc de Saxe.

Li dui empereor ne finent,
tresc'outre Reneborc cheminent   3376
et furent par une vespree
logié soz Dunoe an la pree.
Li Grezois furent an lor trez
delez Noire Forest es prez,   3380
et d'autre part logié estoient
li Sessoignois qui les gueitoient.
Li niés le duc en une angarde
s'an fu alez por prandre garde   3384
s'il porreit feire nul guehaing
sur ces de la ne nul mehaing.
La ou il ert an son esgart,
vit Cligés chevalchier soi quart   3388
de vaslez qui se deportoient,
et escuz et lances portoient
por behorder et por deduire.
Ja lor voldra grever et nuire   3392
ni niés le duc, s'il onques puet.
Atot [V.]¹³⁶ conpaignons s'esmuet,
si sont mis tot a celee
lez le bois en une valee   3396
si c'onques li Grezois nes virent
tant que de la valee issirent
et que li niés le duc s'adrece,
si fiert Cligés que il le blece   3400
un petitet desus l'eschine.
Cligés se beisse, si s'ancline
si que la lance outre s'an passe ;
neporquant un petit le quasse.   3404
Quant Cligés sant qu'il est bleciez,
vers le vaslet s'est adreciez,
sel vet ferir de tel randon   (f. 67)
que parmi le cors a bandon   3408
li met la lance, mort le ruie.
Lors se metent tost a la fuie
li Sesne, qui molt le redotent ;
parmi la forest se desrotent.   3412

_____
¹³⁶ II A.

Les deux empereurs ne firent aucune étape avant d'avoir dépassé Ratisbonne ; ils dressèrent leur camp un soir le long du Danube dans les prés. Les Grecs étaient dans leurs tentes, dans les prairies proches de la Forêt Noire[43], et de l'autre côté campaient les Saxons, qui les guettaient. Le neveu du duc était monté sur une hauteur pour voir s'il pourrait prendre quelque avantage sur ses ennemis et leur infliger quelque perte. De son observatoire, il vit Cligès, qui chevauchait gaiement avec trois jeunes gens : ils portaient leurs écus et leurs lances pour se distraire à la joute. Le neveu du duc, bien décidé à leur nuire, s'il en a l'occasion, s'ébranle avec cinq compagnons pour aller se cacher dans un vallon près du bois, si bien que les Grecs ne les virent que quand ils sortirent du vallon. Le neveu du duc s'élance contre Cligès, qu'il atteint et blesse légèrement en haut du dos. Cligès se baisse et se penche, si bien que la lance passe au-dessus de lui, non sans le blesser légèrement. Se sentant blessé, il s'élance vers le jeune homme et le frappe avec une telle force qu'il lui enfonce sa lance en plein corps et l'abat, mort, de son cheval. Les Saxons, pris de peur, s'enfuient et se dispersent dans la forêt. Et

---

[43] La Forêt Noire désigne aussi la forêt de Bavière entre Ratisbonne et Passau.

Et Cligés, qui ne set l'aguet,
hardemant et folie fet,
qui de ses conpaignons se part,
si les anchauce cele part   3416
ou la force le duc estoit,
et ja tote l'oz s'[aprestoit][137]
de feire as Grex une anvaïe;
toz seus les chace sanz aïe.   3420
et li vaslet, tuit esperdu
de lor seignor qu'il ont perdu,
vienent devant le duc corrant,
si li ont conté an plorant   3424
le domage de son neveu.
Li dus ne le tient mie a jeu
mes Deu et toz les sainz an jure
que joie ne boene aventure   3428
en tote sa vie n'avra
tant con celui vivant savra
qui son neveu li a ocis,
et dit que molt iert ses amis   3432
et molt le reconfortera
qui le chief l'en aportera.
Lors s'est uns chevaliers vantez
que par lui li iert presantez   3436
li chiés Cligés, [se il l'atant][138].
Cligés les vaslez chaça tant
que sus les Sesnes s'anbati,
et cil le voit qui s'anhati   3440
qu'il en aportera la teste;
or s'en vet que plus n'i areste.
Et Cligés s'est el retor mis
por esloignier ses anemis,   3444
si revint la toz eslessiez,
ou ses conpaignons ot lessiez,
mes n'en i a un seul trové,
qu'as trez s'an furent retorné   3448

---

[137] aparçoit A.
[138] s'il l'atant tant A.

Cligès, qui ne sait rien de l'embuscade, cède à une folle hardiesse et se sépare de ses compagnons pour les pourchasser du côté où se tiennent les troupes du duc. L'armée s'apprêtait déjà à attaquer les Grecs. Poursuivis par Cligès, tout seul et sans aide, les jeunes Saxons, tout désemparés d'avoir perdu leur seigneur, arrivent en courant près du duc et lui racontent en pleurant le malheur survenu à son neveu. Le duc ne prend pas cette perte à la légère : il jure sur Dieu et sur tous les saints qu'il n'aura plus jamais de joie ni de bonheur de toute sa vie tant qu'il saura vivant celui qui lui a tué son neveu ; il tiendra pour son ami et son consolateur celui qui lui rapportera la tête du meurtrier. Alors un chevalier s'est vanté de lui offrir, s'il l'attend, la tête de Cligès.

Cligès, tout à sa poursuite des fuyards, tombe sur les Saxons, et celui qui s'est fait fort de rapporter sa tête le voit et le suit sans plus tarder. Cligès fait demi-tour pour s'éloigner de ses ennemis et revient à toute allure là où il avait laissé ses compagnons, mais il n'en trouve pas un seul, car ils étaient retournés au camp pour raconter leur aventure.

[por lor aventure conter.
Et l'emperere ot fet monter][139]
Grex et Tiois comunemant;
par tote l'ost isnelemant   3452
s'arment et montent li baron.
Et cil a tant a esperon
totevoies Cligés chacié,
toz armez, son hiaume lacié.   3456
Qant Cligés le voit seul venir,
qui ainz ne vost apartenir
a recreant ne a failli,
de parole l'a assailli   3460
li chevaliers premieremant;
garçon l'apele estoutemant,
qui ne puet celer son corage:
«Garz, fet il, ça leiroiz le gage   3464
de mon seignor que tu as mort.
Se ton chief avoec moi n'en port,
donc ne me pris un faus besant.
Au duc en vuel feire presant;   3468
ja autre gage n'en prendrai:
por son neveu toi li rendrai,
s'en avra bien eü l'eschange!»
Cligés ot que cil le leidange   3472
come fos et mal afeitiez.
«Vasax, fet il, or vos gueitiez,
que ma teste vos chaloing gié;
ne l'avroiz mie sanz congié!»   3476
Atant li uns l'autre requiert:
cil a failli et Cligés fiert
si fort que lui et son destrier
a fet an un mont trebuchier.   3480
Li destriers chiet sor lui envers
si roidemant que an travers
l'une des janbes li peçoie.
Cligés sor l'erbe qui verdoie   3484
descent a pié; lors le desarme.
Qant desarmé l'ot, si s'en arme

---

[139]   2 vers intervertis A.

L'empereur avait fait monter à cheval Grecs et Tudesques tous ensemble et les chevaliers, dans toute l'armée, de s'armer rapidement et de monter en selle. Pendant ce temps le Saxon, tout armé, le heaume lacé, galopait à la poursuite de Cligès. Celui-ci, qui refuse de faire partie des chevaliers indignes et lâches, le voit venir, seul. Le chevalier le défie le premier, incapable de cacher ses sentiments, en le traitant insolemment de gredin : «Gredin, dit-il, tu vas maintenant payer la mort de mon seigneur, que tu as tué ! Je vais repartir avec ta tête, ou je ne vaux pas plus qu'un faux besant ! Je veux en faire présent au duc : je ne prendrai pas d'autre gage ! A la place de son neveu, c'est toi que je lui rendrai : l'échange sera équitable !» Cligès entend ces insultes dignes d'un fou et d'un malotru. «Vassal, dit-il, prenez garde ! Je vous dispute ma tête et vous ne l'aurez pas sans mon congé !» Ils se jettent alors l'un contre l'autre. Le Saxon manque son coup mais Cligès le frappe si fort qu'il renverse à la fois le cavalier et sa monture. Le destrier tombe à la renverse sur son maître si violemment qu'il lui casse une jambe. Cligès met pied à terre sur l'herbe verdoyante et désarme le vaincu puis se revêt de

et la teste li a colpee
de la soe meïsme espee.   3488
Qant la teste li a tranchiee,
si l'a en la lance fichiee
et dit qu'il an fera servise
au duc, cui il avoit promise   3492
la soe teste a presanter,
s'an estor le puet ancontrer.
Lors avoit an son chief assis
Cligés le hiaume, et l'escu pris,   3496
non pas le suen mes le celui
qui s'estoit conbatuz a lui,
et remontez estoit lors primes
sor le destrier celui meïsmes,   3500
et leisse le suen estraier
por les Grezois feire esmaier,
qant il vit plus de cent banieres
et batailles granz et plenieres   3504
[de Grés et de Tiois mellees.
Ja comenceront les mellees][140]
[entre les Saines et les Grés][141],
molt felenesses et cruex.   3508
Lués que Cligés venir les voit,
vers les Sesnes s'an vet tot droit,
et cil de lui chacier s'angoissent,
qui por les armes nel conoissent;   3512
et ses oncles s'an desconforte
por la teste que il an porte
an son sa lance, et cuide et croit
que la teste son neveu soit;   3516
n'est mervoille s'il en a dote.
Tote l'oz aprés lui s'arote,
et Clygès se fet tant chacier
por la meslee comancier   3520
que li Sesne venir le voient,
mes les armes toz les desvoient

[140]   2 vers absents A.
[141]   De Tyois ansanble et de Grex A.

ses armes et lui coupe la tête de sa propre épée. Une fois la tête tranchée, il la fiche sur sa lance : il se dit qu'il l'offrira au duc, à qui l'autre avait promis de présenter la sienne, s'il peut le rencontrer dans la bataille. Cligès avait alors posé le heaume sur sa tête et pris l'écu, non pas les siens, mais ceux de son adversaire, tout comme il était monté en selle sur le destrier de l'autre en laissant le sien en liberté, pour faire peur aux Grecs, quand il vit plus de cent bannières et de forts bataillons de Tudesques et de Grecs réunis. Bientôt s'engagera une mêlée cruelle et impitoyable entre les Saxons et les Grecs. Dès que Cligès les voit venir, il fonce droit vers les Saxons, et les Grecs se lancent à sa poursuite, car ils ne le reconnaissent pas à cause de ses armes. Son oncle se désespère en voyant la tête qu'il porte à la pointe de sa lance, persuadé que c'est celle de son neveu ; et sa méprise n'a rien d'étonnant. Toute l'armée s'ébranle derrière lui et Cligès se laisse pourchasser, dans l'intention de déclencher la mêlée, jusqu'à ce que les Saxons l'aperçoivent. Mais ils sont induits en erreur par les armes qu'il porte : il les a bien trompés et

dom il est armez et garniz.
Gabez les a et escharniz,   3524
car li dus et trestuit li autre,
si com il vient lance sor fautre,
dïent : « Nostre chevaliers vient !
An son sa lance que il tient   3528
aporte la teste Clygés,
et li Greu le chacent aprés.
Or as chevax por lui secorre ! »
Lors leissent tuit les chevax corre,   3532
et Clygés vers les Sesnes point,
desoz l'escu se clot et joint,
lance droite, la teste an son ;
[n'ot mie coer mains][142] de Sanson,   3536
n'estoit pas plus d'un autre forz.
D'anbes parz cuident qu'il soit morz
et Sesne et Greu et Alemant,
s'an sont cil lié et cil dolant.   3540
Mes par tans iert li voirs seüz,   (f. 67v)
car Cligés ne s'est pas teüz :
criant s'eslesse vers un Sesne,
sel fiert d'une lance de fresne   3544
a tot le chief, en mi le piz,
si que les estriés a guerpiz,
puis s'escrie : « Baron, ferez !
Je suis Cligés, que vos querez.   3548
Or ça, franc chevalier hardi !
N'en i ait nul acoardi,
nostre en est la premiere joste ;
coarz hom de tel mes ne goste ! »   3552
L'empereres molt s'esjoï,
quant son neveu Cligés oï,
qui si les semont et enorte ;
molt se resbaudist et conforte.   3556
Et li dus est molt esbahiz,
c'or set il bien qu'il est traïz
se la soe force n'est graindre :
ses genz fet serrer et estraindre.   3560

_____
[142]   Ne n'a mie cuer *A*.

dupés, car le duc et tous les autres, le voyant venir la lance en arrêt, s'écrient : «C'est notre chevalier ! Il apporte la tête de Cligès au bout de sa lance, et les Grecs le pourchassent : vite, à cheval, à son secours !» Tous se lancent alors au galop. Et Cligès fonce vers les Saxons, il se blottit et se tasse sous l'écu, la lance dressée et la tête à sa pointe. Il a le courage d'un Samson, mais sans sa force surhumaine[44]. Des deux côtés on le croit mort : les Saxons comme les Grecs et les Allemands. Les uns s'en réjouissent, les autres le pleurent. Mais bientôt la vérité éclatera car Cligès rompt le silence : il s'élance en criant contre un Saxon, le frappe en pleine poitrine de sa lance de frêne, où est fixée la tête, et lui fait vider les étriers en s'écriant : «Courage, barons ! C'est moi, Cligès, que vous cherchez ! Allons, nobles et hardis chevaliers ! Fi des couards ! La première joute est pour nous : les couards ne goûtent pas de tels plats !» L'empereur est fou de joie en entendant son neveu Cligès les exhorter ainsi ; il est soulagé et réconforté, alors que le duc, ébahi, sait bien qu'il est perdu si ses forces n'ont pas le dessus. Il fait resserrer les rangs et les

---

[44] Samson (*Juges*, XV) accomplit des exploits contre les Philistins grâce à sa force surnaturelle.

Et li Greu serré et rangié
ne se sont pas d'aus estrangié,
car duremant broichent et poignent.
D'endeus parz les lances anpoignent,   3564
si s'antr'acointent et reçoivent
si com a tel besoigne doivent.
As premerienes acointances
percent escuz et froissent lances,   3568
ronpent cengles, tranchent estriés;
vuiz i ont lessiez mainz destriers
de cez qui gisent an la place.
Mes comant que chascuns le face,   3572
Cligés et li dus s'antrevienent,
les lances esloingniees tienent,
et fierent de si grant vertu
li uns l'autre sor son escu   3576
que les lances volent an clices,
qui forz estoient et feitices.
Cligés ert el cheval adroiz:
en la sele remest toz droiz   3580
qu'il n'anbrunche ne ne chancele.
Li dus a vuidiee la sele
et maugré suen les estriés vuide.
Cligés prandre et mener l'en cuide   3584
et molt s'an travaille et esforce,
mes n'est mie soe la force,
car li Sesne assanblent antor,
qui li rescoënt par estor.   3588
Cligés neporquant sanz mehaing
part de l'estor a tot guehaing,
car le destrier au duc an mainne,
qui plus ert blans que nule lainne   3592
et valoit a oés un prodome
l'avoir Othevïen de Rome;
li destriers ert arrabiois.
Molt an sont lié Greu et Tyois   3596
quant Cligés voient sus monté,
car la valor et la bonté
de l'arrabi veü avoient.
Mes d'un agait rien ne savoient,   3600

Grecs, en rangs rapprochés, ne cherchent pas à les éviter: ils s'élancent dans une charge violente. Des deux côtés on empoigne les lances, on attaque, on reçoit les coups, comme dans toutes les batailles. Dès les premières rencontres, les écus sont percés, les lances brisées, les sangles rompues, les étriers tranchés. Bien des destriers n'ont plus de cavalier: ceux-ci gisent sur le sol. Mais sans s'occuper de ce qui se passe autour d'eux, Cligès et le duc se précipitent l'un sur l'autre, tenant leur lance baissée, et chacun frappe si violemment l'écu de son adversaire que les lances, pourtant solides et bien faites, volent en éclats. Cligès était un cavalier habile: il reste bien droit sur sa selle, sans se pencher ni chanceler. Le duc a malgré lui vidé la selle et les étriers. Cligès croit pouvoir l'emmener prisonnier et y met tous ses efforts, mais il n'a pas assez de force, car les Saxons s'assemblent autour d'eux et secourent leur duc de haute lutte. Cligès, cependant, quitte le combat sans blessure et avec un bon butin: il emmène le destrier du duc, qui était plus blanc que laine et qui valait, pour un preux, tous les trésors d'Octave de Rome; c'était un destrier arabe. Grecs et Tudesques sont tout heureux de voir Cligès sur une telle monture, car ils avaient remarqué la valeur et la qualité du cheval arabe. Mais ils ne se méfient pas d'un piège dont ils ne devaient

dom il ja ne s'aparcevront
tant que grant perte i recevront.
Une espie est au duc venue,
don grant joie li est creüe.   3604
« Sire, dist il, il n'a es tres
as Grezois un tot seul remés
qui se puisse nes point desfandre.
Or puez feire la fille prandre   3608
l'empereor, se tu me croiz,
tant con les Grex antendre voiz
a l'estor et a la bataille.
Et de tes chevaliers me baille,   3612
car je lor baillerai t'amie.
Par une viez voie enhermie
les conduirai si salvemant
que de Tyois ne d'Alemant   3616
ne seront veü n'ancontré,
tant que la pucele an son tré
porront prandre et mener si quite
que ja ne lor iert contredite.»   3620
De ceste chose est liez li dus;
cent chevaliers senez et plus
avuec l'espie a envoiez;
et cil les a si avoiez   3624
que la pucele en mainnent prise
n'il n'i ont pas grant force mise,
car de legier mener l'en porent.
Qant des trez esloigniee l'orent,   3628
par .XII. d'aus l'en anvoierent
ne gaires loing nes convoierent.
Li .XII. an mainnent la pucele,
li autre ont dite la novele   3632
au duc que bien ont esploitié.
Li dus n'avoit d'el covoitié,
si prant trives tot main a main
as Grezois jusqu'a l'andemain;   3636
trives ont prises et donees.
Les genz le duc sont retornees
et li Grezois, sanz plus d'atente,
repeirent chascuns a sa tente.   3640

s'apercevoir qu'après avoir subi une lourde perte.

Un espion est venu apporter au duc une nouvelle qui le remplit de joie. « Seigneur, dit-il, il ne reste pas dans le camp grec un seul homme capable de se défendre. Tu peux maintenant, crois-moi, faire enlever la fille de l'empereur, tant que les Grecs sont occupés à se battre. Donne-moi des chevaliers et je leur remettrai ton amie. Je les conduirai en toute sécurité par un vieux chemin écarté sans qu'ils rencontrent ni Tudesques ni Allemands : ils pourront tranquillement enlever la jeune fille dans sa tente sans la moindre opposition ». Le duc, ravi de ce plan, envoie plus de cent chevaliers expérimentés avec l'espion, qui les a si bien guidés qu'ils emmènent la jeune fille prisonnière sans avoir à déployer le moindre effort, car l'enlèvement est facile. Une fois loin du camp, ils la confient à douze d'entre eux, sans les accompagner plus avant. Les douze chevaliers emmènent la jeune fille, tandis que les autres vont annoncer au duc leur succès. Le duc, qui ne désirait rien d'autre, conclut aussitôt une trêve avec les Grecs jusqu'au lendemain. Une fois la trêve conclue, les hommes du duc s'en retournent et les Grecs, sans plus attendre, regagnent leurs tentes.

Mes Cligés seus en une engarde
remest, que nus ne s'an prant garde,
tant que les .XII. qui aloient
vit et celi qu'il an menoient   3644
tot le grant cors et les galos.
Cligés, qui vialt aquerre los,
vers aus s'esleisse eneslepas,
car por neant ne fuient pas,   3648
ce se pansse et li cuers li dit.
Tot maintenant que il les vit,
s'esleisse aprés ces, qui le voient
venir, si cuident bien et croient   3652
que ce soit li dus qui les sit.
«Contr'atendons le un petit!
Il s'est toz seus partiz de l'ost
et si vient aprés nos molt tost.»   3656
N'i a celui qui ne le cuit;
contre lui voelent aler tuit,
mes seus i vialt chascuns aller.
Cligés covient a avaler   3660
un grant val entre .II. montaingnes.
Ja mes d'ax ne seüst ansaignes
se cil contre lui ne venissent
ou il ne le contre-atendissent.   3664
Li .VI. li vienent a l'encontre
mes par un et un les ancontre;
avoec la pucele remainnent
li autre, qui soef l'en mainent   3668
le petit pas et l'anbleüre.
Et li .VI. vont grant aleüre,
poingnant vienent par mi un val.
Cil qui ot plus isnel cheval   3672
vint devant toz criant en haut: (f. 68)
«Dus de Sessoigne, Dex te saut!
Dus, recovree avons t'amie:
or n'an manront li Grezois mie,   3676
car ja t'iert bailliee et randue!»
Quant la parole a entandue
Cligés que cil li vet criant,
n'en a mie son cuer riant,   3680

Mais Cligès était resté seul sur une hauteur, sans être remarqué, et il vit passer les douze Saxons et leur prisonnière, qu'ils emmenaient au grand galop. Dans son désir d'accroître sa gloire, il fonce aussitôt sur eux, avec le pressentiment qu'ils ne fuient pas ainsi pour rien. Dès qu'il les voit, il s'élance donc à leur poursuite, et les autres le voient venir et sont persuadés qu'il s'agit du duc, qui les suit: « Attendons-le un peu: il a quitté le camp tout seul et vient vite nous rejoindre !» Tous en sont persuadés et tous veulent aller à la rencontre du duc, mais chacun veut y aller seul. Cligès doit descendre une grande vallée entre deux montagnes. Jamais il n'aurait retrouvé leurs traces s'ils n'étaient venus le rejoindre ou ne l'avaient attendu. Six d'entre eux viennent au devant de lui mais il les rencontre séparément. Les six autres restent avec la jeune fille et l'emmènent tranquillement au pas et à l'amble. Les six premiers piquent des deux et arrivent à toute allure au milieu d'une vallée. Celui qui avait le cheval le plus rapide devança les autres en s'écriant: « Duc de Saxe, Dieu te sauve ! Duc, nous avons repris ton amie ! Les Grecs ne l'emmèneront plus maintenant: tu vas la retrouver !» En entendant les paroles que lui crie le chevalier, Cligès n'a pas envie de rire ; il est même

einz est mervoille qu'il n'enrage.
Onques nule beste salvage,
lieparz ne huivres ne lieons,
s'ele vit [prandre]¹⁴³ ses feons,   3684
ne fu si ardant n'enragiee
ne de conbatre ancoragiee
con fu Clygés, car lui ne chaut
de vivre, [s'a]¹⁴⁴ s'amie faut;   3688
mialz vialt morir qu'il ne la rait.
Molt a grant ire an son deshait
et molt grant hardemant li done.
L'arrabi broche et esperone   3692
et vet desor la targe pointe
au Sesne doner tele anpointe,
de tel vertu, tot sanz mantir,
qu'al cuer li fet le fer santir :   3696
cist a Cligés aseüré.
Plus d'un arpant tot mesuré
a l'arrabi point et brochié
einçois que l'autre ait aprochié,   3700
car tuit venoient desroté,
ne l'un ne l'autre n'a doté,
car seul a seul joste a chascun,
ses ancontre par un et un   3704
ne li uns a l'autre n'aïe.
Au secont fet une anvaïe,
qui li cuidoit de son contraire
noveles dire et joie faire,   3708
si con li premiers avoit fet.
Mes Cligés n'a cure de plet
ne de sa parole escouter.
Sa lance el cors li vet bouter;   3712
au retraire li sans en vole
qu'il li tost l'ame et la parole.
Aprés ces .II. au tierz s'acople,
qui molt le cuidoit trover sople   3716

---

¹⁴³ Perdre *AN*.
¹⁴⁴ se *A*.

étonnant qu'il ne devienne fou de rage. Jamais bête sauvage, léopard, guivre ou lion, si on lui a pris ses petits, ne fut aussi enflammée de rage et âpre au combat que Cligès, car peu lui chaut de vivre, s'il n'a pas son amie. Il aime mieux mourir que la perdre, et la colère qui se mêle à son chagrin renforce son courage. Eperonnant son cheval arabe, il assène un tel coup sur le bouclier peint du Saxon que, sans mentir, il lui enfonce le fer jusqu'au cœur. De ce côté-là il est tranquille. Sur plus d'un arpent il éperonne son cheval avant d'atteindre le suivant, car tous venaient en ordre dispersé. Cligès n'en redoute aucun car il joute contre chacun d'eux successivement et les affronte séparément, sans qu'ils puissent se porter secours. Il attaque le deuxième, qui croyait, comme le premier, lui donner des nouvelles et le réjouir de ce qui fait son malheur. Mais Cligès n'a cure de ses paroles : il va lui planter sa lance dans le corps et fait jaillir le sang en la retirant, lui ôtant l'âme et la parole. Après ces deux-là, il rejoint le troisième, qui croyait le trouver bienveillant et le

et lié feire de son enui ;
le destrier broche ancontre lui.
Mes einz que mot dire li loise,
Cligés de sa lance une toise   3720
par mi le cors li a colee.
Au quart redone tel colee
qu'en mi le chanp pasmé le lesse.
Aprés le quart au quint s'eslesse   3724
et puis au siste aprés le quint.
De cez nus ne se contretint ;
toz les lesse teisanz et muz.
Moins en a les autres cremuz   3728
et plus hardiëmant requis,
puis qu'il n'ot garde de ces sis.
Qant de cez fu asseürez,
de honte et de maleürtez   3732
vet presant feire au remenant,
qui la pucele an vont menant.
Atainz les a, si les assaut
come lous qui a proie saut,   3736
fameilleus et esgeünez.
Or li est vis que buer soit nez
qant il puet feire apertemant
chevalerie et hardemant   3740
devant celi qui le fet ivre.
Or est morz s'il ne la delivre,
et cele rest autresi morte,
qui por lui molt se desconforte,   3744
mes nel set pas si pres de li.
Un poindre qui li abeli
a fet Cligés, lance sor fautre,
si fiert un Sesne et puis un autre   3748
si qu'anbedeus a un seul poindre
les a fez contre terre joindre,
et sa lance de fresne froisse.
Et cil chieent par tel angoisse   3752
qu'il n'ont pooir de relever
por lui mal feire ne grever,
car des cors furent anpirié.
Li autre .IIII., tuit irié,   3756

réjouir de ce qui fait son tourment. Cligès lance son destrier contre lui et, sans lui laisser dire un mot, lui enfonce une toise de sa lance en plein corps. Quant au quatrième, il lui porte un tel coup qu'il le laisse évanoui sur le sol. Après le quatrième il fonce sur le cinquième, puis sur le sixième. Aucun d'eux ne tient bon contre lui, il les laisse tous réduits au silence. Débarrassé de ces six adversaires, il redoute moins les autres et va les affronter encore plus hardiment.

Rassuré sur le compte des six premiers, il part offrir la honte et le malheur aux autres, qui emmènent la jeune fille. Il les rattrape et les attaque comme un loup à jeun et affamé qui saute sur sa proie. Il se sent bien heureux maintenant de pouvoir accomplir des exploits de chevalerie sous les yeux mêmes de celle qui le rend ivre d'amour. Il est mort s'il ne la délivre, et elle aussi est comme morte, désespérée à cause de lui, sans le savoir si près d'elle. Cligès s'élance au galop avec joie, la lance en avant, frappe un Saxon et puis un autre, si bien que dans le même assaut il les envoie tous deux à terre en brisant sa lance de frêne : leur chute est si violente qu'ils sont incapables de se relever pour se venger de lui, tant ils sont mal en point. Les quatre autres, furieux, se jettent sur

vont Cligés ferir tuit ansanble,
mes il n'enbrunche ne ne tranble
n'il ne li ont estrié tolu.
L'espee o le branc esmolu   3760
fors del fuerre isnelemant sache,
et por ce que boen gré l'en sache
celi a cui d'amors s'atant,
vet ancontre un Sesne batant,   3764
sel fiert de l'espee esmolue
que il li a del bu tolue
la teste et del col la mitié,
c'onques n'en ot autre pitié.   3768
Fenice, qui l'esgarde et voit,
ne set pas que ce Cligés soit.
Ele voldroit que ce fust il,
mes por ce qu'il i a peril   3772
dit qu'ele ne le voldroit mie;
de .II. parz li est boene amie,
car sa mort crient et s'enor vialt.
Et Cligés a l'espee aquialt   3776
les .III., qui fier estor li randent;
son escu li troënt et fandent,
mes n'ont pooir de lui baillier
ne de son hauberc desmaillier.   3780
Et quanque Cligés en ataint
devant son cop rien ne remaint
que tot ne confonde et deronpe,
s'est plus [tornanz][145] que n'est la tronpe   3784
que l'escorgiee mainne et chace.
Proesce et l'amors qui le lace
le font hardi et conbatant.
Les Sesnes a traveilliez tant   3788
que toz les a morz et conquis,
cez afolez et cez ocis,
mes c'un seul an leisse eschaper,
por ce qu'il erent per a per,   3792
et por ce que par lui seüst
li dus sa honte et duel eüst.

---

[145]   torninz *A*.

Cligès tous ensemble, mais il ne bouge pas plus qu'il ne tremble et ils ne lui font pas vider les étriers. Vite il tire du fourreau son épée à la lame acérée et pour mériter les faveurs de celle dont il espère être aimé, il se jette aussitôt sur un Saxon, qu'il frappe de son épée acérée, lui détachant du tronc la tête et la moitié du cou, sans plus de pitié. Fénice, qui le regarde, ne sait pas que c'est Cligès ; elle voudrait que ce soit lui, mais à cause du danger elle se dit qu'elle aime mieux le contraire : d'une façon ou de l'autre elle est une loyale amie car elle craint sa mort et souhaite sa gloire. Cligès affronte à l'épée les trois Saxons, qui lui résistent farouchement. Ils trouent et fendent son écu mais ne peuvent s'emparer de lui ni rompre les mailles de son haubert ; et rien ne peut résister à ses coups, tout est détruit et brisé. Il tourne plus vite que la toupie quand le fouet la mène et la chasse. La prouesse et l'amour qui le tient dans ses lacs le rendent hardi et agressif. Il a si bien harcelé les Saxons qu'ils les a tous occis ou vaincus, blessant les uns, tuant les autres. Il n'en laisse échapper qu'un seul, parce qu'ils faisaient jeu égal et qu'il voulait grâce à lui révéler au duc sa honte et sa douleur. Mais avant de le quitter, le

[Mais ains que cil de lui partist,
pria Cligés tant qu'il li dist   3796
son non, et cil le rala dire
au duc, qui molt en ot grant ire][146].
Quant li dus sot sa mescheance,
s'en ot grant ire et grant pesance.   3800
Et Cligés Fenice an remainne,
qui d'amors le travaille et painne,
mes s'or ne prant a li confesse,
lonc tans li iert amors angresse   3804
et a celi, s'ele se test
que ne die ce que li plest,
c'or puet bien dire en audïance
l'uns a l'autre sa concïance.   3808
Mes tant criement le refuser   (f. 68v)
qu'il n'osent lor cuers ancuser.
Cil crient que cele nel refust;
cele ancusee se refust   3812
s'ele ne dotast la refuse.
Et neporquant des ialz ancuse
li uns a l'autre son panser,
s'il s'an seüssent apanser.   3816
Des ialz parolent par esgart,
mes des boches sont si coart
que de l'amor qui les justise
n'osent parler an nule guise.   3820
Se cele comancier ne l'ose
n'est mervoille, car sinple chose
doit estre pucele et coarde.
Mes il qu'atant, de coi se tarde,   3824
qui por li est par tot hardiz,
s'est vers li seule acoardiz?
Dex!, ceste crienme don li vient,
c'une pucele seule [crient][147],   3828
sinple et coarde, foible et quoie?
A ce me sanble que je voie
les chiens foïr devant le lievre

---

[146]   *4 vers absents* A.
[147]   tient A.

vaincu lui demanda son nom, pour aller le dire au duc, qui en fut furieux. Quand le duc apprit son malheur, il fut rempli de fureur et de chagrin.

Quant à Cligès, il ramène Fénice, qui lui inflige les tortures et les tourments de l'amour. S'il ne se déclare pas maintenant, l'amour ne pourra que le faire souffrir ainsi qu'elle, si elle se tait et ne révèle pas son penchant. Maintenant ils peuvent bien se dire ouvertement leurs sentiments. Mais ils redoutent tant un refus qu'ils n'osent ouvrir leur cœur. Lui craint d'être repoussé ; et elle aurait bien risqué un aveu, si elle n'avait craint un refus. Pourtant chacun révèle des yeux ses sentiments à l'autre : si seulement ils s'en étaient avisés ! Leurs yeux se parlent avec sincérité mais leurs bouches peureuses n'osent nullement parler de l'amour qui les possède. Rien d'étonnant à ce qu'elle n'ose prendre les devants, car une jeune fille se doit d'être modeste et craintive. Mais lui, qu'attend-il, pourquoi tarder ainsi, lui qui partout est si hardi grâce à elle, et peureux devant elle seule ? Dieu !, d'où lui vient cette crainte d'une seule jeune fille, modeste et peureuse, faible et silencieuse ? J'ai l'impression de voir les chiens fuir devant le lièvre, et la truite chasser

et la turtre chacier le bievre,   3832
l'aignel le lou, li colons l'aigle,
et si fuit li vilains sa maigle,
dom il vit et dom il s'ahane,
et si fuit li faucons por l'ane   3836
et li gripons por le heiron,
et li luz fuit por le veiron,
et le lyon chace li cers,
si vont les choses a envers.   3840
Mes volantez an moi s'aüne
que je die reison aucune
por coi ç'avient a fins amanz
que sens lor faut et hardemanz   3844
a dire ce qu'il ont an pans,
qant il ont eise et leu et tans.

Vos qui d'Amors vos feites sage
et les costumes et l'usage   3848
de sa cort maintenez a foi
n'onques ne faussastes sa loi,
que qu'il vos an doie cheoir,
dites se l'en puet nes veoir   3852
rien qui por amor abelisse
que l'en n'an tresaille ou palisse.
Ja de ce contre moi n'iert nus
que je ne l'en rande confus,   3856
car qui n'en palist et tressaut
et sans et mimoires li faut;
en larrecin porchace et quiert
ce que par droit ne li afiert.   3860
Sergenz qui son seignor ne dote
ne doit pas aller an sa rote
n'il ne doit feire son servise.
Seignor ne crient qui ne le prise,   3864
et qui nel prise ne l'a chier,
einz se painne de lui trichier
et de la soe chose anbler.
De peor doit sergenz tranbler   3868
qant ses sires l'apele ou mande.
Et qui a Amor se comande,

le castor, l'agneau le loup, la colombe l'aigle ; de même le paysan fuit sa
bêche, qui le fait vivre en travaillant, le faucon fuit devant la cane, le
griffon devant le héron, le brochet devant le vairon, et le cerf chasse le
lion : c'est le monde à l'envers[45]. Mais le désir me prend d'expliquer un
peu les raisons pour lesquelles les amants parfaits manquent de bon sens
et de courage pour dire leur pensée quand les circonstances, le lieu et le
moment s'y prêtent.

Vous qui dites tout savoir d'Amour, qui observez loyalement les
coutumes et les usages de sa cour et qui n'avez jamais violé sa loi,
quelles qu'en soient les conséquences, dites-moi donc si l'on peut voir
l'objet que l'amour vous rend cher sans frissonner ou pâlir. Quiconque
me contredira là-dessus, je le couvrirai de confusion. Car qui reste sans
pâlir ni frissonner, manque de bon sens et de mémoire ; il cherche à
obtenir par fraude ce qui par droit ne lui revient pas. Un serviteur qui ne
craint pas son seigneur ne doit pas faire partie de sa maison ni continuer
à le servir. Quand on ne craint pas son seigneur, c'est qu'on ne l'estime
pas, et quand on ne l'estime pas, on ne l'aime guère et l'on fait tout pour
le tromper et le voler. Un serviteur doit trembler de peur quand son seigneur l'appelle. Or qui se consacre à Amour en fait son maître et son

---

[45] Sur le topos des *adunata*, « association de choses impossibles », monde à l'envers,
voir E.R. Curtius, *La Littérature européenne et le Moyen Age latin*, *op. cit.*, p 170-176.

son mestre et son seignor an feit,
s'est droiz qu'an remanbrance l'eit 3872
et qu'il le serve et qu'il l'enort,
s'il vialt bien estre de sa cort.
Amors sanz crienme et sanz peor
est feus ardanz et sanz chalor, 3876
jorz sanz soloil, cire sanz miel,
estez sanz flor, yvers sanz giel,
ciax sans lune, livres sans letre.
Et s'a neant le volez metre, 3880
que la ou crienme se dessoivre,
n'i fet amors a ramantoivre.
Qui amer vialt, crienbre l'estuet,
ou autremant amer ne puet; 3884
mes seul celi qu'il ainme dot
et por li soit hardiz par tot.
Donc ne fausse ne mesprant mie 3888
Cligés, s'il redote s'amie.
Mes por ce ne leissast il pas
qu'il ne l'eüst eneslepas
d'amors aresniee et requise, 3892
comant que la chose an fust prise,
s'ele ne fust fame son oncle.
Por ce sa plaie li reoncle
et plus li grieve et plus li dialt
qu'il n'ose dire ce qu'il vialt. 3896
Einsi vers lor gent s'en revienent,
et s'il de rien parole tienent,
n'i ot chose don lor chausist.
Chascuns sor un boen cheval sist, 3900
et chevalchent a grant esploit
vers l'ost, ou molt grant duel avoit.
Par tote l'ost de duel forssenent,
mes a nul voir dire n'asenent, 3904
qu'il dïent que Cligés est morz;
de c'est li diax et granz et forz.
Et por Fenice se resmaient,
ne cuident que ja mes la raient, 3908
s'est por celi et por celui
tote l'oz an molt grant enui.

seigneur : il est donc juste qu'il s'en souvienne, qu'il le serve et qu'il l'honore, s'il veut avoir sa place à sa cour. L'amour sans la crainte et la peur est un feu brûlant sans chaleur, un jour sans soleil, de la cire sans miel, un été sans fleurs, un hiver sans gel, un ciel sans lune, un livre sans lettres. Et pour réduire au silence tout opposant, là où disparaît la crainte, l'amour n'a plus sa place. Qui veut aimer doit craindre, sinon il ne peut aimer. Mais il ne doit redouter que celle qu'il aime, et pour elle se montrer hardi partout ailleurs. Cligès ne commet donc nulle faute en redoutant son amie. Mais il n'aurait pas manqué de lui déclarer aussitôt son amour, quelle que fût la réponse, si elle n'était la femme de son oncle. Sa plaie empire donc et le fait de plus en plus souffrir, parce qu'il n'ose exprimer son désir.

Ils reviennent ainsi auprès des leurs, et s'ils échangent des propos, ce n'est pas sur ce qui leur tient à cœur. Tous deux, montés sur de bons chevaux, font route à toute allure vers le camp, où régnait la désolation. Tout le monde, au camp, était fou de douleur, mais on avait bien tort de dire que Cligès était mort et de se désespérer à cause de lui. On se lamentait aussi sur Fénice, qu'on croyait perdue à jamais. C'est pour elle et pour lui que toute l'armée était dans la peine. Mais les jeunes

Mes cil ne tarderont mes gueires,
si changera toz li afeires,   3912
car ja sont an l'ost retorné,
s'ont le duel a joie torné.
Joie revient et diax s'an fuit ;
a l'encontre lor vienent tuit   3916
si que tote l'oz s'i assanble.
Li dui empereor ansanble,
quant il oïrent la novele
de Cligés et de la pucele,   3920
ancontre vont a molt grant joie.
A chascun est tart que il oie
comant Cligés avoit trovee
l'empereriz et recovree.   3924
Cligés lor conte et cil qui l'oent
molt s'an mervoillent et molt loent
sa proesce et son vasselage.
Et d'autre part li dus enrage,   3928
qui jure et afiche et propose
que seul a seul, se Cligés ose,
iert d'aus .II. la bataille prise,
si la fera par tel devise   3932
que se Cligés vaint la bataille,
l'empereres seürs s'an aille
et sa pucele o lui an maint ;
et se Cligés ocit ou vaint,   3936
qui grant domage li a fait,
por ce trives ne pes n'i ait
qu'aprés chascuns son mialz ne face.
Ceste chose li dus porchace   3940
et fet par un suen druguemant,   (f. 69)
qui greu savoit et alemant,
as .II. empereors savoir
qu'ainsi vialt la bataille avoir.   3944
Li messagiers dit son message
en l'un et en l'autre lengage
si que [bien][148] l'entandirent tuit.
Tote l'oz an fremist et bruit,   3948

---

[148]   bien *absent* A.

gens ne vont pas tarder et la situation va se retourner: ils sont déjà de retour dans le camp et le deuil fait place à la joie. La joie revient, le deuil s'enfuit, tous viennent à leur rencontre et toute l'armée finit par se rassembler autour d'eux. Les deux empereurs, apprenant les nouvelles de Cligès et de la jeune fille, vont ensemble à leu rencontre, tout joyeux. Chacun a hâte d'apprendre comment Cligès a retrouvé et délivré l'impératrice. Cligès leur raconte l'histoire et tous ses auditeurs de s'émerveiller et de vanter sa prouesse et sa bravoure. De son côté, le duc enrage. Il jure que si Cligès en a le courage, tous deux s'affronteront en combat singulier, selon les conditions suivantes: si Cligès triomphe, l'empereur pourra repartir tranquille en emmenant la jeune fille, qui sera sienne; mais si le duc tue ou vainc Cligès, qui lui a fait grand tort, ni paix ni trêve n'empêcheront chacun de défendre ses intérêts. Telle est la proposition du duc et il envoie un interprète, qui connaît le grec et l'allemand, pour faire savoir aux deux empereurs les termes du combat.

L'envoyé dit son message dans chacune des deux langues et se fait bien entendre de tous. Tout le camp en frémit et bruit: «A Dieu ne

et dïent que ja Deu ne place
que Cligés la bataille face;
et andui li empereor
an sont en molt grant esfreor.   3952
Mes Cligés as piez lor an chiet
et prie lor que ne lor griet,
mes s'ainz fist rien qui lor pleüst,
que il ceste bataille eüst   3956
en guerredon et an merite;
et s'ele li est contredite,
ja mes n'iert a son oncle un jor
ne por son boen ne por s'enor.   3960
L'empereres, qui tant avoit
son neveu chier com il devoit,
par la main contremont l'an lieve
et dist: «Biax niés, formant me grieve   3964
ce que tant vos sai conbatant
qu'aprés joie duel en atant.
Lié m'avez fet, nel puis noier,
mes molt me grieve a otroier   3968
qu'a la bataille vos envoi,
por ce que trop enfant vos voi.
Mes tant vos resai de haut cuer
que je n'os desdire a nul fuer   3972
rien qui vos pleise a demander,
car seulemant por comander
seroit il fet, ce sachiez bien.
Mes se proiere i valoit rien,   3976
ja cest fes n'enchargerïez.
– Sire, de neant pleidïez,
fet Cligés, car Dex me confonde,
se j'en prenoie tot le monde   3980
que la bataille n'en preïsse!
Ne sai por coi vos i queïsse
lonc respit ne longue demore.»
L'empereres de pitié plore,   3984
[et Cligés an plore de joie,
qant la bataille li otroie][149]:

―――――――――

[149]   2 vers intervertis A.

plaise, dit-on, que Cligès accepte le combat!» Et les deux empereurs sont épouvantés. Mais Cligès tombe à leurs pieds et les supplie de ne pas s'y opposer: s'ils ont jamais eu à se louer de lui, qu'ils lui donnent ce combat en récompense de ses mérites! Si on le lui refuse, il ne servira plus jamais son oncle pour son bien et pour son honneur. L'empereur, qui vouait à son neveu une affection légitime, le relève en le prenant par la main et lui dit: «Cher neveu, je suis très inquiet de vous voir si pugnace, car après la joie je n'en attends que du chagrin. Vous m'avez rendu très heureux, je ne puis le nier, mais je suis très inquiet à l'idée de vous envoyer au combat, car vous me semblez trop jeune. Je vous sais cependant le cœur si haut que je n'ose à aucun prix vous refuser une faveur: il suffit que vous la demandiez, sachez-le bien. Mais si mes prières avaient quelque poids, jamais vous ne prendriez cette responsabilité.

– Sire, vous plaidez pour rien, dit Cligès, car Dieu me confonde si je ne préfère pas ce combat à la conquête du monde entier! Je ne sais pourquoi je chercherais à avoir un long répit ou un long délai!»

L'empereur pleure de pitié mais Cligès pleure de joie de se voir accorder le combat. Bien d'autres versèrent des larmes mais sans aucun

la ot ploree mainte lerme.
Il n'i ot pris respit ne terme : 3988
einçois qu'il fust ore de prime,
par le suen message meïsme
fu la bataille au duc mandee
si com il l'avoit demandee. 3992
Li dus cuide et croit bien et pansse
que Cligés n'ait vers lui desfansse
que lués mort ou conquis ne l'ait ;
isnelemant armer se fait. 3996
Cligés, cui la bataille tarde,
de tot ce ne cuide avoir garde
que bien vers lui ne se desfande.
A l'emperere armes demande, 4000
qu'il vialt que chevaliers le face,
et l'empereres par sa grace
li done armes, et cil les prant
cui li cuers de bataille esprant, 4004
et molt la desirre et covoite ;
de lui armer formant s'esploite.
Qant armez fu de chief an chief,
l'empereres, cui molt fu grief, 4008
li va l'espee ceindre au flanc.
Cligés desor l'arrabi blanc
s'an monte armez de totes armes ;
a son col pant par les enarmes 4012
un escu d'un os d'olifant
tel qui ne peçoie ne fant
ne n'i ot color ne pointure.
Tote fu blanche s'armeüre, 4046
et li destriers et li hernois
si fu plus blans que nule nois.
Cligés et li dus sont monté,
s'a li uns a l'autre mandé 4020
qu'a la mivoie assanbleroient,
et de .II. parz lor genz seroient
tuit sanz espees et sanz lances,
par sairemant et par fiances 4024
que ja tant hardi n'i avra,
tant con la bataille durra,

délai, avant même l'heure de prime, on appela le duc au combat par son propre messager, aux conditions qu'il avait données.

Le duc s'imagine que Cligès est incapable de se défendre contre lui et d'éviter la mort ou la défaite; il se fait aussitôt armer. Cligès a hâte de se battre et ne doute nullement de sa capacité à se défendre. Il demande des armes à l'empereur et veut qu'il le fasse chevalier. Et l'empereur lui donne de bonne grâce des armes que Cligès reçoit, le cœur enflammé pour un combat qu'il désire à toute force. Quand il est armé de pied en cap, l'empereur, à contre-cœur, va lui ceindre l'épée au côté. Cligès monte sur son cheval blanc armé de toutes ses armes. A son cou il suspend par les brides un écu d'ivoire qui ne peut être brisé ni fendu, sans couleur ni peinture: ses armes étaient toutes blanches et le destrier ainsi que son harnais étaient plus blancs que neige.

Cligès et le duc sont montés en selle; ils ont convenu entre eux qu'ils se rencontreraient à mi-chemin et que leurs gens resteraient de part et d'autre, tous sans épée ni lance, après avoir prêté un serment: nul n'aurait l'audace, durant tout le combat, d'engager les hostilités, pas plus

qui s'ost movoir por nul mal faire
ne plus qu'il s'oseroit l'uel traire.   4028
Par cest consoil sont asanblé,
s'a a chascun molt tart sanblé
que il avoir doie la gloire
et la joie de la victoire.   4032
Mes ainz que cop feru i ait,
l'empereriz mener s'i fait,
que por Cligés est trespanssee,
mes de ce s'est bien [apanssee]¹⁵⁰   4036
que se il muert, elle morra :
ja nus eidier ne li porra
qu'avuec lui morir ne se lest,
car sanz lui vie ne li plest.   4040
Qant el chanp furent tuit venu,
haut et bas et juene et chenu,
et les gardes i furent mises,
lors ont andui lor lances prises,   4044
si s'antrevienent sanz feintise
que chascuns d'ax sa lance brise
et des chevax a terre vienent,
que as seles ne se retienent.   4048
Mes tost resont an piez drecié,
car de rien ne furent blecié,
si s'antrevienent sanz delai.
As espees notent un lai   4052
sor les hiaumes qui retantissent
si que lor genz s'an esbaïssent.
Il sanble a ces qui les esgardent
que li hiaume espraignent et ardent,   4056
car quant les espees resaillent,
estanceles ardanz an saillent
ausi come de fer qui fume
que li fevres bat sor l'anclume,   4060
qant il le tret de la [favarge]¹⁵¹.
Molt sont andui li vasal large

---

¹⁵⁰   apansse *A*.
¹⁵¹   faunarge *A. Corr. d'après P.*

qu'il n'aurait l'idée de s'arracher un œil. Sur cet accord, l'affrontement commence et chacun des deux adversaires a hâte d'avoir la gloire et la joie de la victoire. Mais avant le premier coup, l'impératrice se fait mener sur les lieux, anxieuse pour Cligès ; elle est bien décidée à mourir, s'il meurt, et personne ne pourra l'empêcher de mourir avec lui, car sans lui elle n'a plus envie de vivre.

Quand tous sont venus sur le terrain, les puissants comme les humbles, les jeunes comme les vieux, et que les gardes sont à leur place, les deux champions ont pris leur lance et s'attaquent sans merci : chacun brise sa lance et tombe de cheval, incapable de rester en selle. Mais ils sont vite relevés, car ils sont indemnes, et s'attaquent sans répit. De leurs épées ils jouent un lai sur les heaumes qui retentissent, à l'ébahissement général. Les spectateurs ont l'impression de voir les heaumes s'embraser et brûler, car quand les épées rebondissent, des étincelles ardentes en jaillissent, comme du fer fumant que le forgeron bat sur l'enclume, quand il le retire de la forge. Les deux champions distribuent

de cos doner a grant planté,
s'a chascuns boene volanté   4064
de tost randre ce qu'il acroit,
ne cil ne cist ne s'an recroit
que tot sanz conte et sanz mesure
ne rande chetel et ousure   4068
li uns a l'autre sanz respit[152].
Mes au duc vient a grant despit,   (f. 69v)
et molt an est iriez et chauz,
Qant il as primerains assauz   4072
N'avoit Cligés conquis et mort.
Un grant cop mervelleus et fort
Li done tel que a ses piez
Est d'un genoil agenoilliez.   4076
Par le cop don Cligés cheï
L'empereres molt s'esbahi
N'onques moins esperduz n'en fu
Que se il fust desoz l'escu.   4080
[Mes ne se pot mie tenir,
Que qu'il l'en deüst avenir][153],
Fenyce, tant fu esbahie,
Qu'el ne criast : « Sainte Marie ! »   4084
Au plus fort que ele onques pot.
Mes ele ne cria c'un mot,
Car atant li failli la voiz
Et si cheï pasmee an croiz   4088
Si qu'el vis est un po bleciee.
[Dui][154] haut baron l'ont redreciee,
qui l'ont tant sor ses piez tenue
que an son san fu revenue,   4092
qes onques nus qui la veïst,
quel sanblant que ele feïst,
qe set por coi el se pasma.
Onques uns seus ne l'an blasma,   4096
einçois l'en ont loee tuit,
car n'i a un seul qui ne cuit

---

[152]   *vers répété en bas du folio 69 et en haut du folio 69v ds A.*
[153]   *2 vers intervertis A.*
[154]   Li *A.*

leurs coups sans compter, chacun désireux de rendre vite ce qu'on lui prête ; ni l'un ni l'autre ne se lasse de rendre en hâte à son adversaire, sans compter, intérêt et capital. Mais le duc est très dépité et même fou de colère de n'avoir pas vaincu et tué Cligès dès le premier assaut. Il lui porte un coup d'une force si prodigieuse qu'il le fait tomber à ses pieds, un genou à terre. L'empereur, effrayé de voir Cligès tomber sous ce coup, est aussi éperdu que s'il était lui-même sous l'écu. Mais Fénice, dans son épouvante, ne peut s'empêcher de s'écrier, sans réfléchir : « Sainte Marie ! » de toutes ses forces. Elle ne prononça que ces mots car alors la voix lui manqua et elle tomba évanouie, les bras en croix, se blessant légèrement au visage. Deux grands seigneurs l'ont relevée et l'ont soutenue jusqu'à ce qu'elle reprenne ses esprits. Il était impossible, à la voir, quelle que fût sa contenance, de savoir la cause de son évanouissement. Loin de la blâmer, tous au contraire l'ont admirée, car chacun se figurait qu'elle aurait fait la même chose pour lui, s'il avait

qu'ele feïst ausi por lui,
se il fust an leu de celui;
mes de tot ce neant n'i a.   4100
Clygés, quant Fenice cria,
l'oï molt bien et antendi :
sa voiz force et cuer li randi,   4104
si resaut sus isnelemant
et vint au duc irieemant,
si le requiert et envaïst
que li dus toz s'an esbaïst,   4108
car plus le trueve bateillant,
fort et legier et conbatant,
que il n'avoit fet, ce li sanble,
qant il vindrent premiers ansanble.   4112
Et por ce qu'il crient son assaut,
li dist : « Vaslez, se Dex me saut,
molt te voi corageus et preu,
et se ne fust por mon neveu,   4116
que je n'oblïerai ja mes,
volantiers feïsse a toi pes
et la querele te lessasse,
ne ja mes plus ne m'an lassasse.   4120
– Dus, fet Cligés, que vos an plest ?
Don ne covient que son droit lest
cil qui recovrer ne le puet ?
De .II. max, quant feire l'estuet,   4124
doit an le moins malvés eslire.
Qant a moi prist corroz et ire
vostre niés, ne fist pas savoir.
Autretel poez or savoir   4128
que de vos ferai, s'onques puis,
se boene pes an vos ne truis. »
Li dus, cui sanble que Cligés
creüst an force tot adés,   4132
panse que mialz li vient assez,
einz que il fust del tot lassez,
qu'il en mi son chemin recroie
qu'il n'aut del tot a male voie   4136
et qu'il isse de male rote.
Nequedant ne li dit pas tote

été à la place de Cligès ; mais il n'en est rien. Cligès entend très bien le cri de Fénice ; sa voix lui rend force et courage : il se redresse immédiatement, marche rageusement contre le duc, l'affronte et l'assaille si bien que le duc, stupéfait, le trouve encore plus combatif, fort, agile et pugnace que lors de leur première rencontre. Et craignant l'affrontement, il dit : «Jeune homme, au nom de Dieu, je te vois plein de courage et de prouesse et si ce n'était pour mon neveu, que je n'oublierai jamais, je ferais volontiers la paix avec toi et je cesserais de me quereller avec toi et d'y épuiser mes forces.

   – Duc, répond Cligès, que décidez-vous ? Ne faut-il pas renoncer à son droit, quand on n'est pas capable de le recouvrer ? De deux maux, quand on y est contraint, il faut choisir le moindre[46]. Votre neveu a manqué de bon sens en s'emportant contre moi. Vous pouvez être sûr que si je le peux, je vous traiterai de la même manière, si je ne trouve pas en vous une paix loyale !».

   Le duc, qui a l'impression que la force de Cligès ne cesse de grandir, se dit qu'il a intérêt, avant d'être complètement épuisé, à renoncer à mi-chemin plutôt que de s'engager dans une voie dangereuse, et à sortir de cette impasse. Cependant il ne reconnaît pas la vérité aussi ouverte-

---

[46] Morawski, proverbe 486.

la verité si en apert.
«Vallez, fet il, gent et apert   4140
te voi molt et de fier corage,
mes trop par ies de juene aage.
Por ce me pans et sai de fi
que se je te vainc ou oci,   4144
que los ne pris n'i aquerroie
ne ja prodome ne verroie
ne gent, cui regehir deüsse
que a toi conbatuz me fusse,   4148
qu'ennor te feroie et moi honte.
Mes se tu sez que enors monte,
granz enors te sera toz jorz
ce que seulemant .II. estorz   4152
t'ies anvers moi contretenuz.
Or m'est cuers et talanz venuz
que la querele te guerpisse
et que plus a toi ne chanpisse.   4156
– Dus, fet Cligés, ne vos i valt.
Oiant toz le diroiz en halt
ne ja n'iert dit ne reconté
que vos m'an aiez fet bonté   4160
einz que de vos aie merci.
Oiant trestoz ces qui sont ci
le vos covandra recorder,
s'a moi vos volez acorder.»   4164
Li dus oiant toz le recorde ;
einsi ont fet peis et acorde.
Mes comant que li plez soit pris,
Cligés en ot et los et pris   4168
et li Grezois grant joie en orent.
Mes li Sesne rire n'en porent,
car bien orent trestuit veü
lor seignor las et recreü,   4172
ne ne fet mie a demander,
car s'il le poïst amander,
ja ceste acorde ne fust feite,
einz eüst Cligés l'ame treite   4176
del cors, se il le poïst feire.
Li dus an Sessoigne repeire

ment: «Jeune homme, dit-il, je te trouve noble, franc et de grand cœur, mais tu es encore bien jeune : je suis sûr qu'en triomphant de toi ou en te tuant je ne gagnerais aucune gloire, et que si j'avouais à un preux ou même à quiconque que je me suis battu avec toi, ce serait à ton honneur et à ma honte. Mais si tu sais le prix de l'honneur, ce sera à tout jamais pour toi un titre de gloire que d'avoir tenu bon contre moi le temps de deux joutes. J'ai donc décidé de mettre fin à cette querelle et d'arrêter le combat.

— Duc, dit Cligès, c'est inutile. Vous allez le dire bien haut devant tout le monde et personne n'ira raconter que vous m'avez fait une faveur, alors que c'est moi qui ai pitié de vous. Il vous faut le reconnaître devant toute l'assistance, si vous voulez que nous fassions la paix.»

Le duc reconnaît le fait devant toute l'assistance et ils ont ainsi fait la paix. Peu importe les conditions de la paix : c'est Cligès qui en eut toute la gloire et les Grecs en furent tout joyeux. Mais les Saxons n'avaient pas envie de rire, car ils avaient tous bien vu leur seigneur épuisé et à bout de forces. La question ne se posait même pas : s'il avait pu faire autrement, il n'aurait jamais conclu cet accord et s'il l'avait pu, il aurait arraché à Cligès l'âme du corps.

Le duc regagne la Saxe, dolent, morne et honteux car parmi ses

dolanz, mornes et vergondeus,
car de ses homes n'i a deus   4180
qui nel teingnent a mescheant,
a failli et a recreant.
Li Sesne a tote lor vergoigne
s'an sont retorné an Sessoigne,   4184
et li Grezois plus ne sejornent,
vers Constantinoble retornent
a grant joie et a grant leesce,
car bien lor a par sa proesce   4188
Cligés aquitee la voie.
Or ne les siust plus ne convoie
li empereres d'Alemaigne;
au congié de la gent grifaigne   4192
et de sa fille et de Cligés
et de l'empereor aprés,
est en Alemaigne remés;
et li empereres des Gres   4196
s'an vet molt bauz et molt heitiez.

Cligés li preuz, li afeitiez,
panse au comandemant son pere:
se ses oncles li emperere   4200
le congié li vialt otroier,   (f. 70)
requerre l'ira et proier
qu'an Bretaigne le lest aler
a son oncle et au roi parler,   4204
car conoistre et veoir les vialt.
Devant l'empereor s'aquialt
et si li prie, se lui plest,
que an Bretaigne aler le lest   4208
veoir son oncle et ses amis.
molt sagemant l'en a requis,
mes ses oncles l'en escondit
qant il sa requeste et son dit   4212
ot tote oïe et escoutee.
«Biax niés, fet il, pas ne m'agree
ce que partir volez de moi.
Ja cest congié ne cest otroi   4216
n'avroiz de moi qu'il ne me griet,

hommes, il n'y en a pas deux qui ne le tiennent pour malchanceux, vaincu et lâche. Les Saxons s'en sont retournés dans leur pays avec leur honte et les Grecs, sans plus tarder, s'en retournent vers Constantinople, dans la joie et la liesse: par sa prouesse, Cligès leur a bien dégagé la voie. L'empereur d'Allemagne ne les accompagne plus: prenant congé des chevaliers grecs, de sa fille, de Cligès et de l'empereur, il est resté en Allemagne et l'empereur des Grecs s'en va, heureux et satisfait.

Cligès le preux, le bien appris, pense aux recommandations de son père. Si son oncle l'empereur lui donne congé, il le priera de le laisser partir en Bretagne pour voir son oncle et le roi, car il a envie de les connaître et de les rencontrer. Il va trouver l'empereur et le prie de bien vouloir le laisser aller en Bretagne pour voir son oncle et ses amis. Il lui présente sa requête avec précaution, mais son oncle l'écoute puis la repousse: «Cher neveu, dit-il, je n'aime pas l'idée que vous désiriez me quitter. Jamais je ne vous donnerai cette permission de bon cœur. Ce qui

car molt me plest et molt me siet
que vos soiez conpains et sire
avoec moi de tot mon empire.»   4220
Or n'ot pas chose qui li siee
Cligés, quant ses oncles li viee
ce qu'il demande et requiert.
«Sire, fet il, a moi n'afiert,   4224
ne tant preuz ne sages ne sui
que avoec [vos]¹⁵⁵ n'avoec autrui
ceste conpaignie reçoive
ne qu'ampire maintenir doive :   4228
trop sui anfés et petit sai.
Por ce toche an l'or a l'essai
que l'an conoisse s'il est fins.
Ausi voel je, c'en est la fins,   4232
moi essaier et esprover
la ou je cuit l'essai trover.
An Bretaigne, se je sui preuz,
me porrai tochier a la queuz   4236
et a l'essai fin et verai
o ma proesce esproverai,
qu'an Bretaigne sont li prodome
qu'ennors et proesce renome.   4240
Et qui enor vialt gueaignier
a ces se doit aconpaignier :
enor i a et si gueaigne
qui a prodome s'aconpaingne.   4244
Por ce le congié vos demant,
et sachiez bien certenemant
que se vos ne m'an envoiez
et le don ne m'an otroiez,   4248
que g'irai sanz vostre congié.
– Biax niés, einçois le vos doing gié,
qant je vos voi de tel meniere
que par force ne par proiere   4252
ne vos porroie retenir.
Or vos doint Dex del revenir

---

¹⁵⁵   moi *AB. Corr. d'après CMPRST.*

me plairait et me réjouirait, c'est que vous partagiez avec moi la seigneurie de tout mon empire ». Cligès entend avec déplaisir son oncle
rejeter sa demande. « Sire, fait-il, je ne suis ni assez preux ni assez sage :
ce n'est pas à moi que revient ce partage avec vous ou avec un autre, ni
le gouvernement d'un empire. Je suis trop jeune et ignorant. On essaie
l'or à la pierre de touche pour savoir s'il est fin. Je veux moi aussi, pour
tout vous dire, m'essayer et me mettre à l'épreuve là où je crois trouver
la pierre de touche. C'est en Bretagne, si je suis preux, que je pourrai
m'essayer à la pierre fine et authentique et éprouver ma valeur : en Bretagne on trouve les preux renommés pour leur honneur et leur valeur, et
qui veut conquérir l'honneur doit rechercher leur compagnie : on retire
honneur et profit de la compagnie des preux. Je vous demande donc
congé et sachez bien que si vous ne m'y envoyez pas, si vous me refusez
cette faveur, je partirai sans votre permission.

   — Cher neveu, je préfère vous la donner, puisque je vous vois dans de
telles dispositions que ni la force ni la prière ne pourraient vous retenir.
Que Dieu vous donne le désir et l'envie de revenir bientôt ! Puisque mes

corage et volenté par tans !
Des que proiere ne desfans   4256
ne force n'i avroit mestier,
d'or et d'argent plain un setier
voel que vos an faciez porter,
et chevax por vos deporter   4260
vos donrai tot a vostre eslite.»
N'ot pas bien la parole dite
qant Cligés l'en ot mercïé.
Tot quanque li a destiné   4264
li empereres et promis
li a maintenant devant mis.
Cligés tant con lui plot et sist
d'avoir et de conpaignons prist,   4268
mes a oes le suen cors demainne
.IIII. divers destriers an mainne,
un sor, un fauve, un blanc, un noir.
Mes trespassé vos dui avoir   4272
ce qu'a trespasser ne fet mie.
Cligés a Fenice s'amie
vet congié querre et demander,
qu'a Deu la voldra comander.   4276
Devant li vient, si s'agenoille,
plorant que de ses lermes moille
tot son bliaut et son hermine,
et vers terre ses ialz ancline,   4280
que de droit esgarder ne l'ose ;
einsi come d'aucune chose
ait vers li mespris et forfeit,
si sanble que vergoigne en eit.   4284
Et Fenyce, qui le regarde
come foible chose et coarde,
ne set quele acoisons le mainne,
si li a dit a quelque painne :   4288
«Amis, biax frere, levez sus,
seez lez moi, ne plorez plus
et dites moi vostre pleisir !
– Dame, que dire ? que teisir ?   4292
Congié vos quier et congié proi,
car an Bretaigne aller en doi.

prières, mes ordres ou la force ne serviraient à rien, je veux que vous emportiez un plein setier d'or et d'argent et je vous donnerai les chevaux de votre choix pour votre agrément ». A peine eut-il fini de parler que Cligès le remercia. Tout ce que l'empereur lui a proposé et promis lui est aussitôt offert. Cligès prend autant d'argent et de compagnons qu'il lui plait et pour son usage personnel, il emmène quatre destriers de robe différente : un alezan, un fauve, un blanc et un noir. Mais j'ai failli oublier une scène qu'il ne faut pas passer sous silence.

Cligès va prendre congé de Fénice, son amie, et la recommander à Dieu. Arrivé devant elle, il s'agenouille en pleurs, mouillant de ses larmes le bliaut bordé d'hermine, les yeux rivés au sol, car il n'ose la regarder en face, comme s'il avait commis envers elle quelque mauvaise action : on dirait qu'il a honte. Et Fénice qui le regarde, faible et timide créature, ne sait quelle raison l'amène. Elle lui dit avec difficulté : « Mon ami, mon cher frère, relevez-vous ! Asseyez-vous près de moi, ne pleurez plus et dites-moi ce que vous voulez.

— Dame, que dire ? que taire ? Je vous demande congé et je vous prie de me l'accorder, car je dois aller en Bretagne.

– Donc me dites por quel besoigne,
einçois que le congié vos doigne.   4296
– Dame, mes peres me pria,
qant il morut et devia,
que por rien nule ne leissasse
que je an Bretaigne n'alasse   4300
tantost con chevaliers seroie,
et por rien nule ne voldroie
son comandemant trespasser.
Ne m'estovra gueires lasser   4304
a aler des ci jusque la:
en Grece trop longue voie a,
et se an Grece m'an aloie,
trop me seroit longue la voie   4308
de Constantinoble an Bretaigne.
Mes droiz est qu'a vos congié praigne
com a celi cui ge sui toz.»
Molt ot fez sopirs et sangloz   4312
au partir celez et coverz,
que [nus]¹⁵⁶ n'ot tant les ialz overz
ne tant i regart cleremant
qu'au departir certenemant   4316
de verité savoir peüst
que antr'aus .II. amor eüst.
Cligés, ja soit ce qu'il li poist,
s'an part tantost com il li loist;   4320
pansis s'an vet, pansis [remaint]¹⁵⁷
L'empereres et autre maint.
Mes Fenice est sor toz pansive:
ele ne trueve fonz ne rive   4324
el panser dom ele est emplie,
Tant [li abonde]¹⁵⁸ et monteplie.
Pansive est an Grece venue;
a grant enor i fu tenue   4328
come dame et empereriz.
Et ses cuers et ses esperiz

¹⁵⁶ uns A.

¹⁵⁷ remait A.

¹⁵⁸ i entant A.

— Avant que je vous l'accorde, dites-moi donc pour quelle affaire.

— Dame, mon père m'a recommandé, au moment de sa mort, de ne manquer pour rien au monde d'aller en Bretagne, dès que je serais chevalier. Et pour rien au monde je ne voudrais désobéir à son ordre. Je n'aurai guère de mal à aller d'ici jusque là-bas. La route est longue jusqu'en Grèce et si j'allais jusqu'en Grèce, le voyage serait très long de Constantinople en Bretagne. Mais il est juste que je prenne congé de vous car je suis à vous tout entier».

Il y eut bien des soupirs et des sanglots, cachés et secrets, au moment de la séparation : il suffisait d'ouvrir les yeux et de bien regarder pour savoir avec certitude que tous deux s'aimaient.

Cligès, malgré sa peine, s'éloigne dès qu'il en a le loisir. Il part, chagrin ; l'empereur reste, chagrin comme bien d'autres. Mais c'est Fénice la plus chagrine de tous : elle ne trouve ni fond ni rivage aux tristes pensées qui l'envahissent, qui l'obsèdent et se multiplient. Chagrine, elle est arrivée en Grèce. On l'y reçoit à grand honneur comme souveraine et impératrice ; mais son cœur et son esprit sont à Cligès, où

est a Cligés, quel part qu'il tort,
ne ja ne quiert qu'a li retort   4332
ses cuers, se cil ne li aporte   (f. 70v)
qui muert del mal dom il l'a morte ;
et s'il garist, ele garra
ne ja cil ne le conparra   4336
q'ele autresi ne le conpert.
En sa face ses max apert,
car molt est palie et changiee.
Molt est de sa face estrangiee   4340
la color fresche, clere et pure
que assise i avoit Nature.
Sovant plore, sovant sopire ;
molt li est po de son empire   4344
et de la grant enor qu'ele a.
[L'ore]¹⁵⁹ que Cligés s'en ala,
et le congié qu'il prist a li,
com il chanja, com il pali,   4348
les lermes et la contenance
a toz jorz an sa remanbrance,
com il vint devant li plorer
con s'il la deüst aorer,   4352
humbles et sinples, a genolz.
Tot ce li est pleisanz et dolz
a reconter et a retreire.
Aprés, por boene boche feire,   4356
met sor sa leingue un po d'espece :
[un dols mot que por tote]¹⁶⁰ Grece,
an celui san qu'ele le prist,
ne voldroit que cil qui le dist   4360
l'eüst ja pansé par faintié,
qu'ele ne vit d'autre daintié
ne autre chose ne li plest.
Cil seus moz la sostient et pest   4364
et toz ses max li asoage.
D'autre mes ne d'autre bevrage

¹⁵⁹ Lores *AM*.
¹⁶⁰ Que ele por trestote *A*.

qu'il aille, et elle n'a pas envie que son cœur lui revienne, à moins qu'il
ne lui soit rapporté par celui qui meurt du mal dont il la fait mourir. S'il
guérit, elle guérira, et le prix qu'il devra payer, elle aussi le paiera. Son
mal se lit sur son visage car elle est toute pâle et changée. La fraîche
couleur claire et pure qu'y avait déposé Nature s'est effacée de son
visage. Souvent elle pleure, souvent elle soupire et se soucie peu de son
empire et des grands honneurs qu'on lui rend. Elle a toujours en
mémoire l'heure du départ de Cligès, sa visite d'adieu, son visage altéré
et pâle, ses larmes, sa contenance, comment il était venu pleurer devant
elle comme en adoration, humble, sincère, à genoux. C'est un doux
plaisir que d'évoquer et de se rappeler tout cela. Après, pour la bonne
bouche, elle met sur sa langue un peu d'épice : un doux mot que, dans le
sens où elle l'a pris, elle ne voudrait pas, pour toute la Grèce, que celui
qui l'a prononcé l'ait dit par simple politesse, car elle se nourrit de cette
seule friandise et rien d'autre ne lui plait. Ce seul mot la soutient et la
nourrit, adoucit toutes ses souffrances. Elle ne veut goûter d'aucun autre
mets, d'aucun autre breuvage. C'est ce qu'a dit Cligès quand ils se sont

ne se quiert pestre n'abevrer,
car quant ce vint au dessevrer, 4368
dist Cligés qu'il estoit toz suens.
Cist moz li est pleisanz et buens,
que de la leingue au cuer li toche,
sel met el cuer et an la boche 4372
por ce que mialz en [soit][161] seüre.
Desoz nule autre serreüre
n'ose cest tresor estoier ;
nel porroit si bien [aloier][162] 4376
en autre leu com an son cuer.
Ja nel metra fors a nul fuer,
tant crient larrons et robeors.
Mes de neant li vient peors 4380
et por neant crient les escobles,
car cist avoirs n'est mie mobles,
einz est ausi com edefiz
qui ne puet estre desconfiz 4384
ne par deluge ne par feu
ne ja nel movera d'un leu.
Mes ele n'an est pas certainne.
Por ce i met et cure et painne 4388
a encerchier et a aprandre
a quoi ele s'an porra prandre.
En plusors menieres l'espont.
A li seule opose et respont 4392
et fet tele oposiẗïon :
« Cligés par quele entancïon
'je sui toz vostres' me deïst,
s'Amors dire ne li feïst ? 4396
– De quoi le puis je justisier
por qu'il me doie tant prisier
que dame me face de lui ?
N'est il plus biax que je ne sui 4400
et molt plus gentix hom de moi ?
– Nule rien fors Amors ne voi

---

[161] est *A. Corr. d'après CPRST.*
[162] envoier *A.*

quittés: qu'il était à elle tout entier. Ce mot lui fait du bien et, de sa langue, va toucher son cœur, et elle le conserve dans son cœur et dans sa bouche pour le garder en sûreté. Elle n'ose confier son trésor à aucune autre serrure; elle ne pourrait pas mieux le garder que dans son cœur. Elle ne l'en laissera sortir à aucun prix, tant elle craint les larrons et les brigands. Mais elle a tort d'avoir peur et de craindre les milans voleurs, car ce bien n'est pas meuble: il ressemble à un édifice qui ne peut être détruit ni par le déluge ni par le feu et qu'elle ne peut déplacer. Mais elle n'en est pas certaine et s'efforce donc de chercher et de savoir à quoi s'en tenir. Elle envisage plusieurs réponses; elle discute avec elle-même et se fait des objections:

«Dans quelle intention Cligès m'aurait-il dit 'Je suis tout à vous', si Amour ne le lui avait fait dire? Quel droits ai-je sur lui pour attendre de lui qu'il m'honore au point de faire de moi sa suzeraine? N'est-il pas plus beau et de plus haut rang que moi? Je ne vois qu'Amour qui puisse

qui cest don me poïst franchir.
Par moi, qui ne li puis ganchir,   4404
proverai, se il ne m'amast,
que por miens ne se reclamast,
ne plus que je soe ne fusse
tote, [ne dire]¹⁶³ nel deüsse,   4408
s'Amors ne m'eüst a lui mise ;
ne ne deüst an nule guise
Cligés dire qu'il fust toz miens,
s'Amors ne l'a en ses lïens,   4412
car s'il ne m'ainme, il ne me dote.
Amors, qui me done a lui tote,
espoir le me ra doné tot.
– Mes ce me resmaie de bot   4416
que c'est une parole usee,
si repuis bien estre amusee,
car tiex i a qui par losange
dïent nes a la gent estrange   4420
'Je sui vostres et quanques j'ai',
si sont plus jeingleor que jai.
Don ne me sai auquel tenir,
car ce porroit tost avenir   4424
qu'il le dist por moi losangier.
– Mes je li vi color changier
et plorer molt piteusemant.
Les lermes, au mien jugemant,   4428
et le chiere piteuse et mate
ne vindrent mie de barate :
n'i ot barat ne tricherie.
Li oel ne me mantirent mie   4432
don je vi les lermes cheoir.
Asez i poi sanblanz veoir
d'amor, se je neant en sai.
Oïl !, tant que [mar]¹⁶⁴ i panssai ;   4436
mar l'ai apris et retenu,
car trop m'en est mesavenu.

---

¹⁶³   ne dire ne dire *A*.
¹⁶⁴   mal *AMST*.

me valoir ce don. Je ne puis moi-même lui échapper et par mon exemple, je prouverai que s'il ne m'aimait pas, il n'aurait pas déclaré être à moi, pas plus que je ne serais tout à lui et n'aurais lieu de le dire, si Amour ne m'avait donnée à lui ; et Cligès n'aurait eu aucune raison de dire qu'il était tout à moi, si Amour ne le tenait en ses liens. Car il n'a aucune raison de me craindre, s'il ne m'aime pas. Amour, qui me donne à lui tout entière, me l'a peut-être aussi donné tout entier.

   – Mais ce qui m'inquiète le plus, c'est que l'expression est usée et je pourrais bien être abusée. Car il en est qui, par flatterie, disent même à des étrangers : 'Je suis à vous, avec tout ce que je possède !', mais ils sont plus menteurs que des geais[47]. Je ne sais à quoi m'en tenir car il se pourrait bien qu'il ait ainsi parlé par flatterie.

   – Pourtant je l'ai vu changer de couleur et pleurer à faire pitié. Ses larmes, je crois, et son visage triste et émouvant n'étaient pas une comédie. Ce n'était ni comédie ni tricherie. Ses yeux ne m'ont pas menti quand je les ai vus verser des larmes. J'ai bien pu y voir des marques d'amour, si j'en sais quelque chose. Oui, et ces pensées ont fait mon malheur ! C'est pour mon malheur que j'ai reçu cette leçon car elle me fait bien souffrir.

[47] Allusion à la fable du *Geai paré des plumes du Paon*, bien connue au Moyen Age : voir L. Harf-Lancner, « Métamorphoses d'une fable : *Le Geai paré des plumes du Paon*, d'Esope à La Fontaine », *Mélanges N. Cazauran*, Paris, Champion, 2002, p. 101-121. Cf. *infra*, v. 4892-4894.

– Mesavenu ? Voire, par foi !
Morte sui, quant celui ne voi   4440
qui de mon cuer m'a desrobee,
tant m'a losengiee et gabee.
Par sa lobe et par sa losenge
mes cuers de son ostel s'estrenge   4444
ne ne vialt o moi remenoir,
tant [het]¹⁶⁵ et moi et mon menoir !
Par foi, donc m'a cil maubaillie
qui mon cuer a en sa baillie :   4448
Ne m'ainme pas, ce sai je bien,
qui me desrobe et tost le mien.
– Jel sai ? Por coi ploroit il dons ?
Por coi ? Ne fu mie an pardons ;   4452
asez i ot reison de quoi.
– N'en doi neant prandre sor moi,
car de gent qu'an ainme et conoisse
se part an a molt grant angoisse.   4456
Qant il leissa sa conoissance,
si en ot enui et pesance
et s'il plora ne m'an mervoil.
Mes qui li dona cest consoil   4460
qu'an Bretaigne alast demorer
ne me poïst mialz acorer.
Acorez est qui son cuer pert.
Mal doit avoir qui le [desert]¹⁶⁶,   4464
mes je ne le desservi onques.   (f. 71)
Ha, dolante !, por coi m'a donques
Cligés morte sanz nul forfet ?
– Mes de neant le met an plet,   4468
car je n'i ai nule reison.
Ja Cligés an nule seison
ne deignast, ce cuit je tres bien,
que ses cuers fust paraus au mien.   4472
Mes parauz, fait [el]¹⁶⁷, n'est il mie,
et s'a li miens pris conpaingnie

---

¹⁶⁵ het *absent* A.

¹⁶⁶ suen pert A.

¹⁶⁷ ele A.

– Souffrir? Oui, vraiment! Je meurs de ne pas voir celui qui m'a dérobé mon cœur à force de flatteries et de beaux discours! Il m'a si bien enjôlée et flattée que mon cœur quitte son logis et ne veut pas rester avec moi, dans sa haine pour moi et la demeure que je lui offre! Vraiment, il m'a bien mal traitée, lui qui possède mon cœur. Il ne m'aime pas, je le sais, pour me dérober ainsi mon bien.

– Je le sais? Pourquoi pleurait-il donc? Pourquoi? Ce n'était pas pour rien, il avait bien des raisons pour pleurer. – Mais je n'en suis nullement la cause. On souffre cruellement quand on se sépare de ceux qu'on connaît et qu'on aime. Il a éprouvé du chagrin de quitter ses amis et ses pleurs n'ont rien d'étonnant. Mais celui qui lui a donné ce conseil d'aller séjourner en Bretagne n'aurait pas mieux pu m'arracher le cœur. C'est un arrachement que de perdre son cœur. Il y en a qui méritent de souffrir, mais moi je ne l'ai jamais mérité! Hélas!, malheureuse, pourquoi donc Cligès m'a-t-il fait mourir sans que j'aie fait le moindre mal?

– Mais je l'accuse pour rien, car je n'ai aucune raison de le faire. Jamais Cligès ne daignerait accepter, je le sais bien, que son cœur fût l'égal du mien. Il n'est nullement l'égal du mien. Et pourtant mon cœur

au suen ne ja n'en partira ;
ja li suens sanz le mien n'ira,   4476
car li miens le siust en anblee.
Tel conpaingnie ont assanblee
car a la verité retraire,
il sont molt divers et contraire.   4480
    – Comant sont contraire et divers ?
    – Li suens est sire et li miens sers,
et li sers, maleoit [gré][168] suen,
doit feire au seignor tot son buen   4484
et lessier toz autres afeires.
A moi en chaut, lui n'en chalt gueires
de mon cuer ne de mon servise.
Molt me poise ceste devise   4488
que li uns est sires des deus.
Por coi ne puet li miens toz seus
autant come li suens par lui ?
Si fussent d'un pooir andui !   4492
Pris est mes cuers, qui ne se puet
movoir quant li suens ne se muet,
et se li suens erre ou sejorne,
li miens s'aparoille et atorne   4496
de lui siudre et d'aler aprés.
Dex !, que ne sont li [cors][169] si pres
que je par aucune maniere[170]
ramenasse mon cuer arriere !   4500
    – Ramenasse ? Fole, mauveise,
si l'osteroie de son eise !
Ainsi le porroie tuer.
La soit ! ja nel quier remuer,   4504
einz voel qu'a son seignor remaingne
tant que de lui pitiez li praigne,
qu'ainçois devra il la que ci
de son sergent avoir merci,   4508
por ce qu'il sont an terre estrenge.
S'or set bien servir de losenge,

[168] gré *absent A.*

[169] cuer *A.*

[170] *vers répété A.*

vit dans la compagnie du sien et ne le quittera jamais; jamais le sien n'ira sans le mien, car le mien le suit en cachette: ils se font ainsi compagnie. Mais à dire vrai, ils sont très différents et même opposés.

    – En quoi sont-ils différents et opposés?

    – C'est que le sien est maître et le mien esclave, et l'esclave doit, malgré lui, faire toutes les volontés de son maître et laisser là tout le reste. Moi, je m'en soucie, mais lui ne se soucie guère de mon cœur ni de mon service. Je souffre de cette différence qui veut que l'un soit maître des deux. Pourquoi le mien, à lui seul, n'a-t-il pas autant de pouvoir que le sien? Si seulement ils pouvaient avoir tous deux le même pouvoir[48]! Mais mon cœur prisonnier ne peut changer de place si le sien n'en change pas. Et que le sien voyage ou s'arrête, le mien se prépare à le suivre.

    – Mon Dieu!, que ne sont nos corps si près l'un de l'autre que je parvienne à ramener mon cœur en arrière!

    – Le ramener? Pauvre folle!, je l'enlèverais ainsi à son bonheur et je pourrais le tuer! Qu'il reste donc! Je ne veux plus le faire bouger, je veux qu'il reste avec son maître jusqu'à ce que celui-ci en ait pitié. Le maître se montrera plus facilement compatissant envers son serviteur là-bas qu'ici, parce qu'ils sont en terre étrangère. Si le serviteur sait bien user de flatterie, comme on doit le faire dans les cours, il sera riche avant

---

[48] Contrairement à l'interprétation des autres traducteurs (*si* adverbial au sens de ainsi), qui aboutit à un truisme, on peut voir dans *si* une forme de la conjonction *se* introduisant une hypothétique marquant le regret, avec ellipse de la principale. (P. Ménard, *Syntaxe de l'ancien français*, §153, 5.)

si com an doit servir a cort,
molt iert riches einz qu'il s'an tort.   4512
Qui vialt de son seignor bien estre
et delez lui seoir a destre,
si com il est us et costume,
del chief li doit oster la plume,   4516
neïs quant il n'en i a point.
Mes ici a un malvés point,
car il aplaigne par defors,
et se il a dedanz le cors   4520
ne malvestié ne vilenie,
ja n'iert tant cortois qu'il li die,
einz fera cuidier et antendre
qu'a lui ne se porroit nus prandre   4524
de proesce et de savoir,
si cuide cil qu'il dïe voir.
[Mal se conoist qui autrui croit
de chose qui en lui ne soit][171]   4528
car quant il est fel et enrievres,
malvés et coarz come lievres,
chiches et fos et contrefez
et vilains an diz et an fez,   4532
le prise par devant et loe
tiex qui derriers li fet la moe.
Mes einsi le loe oiant lui
que il en parole a autrui   4536
et si fet quainses que il n'ot
de quanqu'antr'aus .II. dïent mot.
Mes s'il cuidoit qu'an ne l'oïst,
ja ne diroit dom cil joïst.   4540
Et se ses sires vialt mantir,
cil est pres del tot consantir
[et qanqu'il ot por voir afice,
ja ne ara la lange cice][172].   4544
Qui les corz et les seignors onge
servir le covient de mançonge.

_____

[171]   *2 vers absents A. Corr. d'après CMPRST.*
[172]   *2 vers absents A.*

son retour. Qui veut se faire bien voir de son maître et être assis à sa droite, selon les us et coutumes, doit lui enlever la plume qui lui reste dans les cheveux, même quand il n'y en a pas. Mais l'inconvénient, c'est qu'il flatte l'apparence extérieure et que si son maître n'a intérieurement que lâcheté et vilenie, il n'aura pas l'honnêteté de le lui dire ; il le laissera au contraire se croire d'une prouesse et d'une sagesse inégalables. Et l'autre se figure que son serviteur dit vrai. Il se connaît mal, celui qui se laisse persuader par autrui qu'il des qualités qu'il ne possède pas. Alors qu'il est cruel, méchant, lâche et couard comme un lièvre, avare, fou, contrefait, indigne en paroles comme en actes, il y en a pour faire son éloge par devant et lui faire la grimace par derrière ; le flatteur le couvre d'éloges, en sa présence, en parlant aux autres comme si l'autre n'entendait rien de la conversation. Mais s'il croyait ne pas être entendu, alors ses paroles ne feraient pas plaisir à son maître. Et si le maître veut mentir, le flatteur est prêt à l'approuver et à garantir sans restriction la vérité de ses propos. Qui fréquente les cours et les seigneurs doit forcément user de mensonge. Mon cœur doit agir de même

Autel covient que mes cuers face
s'avoir vialt de son seignor grace: 4548
loberres soit et losengiers.
– Mes Cligés est tex chevaliers,
si biax, si frans et si leax,
que ja n'iert mançongiers ne fax   4552
[mes cuers][173], tant le sache [loër][174],
qu'an lui n'a riens que amander.
Por ce voel que mes cuers le serve,
car li vilains dist an sa verve: 4556
'Qui a prodome se comande
malvés est se de lui n'amande'».
Einsi travaille Amors Fenice,
mes cist travauz li est delice,   4560
qu'ele ne puet estre lassee.
Et Cligés a la mer passee,
s'est an Galinguefort venuz.
La s'est richemant contenuz   4564
a bel ostel, a grant despanse.
Mes toz jorz a Fenice panse,
que il ne l'entr'oblie une ore.
La ou il sejorne et demore,   4568
s'ont tant enquis et demandé
ses genz, cui il l'ot comandé,
que dit et reconté lor fu
que li baron le roi Artu   4572
et li cors meïsmes le roi
avoient anpris un tornoi.

Es plains devers Osenefort,
qui pres ert de Galinguefort,   4576
ensi ert anpris li estorz,
qui devoit durer .IIII. jorz.
Mes ainz porroit molt sejorner
Cligés por son cors atorner,   4580
se rien li faut endemantiers,
car plus de .XV. jorz antiers

---

[173]   Vers moi *AT*.
[174]   lober *A*.

s'il veut avoir les bonnes grâces de son maître. Il doit être flatteur et fla-
gorneur.

– Mais Cligès est un chevalier si beau, si noble et si loyal que mon
cœur ne dira jamais un mensonge en le couvrant d'éloges, car il n'y a
rien à reprendre en lui. Je veux donc que mon cœur le serve, car le vilain
le dit bien dans son proverbe : 'Qui s'attache à un homme de bien est
mauvais s'il n'en retire du profit'»[49].

C'est ainsi qu'Amour tourmente Fénice mais ce tourment lui est un
délice dont elle ne se lasse pas.

Quant à Cligès, il a traversé la mer et est arrivé à Wallingford. Là il
s'est installé richement dans un beau logis, à grands frais. Mais il pense
sans cesse à Fénice et ne l'oublie à aucun moment. Durant ce séjour, ses
gens se sont informés, sur son ordre, et ont appris que les barons du roi
Arthur et le roi lui-même avaient organisé un tournoi.

Les joutes devaient se tenir dans les plaines du côté d'Oxford, près
de Wallingford, et durer quatre jours. Mais Cligès pouvait prendre son
temps pour s'équiper, s'il lui manquait quelque chose, car il y avait
encore plus de quinze jours avant le tournoi. Il envoie sur le champ à

---

[49] Morawski 544 : « De prodome doit l'en amender ».

avoit jusqu'au tornoiemant.
A Londres fet isnelemant   4584
.III. de ses escuiers aler,
si lor comande a aporter
trois peires d'armes desparoilles,
unes noires, autres vermoilles,   4588
les tierces verz, mes au repeire
comande que chascune peire
fust coverte de toile nueve,
que se nus an chemin les trueve,   4592
ne savra de quel taint seront
les armes qu'il aporteront.
Li escuier maintenant muevent,
a Londres vienent et s'i truevent   4596
apareillié quanque il quierent.
Tost orent fet, tost repeirierent;
revenu sont plus tost qu'il porent[175].
Les armes qu'aportees orent   4600   (f. 71v)
mostrent Cligés, qui molt les loe.
Avoec celes que sor Dunoe
li empereres li dona
quant a chevalier l'adoba,   4604
les a fet repondre et celer.
Qui ci me voldroit apeler
por quel chose il les fist repondre,
ne l'en voldroie ore respondre,   4608
car bien vos iert dit et conté,
quant es chevax seront monté
tuit li haut baron de la terre
qui i vienent por los aquerre.   4612
Au jor qui fu nomez et pris
assanblent li baron de pris.
Li rois Artus avoec les suens,
qu'esleüz ot [entre][176] les buens,   4616
devers Obsenefort se tint.
Devers Galinguefort revint

---

[175]   *vers répété au bas du folio 71 et en haut du folio 71v ds A.*
[176]   avoec *A.*

Londres trois de ses écuyers en leur ordonnant de lui rapporter trois
séries d'armes différentes : les premières noires, d'autres vermeilles et
les dernières vertes, mais il ordonne qu'au retour on les recouvre toutes
de housses neuves, pour empêcher ceux qu'ils rencontreront en route de
connaître la couleur des armes qu'ils transportent. Les écuyers se
mettent en route sur le champ, arrivent à Londres, où ils trouvent tout de
suite tout ce qu'il leur faut. Ils ont vite fait et sont vite de retour, le plus
rapidement possible. Ils montrent les armes qu'ils ont rapportées à
Cligès, qui en est très satisfait. Il les a fait soigneusement cacher avec
celles que l'empereur lui avait données près du Danube, pour son adoubement. Si l'on voulait me demander pourquoi il les avait cachées, je
refuserais de répondre : vous le saurez tout à l'heure, quand seront
montés en selle tous les hauts barons du pays, qui viennent conquérir la
gloire. Au jour fixé se rassemblent les barons de grand renom.

Le roi Arthur et ses hommes (qu'il avait choisis parmi les meilleurs)
se tenaient du côté d'Oxford[50]. Du côté de Wallingford était venu le plus

---

[50] Le tournoi au XIIe et au XIIIe siècles oppose deux équipes, « ceux de çà » (de la
ville) et « ceux de là » (de l'extérieur). Voir G. Duby, *Le dimanche de Bouvines*, Paris,
NRF, 1973, p. 110-128. C'est « une cohue où nul ne combat seul à seul » (*ibid.*, p. 118), où
l'on recherche la gloire et surtout l'argent. Il est parfois précédé, comme ici, d'une « sorte
de novillada, qui n'est qu'amusette » (p 121). Le soir, les vainqueurs emportent les destriers qu'ils ont conquis, les prisonniers pensent à leur rançon. (p. 123). Chrétien donne
donc du tournoi une vision réaliste mais pour mieux mettre en valeur, par contraste, le dés-
intéressement de Cligès, qui ne songe qu'à la gloire.

li plus de la chevalerie.
Cuidiez vos or que je vos die,   4620
por feire demorer mon conte :
« Cil roi i furent et cil conte
et cil et cil et cil i furent » ?
Qant li baron asanbler durent,   4624
si con costume ert a cel tens,
s'an vint poignant entre .II. rens
uns chevaliers de grant vertu,
de la mesniee au roi Artu,   4628
por le tornoi tost comancier.
Mes nus ne s'an ose avancier
qui por joster contre lui veigne ;
n'i a nul qui coiz ne se teigne,   4632
et si a de tiex qui demandent :
« Cil chevalier a quant atandent,
que des rens ne s'an part aucuns ?
Adés comancera li uns. »   4636
Et li plusor dïent ancontre :
« Don ne veez vos quele ancontre
nos ont envoiez cil de la ?
Bien sache qui seü ne l'a   4640
que des .IIII. meillors qu'an sache
est cist [une parelle estache][177].
– Qui est il donc ? – Si nel veez ?
C'est Sagremors li Desreez.   4644
– C'est il ? – Voire, sanz nule dote. »
Cligés, qui ce ot et escote,
sist sor Morel, s'ot armeüre
plus noire que more meüre ;   4648
noire fu s'armeüre tote.
Del ranc aus autres se desrote
et point Morel, qui se desroie,
mes n'i a un seul qui le voie,   4652
qui ne dïent l'uns d'ax a l'autre :
« Cist s'an vet bien lance sor fautre,
ci a chevalier molt adroit,
molt porte ses armes a droit,   4656

---

[177]   li uns qu'est en la place *A*.

grand nombre de chevaliers. N'allez pas vous imaginer que pour allonger mon récit je vais vous dire : « Il y avait tel roi et tel comte et tel et tel chevalier ! » Au moment où la rencontre devait commencer, on vit venir, comme c'était alors la coutume, entre deux rangs, au galop, un chevalier de grande valeur de la maison du roi Arthur, pour commencer tout de suite le tournoi. Mais nul n'ose s'avancer pour venir jouter contre lui et tout le monde se tient coi. Il y en a qui demandent : « Qu'attendent donc ces chevaliers quand aucun ne sort des rangs ? L'un d'eux va bien commencer ! » Mais beaucoup répondent : « Ne voyez-vous donc pas quel adversaire nous ont envoyé ceux d'en face ? Que les ignorants sachent bien qu'il s'agit d'un des quatre meilleurs chevaliers du monde !

– Qui est-il donc ?

– Vous ne voyez pas ? C'est Sagremor l'Emporté[51] !

– C'est lui ?

– Il n'y a pas de doute ! »

Cligès, qui écoutait tout, était monté sur son cheval Le Maure[52] et portait ses armes plus noires que la mûre à sa maturité. Son équipement était entièrement noir. Il sort du rang de ses compagnons et éperonne Le Maure, qui se lance au galop. Tous ceux qui le voient se disent entre eux : « Ce chevalier a belle allure avec sa lance pointée en avant. C'est un habile cavalier qui porte bien ses armes et l'écu pendu à son cou.

---

[51] Sagremor le Desreé fait partie des chevaliers de la Table ronde dans *Erec et Enide* (éd. M. Roques, Paris, Champion, CFMA, 1970, v. 1701, 2182, 2194) ; *Yvain* (éd. M. Roques, CFMA, 1971, v. 56). Dans *Perceval* (éd. F. Lecoy, CFMA, 1973), Chrétien justifie son surnom : « Sagremor, qui par son desroi/Estoit Desreez apelez » (v. 4198-4199). Se comportant avec outrecuidance à l'égard de Perceval, il est renversé de son cheval.. Il occupe un rôle important dans les romans arthuriens en prose du XIIIe siècle. Il y a un crescendo dans les quatre combats, puisque le dernier adversaire de Cligès est son oncle Gauvain et que les deux chevaliers ne peuvent se départager.

[52] Ce surnom suggère un cheval noir. Selon Jean Frappier (Chrétien de Troyes, *Cligès*, Paris, CDU, 1951, p. 39), les quatre chevaux de Cligès (noir, fauve, blond (*sor*), blanc, rappelleraient ceux des quatre cavaliers de l'Apocalypse (VI, 1-8) : noir, roux, blanc et pâle.

molt li siet li escuz au col.
Mes an le puet tenir por fol
de la joste qu'il a enprise
vers un des meillors a devise   4660
que l'en sache an tot cest païs.
Mes cist dom est ? Dont est naïs ?
Qui le conuist ? – Ne gié. – Ne gié.
Mes il n'a pas sor lui negié,
[ains est plus s'armeüre noire
que cape a moine n'a provoire !][178]»   4666
Einsi entandent au parler.
Et cil lessent chevax aller,
que plus ne se vont atardant,
car plus sont engrés et ardant   4670
de l'asanblee et de la joste.
Cligés fiert si qu'il li ajoste
l'escu au braz, le braz au cors.
Toz estanduz chiet Sagremors,   4674
[et Cligés va sans mesprison,
si li fait fïanchier prison :][179]
Sagremors prison li fïance.
Maintenant li estors comance,   4678,
si s'antreviennent qui ainz ainz.
Cligés s'est an l'estor anpainz
et vet querant joste et ancontre.
Chevalier devant lui n'encontre   4682
que il ne le praingne et abate.
D'anbedeus parz le pris achate.
La ou il s'esmuet au joster,
fet le tornoi tot arester,   4686
ne cil n'est pas sanz grant proesce
qui por joster vers lui s'adresce,
einz a plus los de lui atandre
que d'un autre chevalier prandre,   4690
et se Cligés l'en mainne pris,
de ce seulemant a grant pris

---

[178]   *2 vers absents A.*
[179]   *2 vers absents A.*

Mais c'est un fou de vouloir jouter contre un des meilleurs chevaliers de tout le pays. Qui est-il donc ? Où est-il né ? Qui le connaît ?

— Pas moi.

— Ni moi ; mais il n'a pas neigé sur lui. Ses armes sont plus noires qu'une chape de moine ou de prêtre !»

Pendant ces conversations, les deux adversaires lancent leurs chevaux sans plus tarder, dans leur ardeur et leur impatience de l'affrontement. Cligès assène son coup en plaquant son écu contre le bras de son adversaire et le bras contre son corps : Sagremor tombe de tout son long et Cligès, comme de juste, lui fait reconnaître sa défaite. Sagremor se reconnaît prisonnier. La mêlée s'engage aussitôt et les chevaliers s'affrontent à qui mieux mieux. Cligès se lance dans la bataille en quête d'adversaires. Tous les chevaliers qu'il rencontre, il les renverse et les fait prisonniers. Des deux côtés il remporte le prix. Là où il porte le combat, le tournoi s'arrête. Il faut être d'une grande prouesse pour le provoquer à la joute et il y a plus de gloire à l'affronter qu'à faire prisonnier un autre chevalier. Et les prisonniers de Cligès acquièrent un

que a joste atendre l'osa.
Cligés le pris et le los a   4694
de trestot le tornoiemant.
Au departir celeemant
est revenuz a son ostel
por ce que nus ne d'un ne d'el   4698
en parole ne le meïst.
Et por ce que se nus feïst
l'ostel as noires armes querre,
en une chanbre les anserre,   4702
que nus nes truisse ne ne voie,
et fet a l'uis devers la voie
les armes verz metre an presant:
si les verront li trespassant.   4706
Et se nus le demande et quiert,
ne savront ou ses ostex iert,
[car nule ensagne n'en orra
del noir escu qui le querra][180].   4710
Einsi Cligés est an la vile,
si se çoile par itel guile.
Et cil qui si prison estoient
de chief an chief la vile aloient,   4714
demandent le noir chevalier,
mes nus ne lor set anseignier.
Et meïsmes li rois Artus
l'envoie querre et sus et jus,   4718
mes tuit dïent: «Nos nel veïmes
puis que nos del tornoi partimes
ne ne savomes qu'il devint.»
Vaslet le quierent plus de vint   4722
que li rois i a envoiez,
mes Cligés s'est si desvoiez
qu'il n'en truevent nule antresaigne.
Del chevalier li rois se saigne   4726
quant reconté li fu et dit
qu'an ne trovoit grant ne petit
qui sache anseignier son repaire
ne plus que s'il fust an Cesaire   4730

---

[180]   *2 vers absents A.*

grand renom rien que pour avoir osé l'affronter. Cligès reçoit le prix et la gloire de tout le tournoi. Au moment du départ, il est revenu furtivement à son logis pour échapper à toutes les questions. Et au cas où l'on chercherait le logis aux armes noires, il enferme celles-ci dans une chambre où on ne pourra ni les trouver ni les voir et fait mettre les armes vertes en évidence à la porte, sur la rue, bien en vue des passants. Si on le recherche, nul ne découvrira son logis puisqu'on ne verra aucun trace du Chevalier Noir[53].

Cligès reste ainsi dans la ville en se dissimulant grâce à cette ruse. Et ses prisonniers allaient d'un bout à l'autre de la ville en demandant le Chevalier Noir, mais personne ne pouvait les renseigner. Le roi Arthur lui-même envoie partout à sa recherche, mais tout le monde répond : « Nous ne l'avons pas vu depuis notre départ du tournoi ; nous ne savons ce qu'il est devenu ». Le roi envoie plus de vingt serviteurs à sa recherche. Mais Cligès reste si bien à l'écart qu'ils ne trouvent aucune trace de lui. Le roi se signe de stupeur quand on lui dit que ni grand ni petit ne pouvait indiquer le logis du chevalier, pas plus que s'il était à Césarée, à

---

[53] Sur ce motif du chevalier qui change d'armes à un tournoi pour garder son incognito, voir J. Delcourt-Angélique, « Le motif du tournoi de trois jours avec changement de couleur destiné à préserver l'incognito », *Mélanges L. Thorpe*, Glasgow, University of Glasgow, 1981, p. 160-186.

ou a Tolete ou a Quandie.
« Par foi, fet il, ne sai qu'an die,
mes a grant mervoille me tient.
Ce fu fantosme, se devient,   4734
qui antre nos a conversé.
Maint chevalier a hui versé
et des meillors les foiz an porte,   (f. 72)
qui ne verront ouan sa porte   4738
ne son païs ne sa contree,
s'avra chascuns sa foi outree. »
Ensi dist li rois son pleisir,
dont il se poïst bien teisir.   4742
Molt ont parlé li baron tuit
del noir chevalier cele nuit
c'onques d'el parole ne tindrent.
L'andemain as armes revindrent   4746
tuit sanz semonse et sanz proiere.
Por feire la joste premiere
est Lanceloz del Lac sailliz,
qui n'est mie del cuer failliz.   4750
Lanceloz premerains atant,
et Cligés est venuz atant,
plus verz que n'est erbe de pré,
sor un fauve destrier comé.   4754
La ou Cligés vint sor le fauve,
n'i ot ne chevelu ne chauve
qui a mervoilles ne l'esgart,
et de l'une et de l'autre part   4758
eïent : « Cist est an toz endroiz
plus gens assez et plus adroiz
de celui d'ier as noires armes,
tant con pins est plus biax que charmes   4762
et li loriers plus del seü.
Mes ancor n'avons nos seü
qui cil d'ier fu, mes de cestui
savromes nos qui il est hui.   4766
Qui le conoist, si le nos die ! »
Chascuns dit qu'il nel conoist mie
n'ainz mes nel vit au suen cuidier,
mes plus est biax de celui d'ier   4770

Tolède ou à Candie. «Vraiment!, fait-il, je ne sais que dire, c'est un vrai prodige. Ce pourrait bien être un fantôme qui s'est mêlé à nous[54]. Tous les chevaliers qu'il a renversés aujourd'hui, tous les preux dont il a reçu le serment ne sont pas près de voir sa porte, son pays ni sa contrée et ne pourront pas honorer leur parole». Le roi fit connaître son sentiment en ces termes mais il aurait mieux fait de se taire. Tous les barons cette nuit là ont beaucoup parlé du Chevalier Noir et de rien d'autre.

Le lendemain tous reprirent leurs armes sans se faire prier. Pour la première joute, Lancelot du Lac s'est avancé d'un bond: il n'a pas le cœur d'un lâche. Lancelot attend son adversaire; Cligès arrive alors, plus vert que l'herbe des prés, monté sur un destrier fauve à la longue crinière. Partout où il passe sur son cheval fauve, il n'est ni chevelu ni chauve qui ne le regarde avec émerveillement et dans les deux camps l'on dit: «Ce chevalier est encore plus beau et plus adroit que le Chevalier Noir d'hier, tout comme le pin l'emporte sur le charme et le laurier sur le sureau. Nous ne savons toujours pas qui était le chevalier d'hier mais celui-là, nous saurons aujourd'hui qui il est. Si quelqu'un le connaît, qu'il nous le dise!» Mais chacun déclare ne pas le connaître et pense ne l'avoir jamais vu. Mais il est plus beau que celui d'hier et que

[54] On retrouve le motif du chevalier fée dans le *Tristan* de Béroul, où Tristan et Governal, triomphant incognito dans un tournoi et disparaissant mystérieusement, sont considérés comme des chevaliers de l'autre monde (Béroul, *Tristan*, éd. E. Muret, Paris, Champion, CFMA, 1947, v. 4019).

et plus de Lancelot del Lac :
se cist estoit vestuz d'un sac
et Lanceloz d'argent ou d'or,
si seroit il plus biax ancor.   4774
Et trestuit a Cligés se tienent.
Et cil dui poingnant s'antrevienent
quanqu'il porent esperoner.
Cligés li vet tel cop doner   4778
sor l'escu d'or a lÿon point
que jus de la sele l'enpoint
et vint sor lui por la foi prandre.
Lanceloz ne se pot desfandre,   4782
si li a prison fïancié.
Ez vos le tornoi comancié
et li bruiz et l'escrois des lances.
An Cligés ont tuit lor fïances   4786
cil qui sont devers sa partie,
car cui il fiert par anhatie
ja n'iert tant forz ne li coveingne
que del destrier a terre veingne.   4790
Cligés cel jor si bien le fist
et tant en abatié et prist
que .II. tanz a aus suens pleü
et .II. tanz i a pris eü   4794
que l'autre jor devant n'i ot.
A l'avesprer, plus tost qu'il pot,
est revenuz a son repeire
et fet isnelemant fors treire   4798
l'escu vermoil et l'autre ator.
[Les armes][181] qu'il porta le jor
comanda que fussent repostes :
repostes les a bien ses ostes.   4802
Asez le ront cele nuit quis
li chevalier que il ot pris
mes nule novele n'en oent.
As ostex le prisent et loent   4806
li plusor qui parole an tienent.
L'andemain as armes revienent

---

[181]   Et celes *A*.

Lancelot du Lac; et même s'il était vêtu d'un sac et Lancelot d'or ou d'argent, il serait encore plus beau. Et tous de soutenir Cligès. Les deux chevaliers se lancent au galop l'un contre l'autre de toute la force de leurs éperons. Cligès frappe un tel coup sur l'écu peint d'un lion sur fond d'or qu'il renverse Lancelot de sa selle et vient sur lui recevoir sa parole. Lancelot, incapable de se défendre, se reconnaît son prisonnier. Voilà le tournoi qui commence, dans le bruit et le fracas des lances. Ceux qui sont dans le camp de Cligès mettent tous leurs espoirs en lui car aucun de ceux qu'il frappe, dans son ardeur, n'est assez fort pour éviter de tomber de son cheval. Ce jour-là Cligès s'est si bien battu, il a abattu et fait prisonniers tant d'adversaires qu'il est deux fois plus apprécié des siens et acquiert deux fois plus de gloire que le jour précédent. Le soir, il regagne son logis le plus vite possible et fait vite sortir l'écu et l'équipement vermeils. Quant aux armes qu'il portait dans la journée, il a donné l'ordre de les cacher et son hôte s'empresse de les dissimuler. De nouveau cette nuit-là les chevaliers qu'il avait vaincus l'ont cherché partout sans avoir aucune nouvelle de lui. On parle de lui dans les logis et on ne tarit pas d'éloges sur son compte.

Le lendemain les chevaliers reprennent leurs armes, dispos et pleins

li chevalier delivre et fort.
Des rens devers Obsenefort 4810
part uns vasax de grant renon;
Percevax li Galois ot non.
Lués que Cligés le vit movoir
et de son non oï le voir, 4814
que Perceval l'oï nomer,
molt desirre a lui asanbler.
Cligés ist des rens demanois
sor un destrier sor espanois, 4818
et s'armeüre fu vermoille.
Lors l'esgarderent a mervoille
trestuit plus c'onques mes ne firent
et dïent c'onques mes ne virent 4822
un chevalier si avenant.
Et cil poignent tot maintenant,
que demoree n'i a point,
et li uns et li autres point 4826
tant qu'es escuz granz cos se donent:
les lances ploient et arçonent,
qui cortes et grosses estoient.
Veant trestoz cez qui les voient, 4830
a feru Cligés Perceval
si qu'il l'abat jus del cheval
et prison fïancier le fet
sanz grant parole et sanz grant plet. 4834
Qant Percevax ot fiancié,
lors ont le tornoi comancié,
si s'antrevienent tuit ansanble.
Cligés a chevalier n'asanble 4838
qu'il nel face a terre cheoir.
Icel jor nel pot an veoir
une seule ore sanz estor.
Ausi come sor une tor 4842
i fierent tuit an cel tornoi;
n'i fierent pas ne dui ne troi,
car donc n'estoit us ne costume.
De son escu a fet anclume, 4846
car tuit i forgent et martelent,
si le fandent et esquartelent.

de vigueur. Des rangs de ceux d'Oxford sort un combattant réputé, nommé Perceval le Gallois. Dès que Cligès le voit s'avancer et qu'il entend le nom de Perceval, il a grande envie de l'affronter. Aussitôt il sort des rangs sur un destrier d'Espagne à la robe claire, avec ses armes vermeilles. Et tous de s'émerveiller encore plus qu'avant, en le regardant, et de dire qu'ils n'ont jamais vu un chevalier aussi gracieux. Les deux jouteurs éperonnent aussitôt leurs chevaux sans plus tarder. Ils lancent leur monture au galop et se portent de grands coups sur leurs écus. Les lances, bien que courtes et épaisses, ploient et se courbent. Devant tous les spectateurs, Cligès a porté à Perceval un tel coup qu'il le renverse de son cheval et l'amène à se rendre prisonnier sans discussion possible. Perceval donne sa parole, le tournoi commence et tous les combattants s'affrontent. Cligès ne peut rencontrer un chevalier sans lui faire mordre la poussière. Ce jour-là on ne put le voir un seul instant hors de la mêlée. Tous les coups pleuvent sur lui avant autant d'effet que sur une tour mais on ne frappe pas à deux ou trois à la fois car alors ce n'était pas l'usage. De son écu il a fait une enclume car tous y forgent,

Mes nus n'i fiert qu'il ne li soille
si qu'estriers et sele li toille,   4850
ne nus qui n'en volsist mantir
ne poïst dire au departir
que tot n'eüst cel jor vaincu
li chevaliers au roge escu.   4854
Et li meillor et li plus cointe
volsissent estre si acointe,
mes ne puet pas estre si tost,
car il s'an parti an repost,   4858
qant resconser voit le soloil,
si a fet son escu vermoil
et tot l'autre hernois oster,
et fet les armes aporter   4862
dom il fu noviax chevaliers;
et les armes et li destriers
furent mises a l'uis devant.
Mes or se vont aparcevant   4866
[li plusor, qui s'en ramenbroient,
si qu'il dïent tot qu'il creoient][182]
que par un seul ont tuit esté
desconfit et desbareté,   4870
mes chascun jor se desfigure   (f. 72v)
et de cheval et d'armeüre,
si sanble autre que lui meïsmes:
aparceü s'an sont or primes.   4874
Et messire Gauvains a dit
que tel josteor mes ne vit;
et por ce qu'il voldroit avoir
s'acointance et son non savoir,   4878
dit qu'il iert l'andemain premiers
a l'asanbler des chevaliers.
Mes il ne se vante de rien,
einçois panse et si cuide bien   4882
que tot le mialz et les vantances
avra cil au ferir des lences,
mes a l'espee, puet cel estre,
ne sera il mie ses mestre,   4886

---

[182] *2 vers absents AM.*

le martèlent, le fendent et le mettent en pièces. Mais nul n'y frappe sans avoir à le payer en vidant selle et étriers. Nul n'aurait pu nier à la fin, sans mentir, que le chevalier à l'écu rouge avait remporté le prix de cette journée. Les meilleurs et les plus valeureux auraient voulu être de ses amis, mais ce ne peut être de si tôt car il s'est éloigné en secret quand il a vu le soleil se coucher. Il s'est débarrassé de son écu vermeil et du reste de l'équipement pour faire apporter les armes reçues lors de son adoubement : armes et destrier furent exposés devant la porte. Mais beaucoup commencent à réfléchir et à comprendre qu'ils ont tous été défaits et déconfits par un seul chevalier qui, chaque jour, change de cheval et d'armure et prend ainsi une autre apparence. Ils viennent enfin de comprendre. Messire Gauvain a dit qu'il n'avait jamais vu pareil jouteur et que, pour faire sa connaissance et savoir son nom, il serait, le lendemain, le premier, au rassemblement des chevaliers. Il ne se vante de rien mais il est persuadé que si l'inconnu a l'avantage et la gloire au combat à la lance, peut-être ne sera-t-il plus le maître à l'épée, là où

c'onques ne pot mestre trover.
Or se revoldra esprover
eemain au chevalier estrange,
qui chascun jor ses armes change   4890
et cheval et hernois remue :
par tans sera de [quarte]¹⁸³ mue
se il chascun jor par costume
oste et remet novele plume.   4894
Ensi ostoit et remetoit.
Et l'andemain revenir voit
Cligés plus blanc que flor de lis,
l'escu par les enarmes pris,   4898
si con la nuit ot atorné,
sor l'arrabi blanc sejorné.
Gauvains li preuz, li alosez,
n'est gaires el chanp arestez,   4902
einz broche et point, si s'avencist
et quanque il pot s'agencist
ee bien joster, s'il trueve a cui.
Par tans seront el chanp andui,   4906
car Cligés n'ot d'arester cure,
qui ot entandu la murmure
de cez qui dïent : « C'est Gauvains,
qui n'est a cheval n'a pié vains,   4910
c'est cil a cui nus ne se prant. »
Cligés, qui la parole entant,
en mi le chanp vers lui se lance.
Li uns et li autres s'avance,   4914
si s'antrevienent d'un eslais
plus tost que cers qui ot le glais
des chiens qui aprés lui glatissent.
Les lances es escuz flatissent   4918
et li cop donent tel esfrois
que totes desques es camois
esclicent et fandent et froissent,
et li arçon derriers esloissent   4922
et ronpent ceingles et peitral.
A terre vienent par igal,

¹⁸³   .IIII. A. Corr. d'après PT.

Gauvain n'a jamais trouvé son maître[55]. Il veut donc se mesurer le lendemain au chevalier étranger qui chaque jour change d'armes, de cheval et de harnais. Bientôt Cligès en sera à sa quatrième mue, s'il continue à enlever chaque jour son plumage pour en remettre un neuf[56]. C'est ainsi que Cligès enlevait et remettait ses armes.

Et le lendemain Gauvain le voit revenir plus blanc que la fleur de lis, tenant par les brides l'écu préparé la veille, monté sur son cheval blanc bien reposé. Gauvain le preux, le renommé, n'a guère attendu sur la place : il éperonne son cheval, s'élance et se prépare à bien jouter s'il trouve un adversaire. Ils seront bientôt en lice car Cligès n'a pas l'intention de rester tranquille ; il a entendu les gens murmurer : « C'est Gauvain, invincible à cheval et à pied, Gauvain l'incomparable ! » Cligès, à ces mots, s'élance contre lui au milieu du champ clos. L'un et l'autre s'avancent et s'affrontent d'un même élan, plus rapides que le cerf qui entend l'aboiement des chiens lancés à sa poursuite. Les lances heurtent les écus dans un tel fracas que jusqu'au manche elles volent en éclats, se fendent et se brisent, que les arçons se disloquent et que les sangles et le harnais se rompent. Ils tombent à terre en même temps et

---

[55] Au cours de la joute les adversaires se mesuraient d'abord à la lance puis, si tous deux restaient en lice, à l'épée.

[56] Cf. *supra* v 4422 et note.

s'ont treites les espees nues.
Environ sont les genz venues   4926
por la bataille regarder.
Por departir et acorder
vint li rois Artus devant toz,
mes molt orent einçois deroz   4930
les blans haubers et desmailliez,
et porfanduz et detailliez
les escuz et les hiaumes fraiz
que parole fust de la paiz.   4934
Qant li rois esgardez les ot
une piece tant con lui plot
et des autres maint, qui disoient
que de neant moins ne prisoient   4938
le blanc chevalier tot de plain
d'armes de monseignor Gauvain,
n'encore ne savoit nus dire
quiex ert miaudres ne li quiex pire   4942
ne li quiex l'autre oltrer deüst
se tant conbatre lor leüst[184]
que la bataille fust finee,
mes le roi Artus pas n'agree   4946
que plus an facent qu'il ont fet.
Por departir avant se tret,
si lor dit : « Traiez vos an sus !
Mar i avra cop feru plus,   4950
Mes feites pes, soiez ami,
biax niés Gauvain, je vos an pri,
car sanz querele ne haïne
n'afiert bataille n'enhatine   4954
a nul prodome a maintenir !
Mes s'a ma cort voloit venir
cist chevaliers o nos deduire,
ne li devroit grever ne nuire.   4958
Proiés li, niés ! – Volentiers, sire.»
Cligés ne s'an quiert escondire :
bien otroie qu'il i ira
qant li tornoiz departira,   4962

---

[184]   *vers répété A.*

tirent leurs épées nues, entourés de gens venus regarder le duel. Le roi Arthur vint devant tout le monde pour les séparer et les réconcilier mais ils avaient déjà déchiré et démaillé leurs blancs hauberts, fendu et tailladé leurs écus et brisé leurs heaumes, avant de pouvoir parler de paix. Le roi les regarda aussi longtemps qu'il lui plut, tout comme bien d'autres, qui disaient priser tout autant les exploits du Chevalier Blanc que ceux de monseigneur Gauvain. Nul n'était capable de dire qui était le meilleur, qui était le moins bon, qui des deux aurait vaincu l'autre, si on les avait laissés se battre jusqu'au bout[57]. Mais le roi Arthur refuse de les laisser poursuivre la joute: il s'avance vers eux pour les séparer et leur dit: « Ecartez-vous ! Il n'y aura pas un coup de plus ! Faites la paix, soyez amis, Gauvain, cher neveu, je vous en prie ! Quand il n'y a ni querelle ni haine, un preux ne doit pas prolonger un combat ! Mais si ce chevalier acceptait de venir à ma cour pour se divertir avec nous, il n'aurait certainement pas à le regretter. Priez l'en, mon neveu !

– Volontiers, sire !»

Cligès n'a nulle envie de refuser l'invitation et promet de s'y rendre à la fin du tournoi. Il a bien respecté en effet le commandement de son

---

[57] Comme dans *Erec* et *Yvain*, l'affrontement du héros et de Gauvain met à égalité les deux adversaires.

car bien a le comandemant
son pere fet oltreemant.
Mes li rois dit que il n'a cure
de tornoiemant qui trop dure :   4966
bien le pueent a tant lessier.
Departi sont li chevalier,
car li rois le vialt et comande.
Cligés por tot [son][185] hernois mande,   4970
car le roi siudre li covient.
Au plus tost qu'il puet a cort vient,
mes bien fu atornez einçois,
vestuz a guise de François.   4974
Maintenant que il vint a cort,
chascuns encontre lui acort
que uns ne autres n'i areste,
einz ont fet tel joie et tel feste   4978
com il onques pueent greignor.
Et tuit cil l'apelent seignor
qu'il avoit pris au tornoier,
mes il lor vialt a toz noier   4982
et dit que trestuit quite soient
de lor foiz, s'il cuident et croient
que ce fust il qui les preïst.
N'i a un seul qui ne deïst :   4986
« Ce fustes vos, bien le savons !
Vostre acointance chiere avons
et molt vos devrïens amer
et prisier et seignor clamer,   4990
qu'a vos n'est nus de nos parauz.
Tot autresi con li solauz
estaint les estoiles menues
que la clartez n'an pert es nues   4994
la ou li rai del soloil nessent,
ausi estaignent et abessent
noz proesces contre les voz,
si soloient estre les noz   4998
molt renomees par le monde. »
Cligés ne set qu'il lor responde,

---

[185]   son *absent* A.

père[58]. Mais le roi dit qu'il n'aime pas les tournois qui durent trop long-temps et qu'on peut s'arrêter dès maintenant. Les chevaliers se séparent donc pour obéir à l'ordre du roi. Cligès demande qu'on lui apporte ses vêtements car il doit suivre le roi ; il se rend à la cour au plus tôt après s'être élégamment vêtu à la mode française. Dès qu'il arrive à la cour, tout le monde accourt à sa rencontre sans exception pour lui faire la plus grande fête et la plus grande joie du monde. Tous ses prisonniers du tournoi lui donnent le titre de « seigneur » mais il le refuse et leur dit qu'il les tient quittes de leur parole, s'ils le tiennent vraiment pour leur vainqueur. Et tous de répondre : « C'est vous, nous le savons bien ! Nous sommes heureux de vous connaître et nous avons toutes les raisons de vous aimer, de vous apprécier et de vous appeler notre seigneur, car nul d'entre nous ne peut se comparer à vous. Tout comme le soleil éteint la lumière des petites étoiles dans les nues quand naissent ses rayons, nos prouesses s'éteignent et déclinent devant les vôtres, alors qu'elles étaient pourtant renommées de par le monde ». Cligès ne sait que leur

---

[58] Cf. *supra*, v. 2572-2580.

car plus le loënt tuit ansanble[186]
que il ne voldroit, ce li sanble,   5002   (f. 73)
mes bel li est si en a honte:
li sans an la face li monte
si que tot vergoignier le voient.
Par mi la sale le convoient,   5006
si l'ont devant le roi conduit,
mes la parole leissent tuit
de lui loer et losengier.
Ja fu droite ore de mangier,   5010
si corrurent les tables metre
cil qui s'an durent antremetre.
Les tables sont el palés mises.
Li un ont les toailles prises   5014
et li autre les bacins tienent,
si donent l'eve a cez qui vienent:
tuit ont lavé si sont assis.
Et li rois a par la main pris   5018
Cligés, si l'asist devant lui,
car molt voldra savoir ancui
de son estre, s'il onques puet.
Del mangier a parler n'estuet,   5022
car si furent li mes plenier
con s'an eüst buef a denier.
Qant toz lor mes orent eüz,
lors ne s'est plus li rois teüz.   5026
«Amis, fet il, aprendre vuel
se vos lessastes par orguel
qu'a ma cort venir ne deignastes
tantost qu'an cest païs antrastes,   5030
et por coi si vos estrangiez
de nos et vos armes changiez.
Et vostre non me raprenez
et de quel gent vos estes nez.»   5034
Cligés respont: «Ja celez n'iert.»
Tot ce que li rois li requiert
si l'a dit et reconeü.
Et quant li rois l'a coneü,   5038

---

[186]   *vers répété au bas du folio 72v et en haut du f. 73 A.*

répondre car toutes ces louanges lui semblent excessives ; mais elles lui sont agréables, malgré sa gêne. Le sang lui monte au visage et tous voient son embarras. On l'accompagne dans la salle du palais pour le mener au roi ; louanges et compliments prennent alors fin.

C'était déjà l'heure du repas et les serviteurs préposés à cette tâche courent mettre les tables et les disposer dans la salle : les uns prennent les serviettes, les autres tiennent les bassins et offrent de l'eau aux convives, qui, tous, se lavent les mains avant de s'asseoir. Le roi prend Cligès par la main pour le faire asseoir devant lui, désireux d'en apprendre le plus possible à son sujet. Inutile de parler du repas : les mets furent aussi plantureux que si un bœuf ne coûtait qu'un denier. A la fin du repas, le roi a rompu le silence : « Ami, dit-il, je veux savoir si c'est par orgueil que vous n'avez pas daigné venir à ma cour à votre arrivée dans ce pays. Pourquoi vous êtes-vous tenu à l'écart et avez-vous changé d'armes ? Révélez-moi votre nom et votre lignage !

– Je ne vous cacherai rien ! », répond Cligès. Il répond alors à toutes les questions du roi. Et quand le roi apprend qui il est, il le serre dans ses

lors l'acole, lors li fet joie.
N'i a celui qui nel conjoie.
Et messire Gauvains le sot,
qui desor toz l'acole et jot.   5042
Trestuit l'acolent et conjoient
et tuit cil qui de lui parloient
dïent que molt est biax et preuz.
Plus que nus de toz ses neveuz   5046
l'ainme li rois et plus l'enore.
Cligés avoec le roi demore
desi qu'au novel tans d'esté,
s'a par tote Bretaingne esté   5050
et par France et par Normandie,
s'a fet mainte chevalerie
tant que bien s'i est essaiez.
Mes l'amor don il est plaiez   5054
ne [li][187] aliege n'asoage.
La volanté de son corage
toz jorz en [un pensé][188] le tient :
de Fenice li resovient,   5058
qui loing de lui se retravaille.
Talanz li prant que il s'an aille,
car trop a fet grant [consirree][189]
de veoir la plus desirree   5062
c'onques nus puisse desirrer.
Ne s'an voldra plus consirrer.
De raler an Grece s'atorne ;
congié a pris, si s'an retorne.   5066
Mes molt pesa, si con je croi,
monseignor Gauvain et le roi
qant plus nel pueent retenir.
Tart li est qu'il puisse venir   5070
a celi qu'il ainme et covoite ;
et par terre et par mer esploite,
si li est molt longue la voie.
Molt li tarde que celi voie   5074

---

[187]   li absent A.
[188]   volenté A.
[189]   consirre A.

bras avec joie, comme toute l'assistance. Et à cette nouvelle monseigneur Gauvain l'embrasse et lui fait fête encore plus que les autres. Et tous de l'embrasser, de le fêter, et tous de parler de lui pour vanter sa beauté et sa prouesse. Le roi l'aime et l'honore plus qu'aucun de tous ses neveux.

Cligès demeure près du roi jusqu'au retour du printemps : il a parcouru toute la Bretagne, la France et la Normandie, accompli bien des exploits et bien éprouvé sa valeur. Mais sa blessure d'amour ne s'allège et ne s'adoucit pas ; le désir de son cœur ne tient toujours qu'à une seule pensée : il se souvient de Fénice qui au loin, de son côté, souffre pour lui. Il lui prend l'envie de s'en aller car depuis bien longtemps il est privé de la vue de la femme la plus désirée qu'on puisse voir au monde et ne le supporte plus. Il fait ses préparatifs pour retourner en Grèce, prend congé et se met en route. Mais monseigneur Gauvain et le roi furent bien chagrins, je crois, de ne pouvoir le retenir. Il a hâte de rejoindre celle qu'il aime et qu'il désire et se hâte sur terre comme sur mer : le voyage lui paraît bien long tant il lui tarde de voir celle qui lui ravit son

qui son cuer li fortret et tolt.
Mes bien li rant et bien li solt
et bien li restore sa toste,
qant ele li [redone a][190] soste   5078
le suen, qu'ele n'ainme pas mains.
Mes il n'en est mie certeins
n'onques n'en ot plet ne covant,
si se demante duremant.   5082
Et ele ausi se redemante
cui amors ocit et tormante,
ne riens qu'ele poïst veoir
ne li pot pleire ne seoir   5086
puis icele ore que nel vit;
n'ele ne set pas se il vit,
don granz dolors au cuer li toche.
Mes Cligés duremant aproche
et de ce li rest bien cheü
que sanz tormant a vant eü,   5092
s'a pris a joie et a deport
devant Costantinoble port.

En la cité vint la novele:
s'ele fu l'empereor bele   5096
et l'empereriz cent tanz plus,
de ce mar dotera ja nus.
Cligés, il et sa conpaingnie,
sont repeirié an Grifonie,   5100
droit au port de Constantinoble.
Tuit li plus haut et li plus noble
li vienent au port a l'encontre.
Et quant l'enpereres l'ancontre,   5104
qui devant toz i fu alez,
et l'empereriz lez a lez,
devant toz le cort acoler
[l'empereres][191] et saluer.   5108
Et quant Fenice le salue,
li uns por l'autre color mue

cœur. Mais elle le lui rend bien et lui paie bien son dû, puisqu'elle lui donne en échange le sien. Elle n'est pas moins amoureuse que lui mais il n'en est pas certain; il n'a reçu aucun engagement et se tourmente cruellement, tout comme elle, torturée et tuée par l'amour, elle aux yeux de qui nulle chose n'a trouvé grâce depuis qu'elle ne voit plus Cligès. Elle ne sait même pas s'il est vivant et c'est une grande douleur pour elle. Mais Cligès est tout près d'elle; il a eu la chance d'avoir le vent avec lui, sans tempête, et il accoste, plein de joie, dans le port de Constantinople.

La nouvelle atteignit la cité; elle réjouit l'empereur mais l'impératrice cent fois plus, nul ne peut en douter. Cligès est revenu en Grèce avec ses compagnons, droit au port de Constantinople. Les plus grands personnages de la cité viennent au port à sa rencontre; et l'empereur, qui les précède, avec l'impératrice, court, à sa vue, le serrer dans ses bras devant tous et le saluer. Et quand Fénice le salue, chacun change de couleur à la vue de l'autre, et c'est miracle qu'ils se retiennent, quand ils

et mervoille est se il se tienent,
la ou pres a pres s'antrevienent,   5112
qu'il ne s'antr'acolent et beisent
d'icez beisiers qui Amor pleisent;
mes folie fust et forsens.
Les genz acorent de toz sens,   5116
qui a lui veoir se deduient;
par mi la cité le conduient
tuit, et a pié et a cheval,
jusqu'au palés emperial.   5120
De la joie qui ci fu feite
n'iert ore parole retreite,
[ne de l'onor ne del servise,
mais cascuns a sa paine mise   5124
a faire ce qu'il pance et croit
que Cligés plaise et bel li soit]¹⁹²;
car ses oncles li abandone
tot quanqu'il a fors la corone: 5128
bien vialt qu'il praingne a son pleisir
quanqu'il voldra por lui servir,
ou soit [de terre]¹⁹³ ou de tresor.
Mes il n'a soing d'argent ne d'or,   5132
qant son panser descovrir n'ose
a celi por cui ne repose,
et boene eise a a li del dire,
s'il ne dotast de l'escondire,   5136
car tote jor la puet veoir   (f. 73v)
et seul a seul lez li seoir,
sanz contredit et sanz desfanse,
car nus n'i entant mal ne panse.   5140
Grant piece aprés ce qu'il revint,
un jor seus an la chanbre vint
celi qui n'ert pas s'anemie,
et bien sachiez ne li fu mie   5144
li huis a l'encontre botez.
Delez li se fu acotez

¹⁹²   *4 vers absents A.*
¹⁹³   d'argent *AB.*

sont si près l'un de l'autre, de s'accoler et d'échanger ces baisers qui sont chers à Amour. Mais c'aurait été une véritable folie. Les gens accourent de tous côtés pour avoir le plaisir de le voir et tous l'escortent à travers la cité, à pied et à cheval, jusqu'au palais impérial. Il ne sera pas question maintenant des réjouissances, des honneurs ni des attentions qu'il reçut : chacun s'efforce de faire tout ce qu'il croit pouvoir lui être agréable. Son oncle lui livre tout ce qu'il possède, hormis la couronne : il le laisse prendre à son gré tout ce qu'il veut de ses terres et de ses trésors. Mais Cligès ne se soucie ni d'argent ni d'or : il n'ose pas ouvrir son cœur à celle qui lui enlève le repos. Il a pourtant de bonnes occasions de lui parler, si ce n'est qu'il craint un refus, car il peut la voir toute la journée et s'asseoir près d'elle seul à seule, sans la moindre opposition, car personne ne pense à mal.

Longtemps après son retour, il se rendit un jour, seul, dans la chambre de celle qui n'était pas son ennemie et, sachez-le, la porte ne lui fut pas fermée. Il s'était accoudé près d'elle et tout le monde s'était

et tuit se furent trait en sus
si que pres d'ax ne se sist nus   5148
qui lor paroles entandist.
Fenice a parole l'en mist
de Bretaigne premieremant;
del san et de l'afeitemant   5152
monseignor Gauvain li anquiert
tant qu'an la parole se fiert
de ce dom ele se cremoit:
demanda li se il amoit   5156
dame ne pucele el païs.
A ce ne fu mie restis
Clygés ne lanz de bien respondre;
isnelemant li sot espondre,   5160
des que ele l'en apela:
« Dame, fet il, j'amai de la,
mes n'amai rien qui de la fust.
Ausi com escorce sanz fust   5164
fu mes cors sanz cuer an Bretaingne.
Puis que je parti d'Alemaingne,
ne soi que mes cuers se devint,
mes que ça aprés [vos][194] s'an vint.   5168
Ça fu mes cuers et la mes cors.
N'estoie pas de Grece fors,
car mes cuers i estoit venuz,
por cui je sui ça revenuz.   5172
Mes il ne vient ne ne repeire,
ne je nel puis a moi retreire
ne nel quier, certes, ne ne puis.
Et vos comant a esté puis   5176
qu'an cest païs fustes venue?
Quel joie i avez puis eüe?
Plest vos la gent, plest vos la terre?
Je ne vos doi de plus requerre   5180
fors tant se li païs vo plest.
– Einz ne me plot, mes or me nest

---

[194]   moi *A*.

écarté, si bien qu'il n'y avait personne auprès d'eux pour entendre leurs paroles. Fénice l'interrogea d'abord sur la Bretagne, sur la sagesse et les bonnes manières de monseigneur Gauvain, pour en venir enfin au sujet qui était l'objet de ses craintes : elle lui demanda s'il aimait une dame ou une demoiselle de ce pays. A cette question Cligès répondit aussitôt sans hésitation ; tout de suite il sut dévoiler sa pensée dès qu'elle l'y invita :

« Dame, dit-il, j'ai aimé là-bas, mais nulle femme qui fût de là-bas. Mon corps était en Bretagne sans cœur, comme une écorce vide. Depuis mon départ d'Allemagne, je ne sais ce qu'est devenu mon cœur, sinon qu'il vous a accompagnée. Mon cœur était ici et mon corps là-bas. Je n'avais pas quitté la Grèce car mon cœur y était venu : voilà pourquoi j'y suis revenu. Pourtant il ne revient pas et je ne puis le ramener à moi ; d'ailleurs je ne le veux pas plus que je ne le peux. Et vous, comment allez-vous depuis votre arrivée dans ce pays ? Quelle joie y trouvez-vous ? Les gens, le pays vous plaisent-ils ? Mais je n'ai pas le droit de vous demander autre chose que si le pays vous plaît !

– Il ne me plaisait pas jusqu'ici mais je sens maintenant naître en

une joie et une pleisance:
por [Pavie]¹⁹⁵ ne por Pleisance   5184
sachiez ne la voldroie perdre,
car mon cuer n'en puis desaerdre
ne je ne l'en ferai ja force.
En moi n'a mes fors que l'escorce,   5188
car sanz cuer vif et sanz cuer sui.
N'onques an Bretaigne ne fui,
s'i a mes cuers lonc sejor fet:
ne sai s'il a bien ou mal fet.   5192
– Dame, quant fu vostre cuers la?
Dites moi quant il i ala,
an quel tans et an quel seison,
se c'est chose que par reison   5196
doiez dire moi ne autrui,
s'il i fu lors quant je i fui?
– Oïl, mes ne le coneüstes.
Il i fu lors quant vos i fustes   5200
et avoec vos s'an departi.
– Dex!, je ne l'i soi ne ne vi!
Dex, que nel soi! Se le seüsse,
certes, dame, je li eüsse   5204
boene conpaingnie porté.
– Molt m'eüst or reconforté.
Amis, bien le deüssiez feire,
car je fusse molt deboneire   5208
a vostre cuer, se lui pleüst
a venir la ou me seüst.
– Dame, [certes]¹⁹⁶ o vos vint il.
– O moi? N'ot il pas trop d'essil,   5212
qu'ausi rala li miens o vos.
– Dame, don sont ci avoec nos
endui li cuer, si con vos dites,
car li miens est vostres toz quites.   5216
– Amis, et vos ravez le mien,
si nos antr'avenomes bien.

---

¹⁹⁵ proiere A.
¹⁹⁶ certes certes A.

moi une joie et un plaisir que je ne voudrais perdre ni pour Pavie ni pour Plaisance, car je n'en puis détacher mon cœur, et je ne l'y forcerai pas. En moi il n'y a que l'écorce car je vis sans cœur, je suis privée de mon cœur. Je n'ai jamais été en Bretagne et pourtant mon cœur y a longtemps séjourné : je ne sais s'il a bien ou mal agi.

– Dame, quand votre cœur a-t-il été en Bretagne ?, dites-moi quand il y est allé, à quelle date et en quelle saison, et, si c'est une chose que vous puissiez dire raisonnablement à moi ou à d'autres, s'il y était en même temps que moi.

– Oui, mais vous ne l'avez pas reconnu. Il était là-bas en même temps que vous et il en est reparti avec vous.

– Mon Dieu ! et je ne l'ai pas su ! et je ne l'ai pas vu ! Mon Dieu ! que ne l'ai-je su ! Si je l'avais su, vraiment, dame, je lui aurais tenu bonne compagnie !

– C'aurait été pour moi un grand réconfort. Vous auriez dû le faire, ami, car moi, j'aurais fait bon accueil à votre cœur, s'il lui avait plu de venir me trouver !

– Mais, dame, il est venu vous trouver !

– Me trouver ? Alors il n'a pas trop souffert, car mon propre cœur est aussi parti avec vous.

– Dame, nos deux cœurs sont donc ici avec nous, d'après vos paroles, car le mien est tout à vous.

– Et vous, ami, vous possédez le mien et nous sommes en parfait

Et sachiez bien, se Dex me gart,
qu'ainz vostre oncles n'ot en moi part,   5220
car moi ne plot ne lui ne lut.
Onques ancor ne me conut
si com Adanz conut sa fame.
A tort sui apelee dame   5224
mes bien sai qui dame m'apele
ne set que je soie pucele.
Neïs vostre oncles nel set mie,
qu'il a beü de l'endormie   5228
et veillier cuide quant il dort,
si li sanble que son deport
ait de moi tot a sa devise
ausi con s'antre mes braz gise,   5232
mes bien l'en ai mis au defors.
Vostre est mes cuers, vostre est mes cors,
ne ja nus par mon essanplaire
n'aprendra vilenie a faire,   5236
car quant mes cuers an vos se mist,
le cors vos dona et promist
si qu'autres ja part n'i avra.
Amors por vos si me navra   5240
que ja mes ne cuidai garir,
si m'avez fet maint mal sofrir.
Se je vos aim et vos m'amez,
ja n'en seroiz Tristanz clamez   5244
ne je n'an serai ja Yseuz,
car puis ne seroit l'amors preuz
qu'il i avroit blasme ne vice.
Ja de mon cors n'avroiz delice   5248
autre que vos or en avez,
se apanser ne vos poez
comant je poïsse estre anblee
a vostre oncle et desasanblee   5252
si que ja mes ne me retruisse
ne moi ne vos blasmer ne puisse
ne ja ne s'an sache a cui prandre.
Enuit vos i covient antendre   5256
et demain dire me savrez
le mialz que pansé en avrez,

accord. Et sachez bien, Dieu me garde !, que votre oncle n'a jamais rien
eu de moi, car je n'y ai pas consenti et lui n'en a jamais eu le pouvoir.
Jamais encore il ne m'a connue comme Adam a connu sa femme. C'est
à tort qu'on m'appelle dame et celui qui m'appelle ainsi ignore, je le sais
bien, que je suis vierge. Même votre oncle l'ignore, car il a bu un breuvage qui l'endort et lui donne l'impression d'être éveillé pendant son
sommeil : il se figure prendre son plaisir avec moi à sa guise comme s'il
était entre mes bras, mais je l'en ai écarté. A vous mon cœur, à vous mon
corps : nul n'apprendra par mon exemple à commettre une vilenie ; car
quand mon cœur s'est livré à vous, il vous a donné et promis mon corps,
si bien que personne d'autre n'en aura quoi que ce soit. Amour m'a
infligé à cause de vous une blessure dont j'ai cru ne jamais guérir, tant
vous m'avez fait souffrir. Même si je vous aime, même si vous m'aimez,
vous ne serez pas appelé Tristan pour autant et je ne serai jamais Iseut,
car notre amour perdrait sa noblesse et serait condamnable et entaché de
vice. Vous n'aurez jamais plus de plaisir de mon corps que maintenant
à moins de trouver le moyen de m'enlever à votre oncle et de rompre
cette union de façon à ce qu'il ne puisse plus jamais me retrouver ni
nous blâmer l'un ou l'autre et qu'il ne sache à qui s'en prendre. Réflé-
chissez-y cette nuit : vous me direz demain la solution que vous

et je ausi i pensserai.
Demain, quant levee serai,   5260
venez matin a moi parler,
et dira chascuns son pensser
et ferons a oevre venir
celui que mialz voldrons tenir.»   5264

Qant Cligés ot sa volanté,
si li a tot acreanté
et dist que molt sera bien fet.
Liee la leisse et liez s'an vet.   5268
Et la nuit chascuns an son lit   (f. 74)
voille, et est chascuns an delit
de pansser ce qui boen li sanble.
L'andemain revienent ansanble   5272
maintenant qu'il furent levé,
et furent a consoil privé
si com il lor estoit mestiers.
Cligés dit et conte premiers   5276
ce qu'il avoit pansé la nuit:
«Dame, fet il, je croit et cuit
que mialz feire ne porrïens
que s'an Bretaingne en alïens: 5280
la ai pansé que vos an maingne.
Or gardez qu'an vos ne remaingne,
c'onques ne fu a si grant joie
Eleinne receüe a Troie,   5284
qant Paris li ot amenee,
que plus n'en soit de vos menee
Par tote la terre le roi
mon oncle, de vos et de moi.   5288
Et se ce bien ne vos agree,
dites moi la vostre pansee,
car je sui prez, que qu'an aveingne,
que a vostre consoil me teigne.»   5292
Cele respont: «Et je dirai
ja avoec vos ensi n'irai,
car lors seroit par tot le monde
ausi come d'Ysolt la Blonde   5296
et de Tristant de nos parlé.

aurez trouvée, et j'y penserai aussi de mon côté. Demain matin, à mon lever, venez me parler : chacun dira son idée et nous adopterons celle qui nous paraîtra la meilleure ».

Apprenant la volonté de Fénice, Cligès accepte tout et promet de tout mettre en œuvre. Il la quitte heureuse et, heureux lui-même, il s'en va. La nuit, chacun veille dans son lit, tout au plaisir de chercher le meilleur stratagème. Ils se retrouvent le lendemain, dès leur lever, et se parlent en privé, comme la situation l'exige. Cligès expose le premier le plan qu'il a élaboré pendant la nuit :

« Dame, dit-il, je suis persuadé que la meilleure solution serait d'aller en Bretagne : c'est là que je pense vous emmener[59]. Ne refusez pas, je vous en prie ! Jamais on ne fit à Hélène, quand Pâris l'amena à Troie, fête pareille à celle que l'on fera, dans tout le royaume du roi mon oncle, en notre honneur à tous les deux ![60] Et si ce projet ne vous plaît pas, dites-moi votre pensée car je suis prêt, quoi qu'il advienne, à me rallier à votre plan.

— Je vais vous le dire, répond-elle. Jamais je ne partirai avec vous de cette manière, car dans le monde entier on parlerait alors de nous comme d'Iseut la Blonde et de Tristan. Après notre départ, ici et là, tout

---

[59] C'est la solution adoptée par les amants dans le *Roman de Tristan* en prose.

[60] Chrétien connaît certainement le *Roman de Troie* de Benoît de Sainte-Maure (éd. bilingue de E. Baumgartner et F. Vielliard, Paris, Le Livre de poche, Lettres gothiques, 1998, v. 4773-4870).

Qant nos an serïens alé,
et ci et la totes et tuit
blasmeroient nostre deduit.   5300
Nus ne diroit ne devroit croirre
la chose si com ele est voire.
De vostre oncle qui crerroit dons
que je si li fusse an pardons   5304
pucele estorse et eschapee?
Por trop baude et trop estapee
me tendroit l'en et vos por fol.
Mes le comandemant saint Pol   5308
fet boen garder et retenir:
qui chaste ne se vialt tenir,
sainz Pos a feire bien anseingne
si sagement que il n'an preingne   5312
ne cri ne blasme ne reproche.
Boen estoper fet male boche
et de ce, s'il ne vos est grief,
[Cuit]¹⁹⁷ je molt bien venir a chief,   5316
car je me voldrai feire morte,
si con mes pansez le m'aporte.
Malade me ferai par tens,
et vos resoiez an porpens   5320
de porveoir ma sepouture.
A ce metez antente et cure
que feite soit an tel meniere
et la sepouture et la biere   5324
que je n'i muire ne estaingne
ne ja nus garde ne s'an praingne,
[la nuit, quant vos m'an voldroiz treire,
et si me querez tel repeire]¹⁹⁸   5328
que ja nus fors vos ne me voie;
ne nule riens ne me porvoie,
dont j'aie mestier ne besoing,
fors vos, cui je m'otroi et doing.   5332
Ja mes an trestote ma vie
ne quier d'autre home estre servie.

---

¹⁹⁷ Puis *A.*
¹⁹⁸ *2 vers intervertis sauf PC.*

le monde blâmerait notre conduite. Nul ne parlerait de l'histoire telle
qu'elle s'est réellement déroulée, nul n'admettrait la vérité. Qui irait
croire que je suis sortie intacte et vierge de mon mariage avec votre
oncle? On me prendrait pour une débauchée et une insensée et vous
pour un fou. Il est bon d'observer le commandement de saint Paul: à
celui qui ne veut pas rester chaste, saint Paul conseille de se conduire
sagement pour éviter tout blâme et tout reproche[61]. Il est bon de faire
taire les bouches médisantes et si vous en êtes d'accord, je sais bien
comment y parvenir: je me ferai passer pour morte, voilà mon plan.
Bientôt je vais feindre la maladie. Occupez-vous de votre côté de ma
sépulture; veillez à ce que le tombeau et la bière soient faits de telle
sorte que je ne risque pas la mort ni l'étouffement, et que nul ne soupçonne rien, quand, la nuit venue, vous me tirerez de là! Et trouvez-moi
un abri qui me permette de n'être vue que de vous. Tout ce dont j'aurai
besoin, que nul n'y pourvoie sauf vous, à qui je fais don de ma personne.
De toute ma vie je ne veux plus qu'un autre me serve. Vous serez mon

---

[61] Dans l'*Epître aux Corinthiens* I, VII, saint Paul affirme la supériorité de la chasteté
mais affirme qu' «il vaut mieux se marier que brûler». Chrétien détourne et parodie le
texte qu'il place dans la bouche de Fénice.

Mes amis, mes sergenz serez :
boen m'iert quanque vos me ferez   5336
ne ja mes ne serai d'empire
dame se vos n'en estes sire.
Uns povres leus oscurs et [sales][199]
m'iert plus clers que totes ces sales,   5340
[qant vos serés ensanble moi.
Se jo vos ai et jo vos voi,
dame serai de tos les biens
et tos li mondes sera miens][200].   5344
Et se la chose est par san feite,
ja en mal ne sera retreite,
car ja nus n'en porra mesdire,
qu'an cuidera par tot l'empire   5348
que je soie an terre porrie.
Et Tessala, qui m'a norrie,
ma mestre, an cui je molt me croi,
m'en eidera en boene foi,   5352
car molt est sage et molt m'i fi.»
Cligés, quant s'amie entandi,
respont : « Dame, se il puet estre
et vos cuidiez que vostre mestre   5356
vos an doie a droit conseillier,
n'i a fors de l'apareillier
et del feire hastivemant.
Mes se nel feisons sagemant,   5360
alé somes sanz recovrier.
Un mestre ai que j'en vuel proier,
qui mervoilles taille et deboisse ;
n'est terre ou l'en ne le conoisse   5364
par les oevres qu'il a feites
et deboissiees et portreites.
Jehanz a non et s'est mes sers.
N'est nus mestiers, tant soit divers,   5368
se Jehanz i voloit entandre,
que a lui se poïst nus prandre,

---

[199]   pales *AT*.
[200]   *4 vers absents A.*

ami et mon serviteur. Tout ce que vous ferez pour moi me sera agréable
et plus jamais je ne serai la souveraine d'un empire dont vous ne serez
pas le seigneur. Un pauvre logis, obscur et triste, me semblera plus clair
que toutes ces salles, quand vous me tiendrez compagnie. Si je vous ai,
si je vous vois, je serai maîtresse de tous les biens, et le monde entier
m'appartiendra. Si nous agissons habilement, on ne dira aucun mal de
nous et nul n'y trouvera à redire : dans tout l'empire on se figurera que
mon corps est pourri sous la terre. Et Thessala, la nourrice qui m'a
élevée et en qui j'ai toute confiance, m'apportera une aide fidèle, car
elle est très habile et je me fie totalement à elle.

    – Madame, répond Cligès à ce discours, si cela vous paraît possible
et si vous croyez que votre nourrice puisse vous apporter une aide effi-
cace, il ne reste plus qu'à tout préparer et à agir vite. Mais si nous man-
quons de prudence, nous sommes perdus sans recours. J'ai un maître
d'œuvre à qui je vais m'adresser. Il taille et sculpte à merveille. On le
connaît dans le monde entier pour les œuvres qu'il a sculptées et
peintes. Il se nomme Jean et c'est mon serf. Dans tous les métiers, même
les plus difficiles, il est incomparable, pour peu qu'il veuille s'en donner

car anvers lui sont tuit novice
com anfés qui est a norrice.   5372
As soës oevres contrefeire
ont apris quanqu'il sevent feire
cil d'Antïoche et cil de Rome,
mes an ne set plus leal home.   5376
Mes or le voldrai esprover
et se je i puis foi trover,
lui et ses oirs toz franchirai
ne ja vers lui n'en tricherai   5380
que vostre consoil ne li die,
se il ce me jure et afie
que leaumant m'an eidera
ne ja ne m'an descoverra.»   5384
Cele respont : «Or soit ensi !»
Atant Cligés fors s'en issi
par son gré et si s'en ala.
Et cele mande Tessala   5388
sa mestre, qu'ele ot amenee
de [la][201] terre dom el fu nee.
Et Tessala vint esneslore
qu'ele ne tarde ne demore,   5392
mes el ne set por coi la mande.
A privé consoil li demande
que ele vialt et que li plest.
Cele ne li çoile ne test   5396
de son panser nes une rien.
«Mestre, fet ele, je sai bien
que chose que je ci vos die
n'iert ja par vos avant oïe,   5400
car molt vos ai bien esprovee
et molt vos ai sage trovee.
Tant m'avez fet que molt vos aim.
De toz mes max a vos me claim   5404
ne je n'an praing aillors consoil.   (f. 74v)
Vos savez bien por coi je voil
et que je pans et que je voel.
Rien ne pueent veoir mi oel   5408

---

[201] sa *AN*.

la peine, et les autres, à côté de lui, sont novices comme des enfants en nourrice. C'est en imitant ses œuvres que les artistes d'Antioche et de Rome ont appris tout ce qu'ils savent. C'est aussi le plus loyal des hommes. Je vais maintenant le mettre à l'épreuve et s'il est digne de ma confiance, je l'affranchirai, lui et tous ses descendants. Je ne lui cache-rai rien et lui expliquerai votre plan, à la condition qu'il me prête le serment de m'aider en toute loyauté et de bien garder le secret.

– C'est entendu», répond-elle.

Alors Cligès prend congé de sa dame et se retire. Celle-ci appelle Thessala sa nourrice, qu'elle avait amenée de sa terre natale, et Thessala vient aussitôt, sans retard, sans savoir pourquoi on l'appelle. Elle demande discrètement à sa maîtresse sa volonté et son désir. Fénice ne lui cache rien de ses pensées. «Nourrice, dit-elle, je sais bien que vous tairez tout ce que je peux vous dire, car depuis longtemps je connais, par expérience, votre sagesse. Je vous aime fort pour tous les services que vous m'avez rendus. Dans tous mes malheurs j'ai recours à vous et ne cherche nul conseil ailleurs. Vous savez bien pourquoi je ne dors plus, ce que je pense, ce que je veux. Mes yeux ne voient rien qui me plaise,

fors une chose, qui me pleise,
mes je n'en avrai ja mon eise
s'ainçois molt chier ne le conper.
Et si ai ja trové mon per,   5412
car se jel vuel, il me revialt;
se je me duel, il se redialt
de ma dolor et de m'angoisse.
Or m'estuet que vos reconoisse   5416
mon penser et mon parlemant,
a coi nos dui tant seulemant
nos somes pris et acordé.»
Lors li a dit et recordé   5420
qu'ele se vialt malade faindre
et dit que tant se voldra plaindre
qu'an la fin morte se fera,
et la nuit Cligés l'anblera: 5424
«Si serons mes toz jorz ansanble.»
en autre guise, ce li sanble,
ne porroient avoir duree,
mes s'ele estoit aseüree   5428
que ele l'en volsist eidier,
ausi come por sohaidier
devroit feire ceste besoingne:
«Mes trop me tarde et trop m'esloingne   5432
ma joie et ma boene aventure!»
Et sa mestre li aseüre
qu'ele l'en eidera del tot,
ja n'en ait crieme ne redot,   5436
et dit que tel poinne i metra,
puis qu'ele s'an entremetra,
que ja n'iert uns seus qui la voie
que tot certainnemant ne croie   5440
que l'ame soit del cors sevree,
puis qu'ele l'avra abevree
d'un boivre qui la fera froide,
descoloree, pale et roide   5444
et sanz parole et sanz alainne,
et si estera vive et sainne
ne bien ne mal ne sentira
ne ja rien ne li grevera   5448

hormis une chose, dont je ne pourrai jamais jouir sans le payer très cher. J'ai désormais trouvé l'âme sœur, car il me désire autant que je le désire ; si je souffre, il souffre aussi de ma douleur et de mon angoisse. Il faut donc que je vous révèle ma pensée et la décision que nous avons prise tous deux lors de notre rencontre ». Elle lui explique alors qu'elle compte feindre la maladie et se plaindre tant qu'à la fin elle se fera passer pour morte et que Cligès l'enlèvera pendant la nuit : « Ainsi nous serons ensemble pour toujours ». Sinon, lui semble-t-il, ils ne pourraient survivre longtemps. Mais si elle pouvait compter sur l'aide de Thessala, elle réaliserait ce projet de grand cœur. « Mais il me tarde de connaître le bonheur et la joie, qui sont encore bien loin ! » Sa nourrice lui assure qu'elle peut compter sur toute son aide sans la moindre crainte : dès qu'elle se mettra au travail, elle fera si bien que tous ceux qui verront Fénice seront persuadés que son âme a quitté son corps. Il suffit qu'elle absorbe un breuvage qui la rendra froide et sans couleur, pâle et rigide, sans parole et sans souffle ; et pourtant elle sera vivante et en bonne santé, insensible au plaisir et à la douleur, et rien ne la fera souffrir

d'un jor ne d'une nuit antiere,
n'en sepolture ne an biere.
Qant Fenice ot tot entandu,
si li a dit et respondu: 5452
«Dame, del tot an vos me met;
de moi sor vos ne m'antremet.
Je sui a vos, pansez de moi
et dites as genz que ci voi   5456
que nul n'i ait qui ne s'an voise.
Malade sui, si me font noise.»
Cele lor dit com afeitiee:
«Seignor, ma dame est desheitiee,   5460
si dit et vialt que en ailliez,
car trop parlez et trop noisiez,
et la noise li est malveise.
Ele n'avra repos ne eise   5464
tant con seroiz an ceste chanbre.
Onques mes, dom il me remambre,
n'ot mal don je l'oïsse plaindre,
et de tant est ma dolors graindre.   5468
Alez vos an, ne vos enuit,
ne parleroiz a li enuit.»
Vont s'an lués que l'ot comandé.
Et Cligés a Jehan mandé   5472
a son ostel priveemant,
si li a dit celeemant:
«Johan, sez tu que te voel dire?
Tu es mes sers, je sui tes sire,   5476
car je te puis doner ou vandre
et ton cors et ton avoir prandre
come la chose qui est moie.
Mes s'an toi fïer me pooie   5480
d'un mien afeire a coi je pans,
a toz jorz mes seroies frans
et li oir qui de toi seront.»
Et Jehanz maintenant respont,   5484
qui molt desirre la franchise:
«Sire, fet il, tot a devise
n'est chose que je ne feïsse,
mes que par tant franc me veïsse   5488

pendant tout un jour et toute une nuit, ni dans son tombeau ni dans sa bière.

Fénice répond à ces paroles: «Dame, je m'en remets entièrement à vous et ne m'occupe plus de rien. Je suis à vous, prenez soin de moi et dites aux gens que je vois ici de tous s'éloigner: je suis malade et ils me gênent». Thessala leur dit poliment: «Seigneurs, madame est souffrante et désire que vous vous en alliez car vous parlez trop, vous faites trop de bruit et le bruit l'importune. Elle ne pourra pas se reposer tant que vous serez dans cette chambre. Je ne me rappelle pas l'avoir jamais entendue se plaindre du moindre mal et j'en suis d'autant plus inquiète. Allez-vous en, si vous le voulez bien: vous ne lui parlerez pas ce soir». Ils s'en vont dès qu'elle leur en donne l'ordre.

Cligès a fait venir Jean dans son logis, en privé, et lui dit en confidence: «Jean, sais-tu ce que je veux te dire? Tu es mon serf et je suis ton maître: je peux te donner ou te vendre, prendre ta vie et tes biens car tu m'appartiens. Mais si je pouvais me fier à toi pour une affaire à laquelle je pense, tu serais libre pour toujours ainsi que tes héritiers». Jean, qui rêve d'être affranchi, lui répond aussitôt: «Seigneur, je ferais tout au monde pour me voir bientôt affranchi, et ma femme et mes enfants

et ma fame et mes anfanz quites.
Vostre comandemant me dites :
ja n'iert la chose si grevainne
que il me soit travauz ne painne   5492
ne ja ne me grevera rien.
Et sanz ce, maleoit gré mien,
le me covandroit il a feire
et leissier tot le mien afeire.   5496
– Voire, Jehan, mes c'est tex chose
que ma boche dire [ne l'ose][202],
se tu ne me plevis et jures
et del tot ne m'an aseüres   5500
que tu a foi m'an eideras
ne ja ne m'an descoverras.
– Volantiers, sire, dit Jehanz.
Ja mar an seroiz mescreanz,   5504
car je vos jur bien et plevis
que ja jor que je soie vis
ne dirai chose que je cuit
qui vos griet ne qui vos enuit.   5508
– Jehan, nes por sosfrir martire,
n'est hom cui je l'osasse dire
ce don consoil querre te vuel,
einz me leiroie crever l'uel.   5512
[Mais tant te sai loial et sage
que jo te dirai mon corage][203].
Bien feras, ce cuit, mon pleisir
et de l'eidier et del teisir.   5516
– Voire, sire, se Dex m'aït !»
Atant Cligés li conte et dit
la verité tot en apert.
Et quant il li a descovert   5520
le voir si con vos le savez,
car oï dire le m'avez,
lors dit Jehanz qu'il l'aseüre
de bien feire la sepolture   5524

---

[202]   ne toche *A. Corr. d'après PRST.*
[203]   *2 vers absents A.*

libres. Donnez-moi vos ordres : il n'est de tâche assez pénible pour me rebuter et me peser en quoi que ce soit ! Et de toute façon, je serais obligé de l'accomplir même malgré moi et de laisser là mes propres affaires !

– Oui, Jean, mais c'est une chose que ma bouche n'ose pas te dire si tu ne me fais pas le serment solennel que tu m'aideras fidèlement et que jamais tu ne me trahiras.

– Volontiers, seigneur, dit Jean. Vous n'avez aucune raison de douter de moi : je vous prête le serment solennel que jamais de toute ma vie je ne révélerai une chose dont j'aie lieu de croire qu'elle puisse vous peiner ou vous nuire.

– Jean, même si je devais souffrir le martyre, je n'oserais dire à personne ce pour quoi j'ai besoin de ton aide : je me laisserais plutôt crever les yeux ! Mais j'ai suffisamment éprouvé ta loyauté et ta sagesse pour t'ouvrir mon cœur. Tu sauras, je crois, agir selon mon gré en m'aidant et en te taisant.

– C'est vrai, seigneur, de par Dieu ! »

Alors Cligès lui raconte toute la vérité sans détours. Et quand il lui a révélé toute l'histoire telle que vous la connaissez d'après mon récit, Jean lui garantit qu'il fabriquera le cercueil avec tout son savoir-faire,

au mialz qu'il s'an savra pener.
Et dit qu'il le voldra mener
veoir une soe meison
et ce c'onques mes ne vit om   5528
ne fame ne anfant qu'il ait;
mosterra li ce qu'il a fait,
se lui plest que avoec lui aille
la ou il oevre et point et taille,   5532
tot seul a seul, sanz plus de gent:
lou plus beau leu et lou plus gent
li mosterra qu'il veïst onques
Cligés respont: « Alons i donques!»   5536

Desoz la vile, en un destor,
avoit Jehanz feite une tor,
s'i ot par molt grant san pené.   (f. 75)
La a Cligés Jehanz mené,   5540
si le mainne par les estages,
qui estoient point a ymages
beles et bien anluminees.
Les chanbres et les cheminees   5544
li mostre et sus et jus le mainne.
Cligés voit la meison sostainne,
que nus n'i maint ne ne converse.
D'une chanbre en autre traverse   5548
tant que tot cuide avoir veü,
si li a molt [la tor]²⁰⁴ pleü
et dit que molt est boene et bele:
bien i sera sa dameisele   5552
toz les jorz que ele vivra,
que ja nus hom ne l'i savra.
« Non voir, sire, ja n'iert seüe!
Or cuidiez vos avoir veüe   5556
tote ma tor et mes deduiz?
Encor i a de tex reduiz
que nus hom ne porroit trover,
et se vos i loist esprover   5560
au mialz que vos porroiz cerchier,

---

²⁰⁴ le jor *A*.

puis il propose de l'emmener voir une maison qui lui appartient et que personne n'a jamais vue, ni sa femme, ni ses enfants. Il lui montrera son œuvre, si Cligès accepte de le suivre dans l'atelier où il peint et sculpte, tout seul, sans aucun témoin; il lui montrera la demeure la plus belle et la plus agréable qu'il ait jamais vue. «Allons-y donc!», répond Cligès.

Au pied de la ville, à l'écart, Jean avait bâti une tour avec toutes les ressources de son art. C'et là qu'il amène Cligès: il lui fait visiter les pièces peintes de belles images aux riches couleurs; il lui montre les chambres et les cheminées, de haut en bas. Cligès voit que la maison est isolée et inhabitée; il va d'une pièce à l'autre jusqu'à ce qu'il ait, semble-t-il, tout vu. La tour lui plaît beaucoup, il la trouve belle et confortable: sa demoiselle y sera bien durant tout son séjour et personne ne saura qu'elle s'y trouve. «Non, vraiment, seigneur, on ne saura pas qu'elle est là. Mais croyez-vous avoir tout vu de ma tour et des agréments dont je l'ai gratifiée? Il y a encore des cachettes que nul ne pourrait trouver; et si vous voulez essayer de vous mettre à leur recherche, vous aurez beau faire, vous ne trouverez rien, et nul n'est assez subtil et

Ja n'i savroiz tant reverchier
ne nus, tant soit soutix et sages,
que plus trovast ceanz estages,   5564
s'ainçois ne li mostre molt bien.
Sachiez il n'i faut nule rien
ne chose qu'a dame coveingne.
Or n'i a plus mes que ça veingne,   5568
car molt est bele et aeisiee
et s'est par desoz esleisiee
ceste torz, si con vos verrez,
ne ja l'uis trover n'i porrez   5572
ne antree de nule part.
Par tel engin et par tel art
est fez li huis de pierre dure
que ja n'i troveroiz jointure.   5576
– Or oi mervoille, fet Cligés.
Alez avant et je aprés,
car molt m'est tart que je ce voie.»
Lors s'est Jehanz mis a la voie,   5580
si mainne Cligés par la main
jusqu'a un huis poli et plain,
qui toz est poinz et colorez.
Au mur s'est Johanz acostez   5584
et tint Cligés par la main destre.
«Sire, fet il, huis ne fenestre
n'est hom qui an cest mur seüst.
Et cuidiez vos que l'en peüst   5588
an nule guise trespasser
sanz anpirier et sanz quasser?»
Cligés respont que il nel croit
ne nel crerra ja s'il nel voit.   5592
Lors dit Jehanz qu'il le verra,
et l'uis del mur li overra.
Jehanz, qui avoit feite l'uevre,
l'uis del mur li desserre et oevre,   5596
si ne le malmet ne ne quasse.
Li uns avant l'autre trespasse
et descendent par une viz
par mi un estage vostiz   5600
ou Jehanz ses oevres feisoit

avisé pour trouver ici d'autres pièces, à moins que je ne les lui montre. Sachez que rien ne manque du confort nécessaire à une dame : votre amie n'a plus qu'à venir car la tour est belle et commode et s'étend sous le sol, comme vous allez voir. Et vous ne pourrez jamais trouver de porte ni d'entrée nulle part : la porte de pierre dure est faite avec tant d'art et d'ingéniosité que vous ne trouverez pas la jointure.

– C'est prodigieux !, dit Cligès. Passez devant, je vous suis, car j'ai hâte de voir cela !»

Alors Jean s'avance, en tenant Cligès par la main, jusqu'à une porte polie et pleine, entièrement peinte. Il s'appuie contre le mur en tenant Cligès par la main droite.

«Seigneur, dit-il, personne ne saurait distinguer une porte ou une fenêtre dans ce mur. Et croyez-vous qu'on pourrait le franchir sans l'abîmer et le démolir ?» Cligès répond qu'il ne le croit pas et qu'il ne le croira que s'il le voit. Jean dit alors qu'il va le voir ouvrir la porte du mur. Comme il avait réalisé l'ouvrage, il ouvre la porte sans endommager ni démolir le mur. L'un derrière l'autre, ils descendent par un escalier à vis dans une pièce voûtée où Jean réalisait ses œuvres quand il

qant riens a feire li pleisoit.
« Sire, fet il, ci ou nos somes
n'ot onques de trestoz les homes   5604
que Dex a fez fors que nos deus,
et s'est si aeisiez cist leus
con vos verroiz jusqu'a n'a gaires.
An cest leu soit vostre repaires   5608
et vostre amie i soit reposte !
Tex ostex est boens a tel oste,
qu'il i a chanbres et estuves
et eve chaude par les cuves,   5612
qui vient par conduit desoz terre.
Qui voldroit leu aeisié querre
por s'amie metre et celer,
molt li covandroit loing aller   5616
einz qu'il trovast si covenable.
Molt le tanroiz a delitable
quant vos avroiz par tot esté.»
Si li a Jehanz tot mostré,   5620
[beles canbres et vautes paintes,
et si li a mostrees meintes
de ses oeuvres, qui molt li plorent.
Qant toute la tor veüe orent][205],   5624
lors dist Cligés : « Jehan amis,
Vos et trestoz voz oirs franchis
et sui vostres trestot sanz bole.
Ceanz vuel que soit tote sole   5628
m'amie, mes nel sache nus
fors vos et moi et li sanz plus.»
Jehanz respont : « Vostre merci !
Or avons asez esté ci.   5632
N'i avons ore plus que feire,
si nos metons tost el repeire.
– Bien avez dit, Cligés respont.
Alons nos an !» Lors s'an revont,   5636
si sont issu fors de la tor.
En la vile oënt el retor

---

[205]   *4 vers absents A.*

avait envie d'y travailler. «Seigneur, dit-il, de toutes les créatures de Dieu nous sommes les seuls à avoir pénétré ici. C'est un endroit très confortable, comme vous allez le constater. C'est là qu'il faut vous abriter et cacher votre amie. C'est le logis qu'il lui convient: il y a des chambres, des bains, avec de l'eau chaude pour les baignoires, qui vient de conduites souterraines. Si l'on cherche un logis confortable pour y cacher son amie, il faudrait aller bien loin avant de trouver un endroit plus propice. Vous le trouverez très agréable quand vous aurez tout visité». Et Jean lui a tout montré: de belles chambres aux voûtes peintes, et aussi bon nombre de ses œuvres, qui lui ont beaucoup plu. Cligès lui dit alors: «Jean, mon ami, je vous affranchis, ainsi que tous vos héritiers, et je me livre entièrement à vous. Je veux que mon amie séjourne ici toute seule, sans que nul le sache hormis nous trois.

– Je vous en remercie, répond Jean. Nous sommes restés ici assez longtemps et n'avons plus rien à y faire. Prenons vite le chemin du retour!

– Vous avez raison, répond Cligès. Allons-nous en!».

Ils s'en retournent, sortent de la tour et, à leur retour, entendent les

que li uns a l'autre consoille :
« Vos ne savez con grant mervoille   5640
de ma dame l'empereriz ?
Santé li doint Sainz Esperiz,
a la boene dame, a la sage !
Ele gist an molt grant malage.»   5644
Qant Cligés antant le murmure,
a la cort vint grant aleüre,
mes n'i ot joie ne deduit,
car triste et mat estoient tuit   5648
por l'empererriz, qui se faint,
car li max dont ele se plaint
ne li grieve ne ne se dialt,
s'a dit a toz qu'ele ne vialt   5652
que nus hom an sa chanbre veingne
tant con cist max si fort la teingne
don li cuers li dialt et li chiés,
se li rois n'est, il ou ses niés :   5656
ces .II. n'en ose ele escondire.
Mes se l'empereres, ses sire,
ne vient a li, ne l'en chaut il.
A grant [poinne]²⁰⁶ et a grant peril   5660
por Cligés metre la covient ;
de ce li poise qu'il ne vient,
car rien fors lui veoir ne quiert.
Cligés par tans devant li iert   5664
tant qu'il li avra reconté
ce qu'il a veü et trové.
Devant li vint, si li a dit,
mes molt i demora petit,   5668
car Fenice, por ce qu'an cuit
que ce que li plest li enuit,
a dit an haut : « Fuiez, fuiez !
Trop me grevez et enuiez,   5672
car si sui de mal agrevee
ja n'en serai sainne levee !»
Cligés, cui cist moz atalante,   (f. 75v)
s'an vet feisant chiere dolante   5676

conversations qui se tiennent dans la ville: «Savez-vous l'incroyable nouvelle à propos de notre souveraine, l'impératrice? Puisse le Saint Esprit lui apporter la santé, à la bonne et sage dame! Elle est alitée, très malade.» En entendant cette rumeur, Cligès se rend vite à la cour, où il n'y a plus ni joie ni gaîté: tout le monde était plein de tristesse à cause de l'impératrice, qui jouait la comédie, car le mal dont elle se plaignait ne lui causait pas la moindre douleur. Mais elle a interdit à tout le monde toute visite dans sa chambre tant qu'elle sera en proie à ce mal cruel qui la tient au cœur et à la tête, sauf au roi ou à son neveu. Ces deux-là, elle n'ose les éconduire, mais si l'empereur, son époux, ne vient pas la voir, peu lui importe! Elle doit pour Cligès affronter une dure épreuve et un grand péril, et s'inquiète de ne pas le voir venir, car elle ne veut voir que lui. Mais Cligès sera bientôt là pour lui raconter ce qu'il a vu et découvert. Il se présente devant elle, lui raconte tout, mais ne reste pas longtemps, car Fénice, pour faire croire que ce qui lui plaît l'importune, s'écrie: «Allez-vous en, allez-vous en! Vous me fatiguez, vous m'importunez: je suis si malade que je ne retrouverai plus jamais la santé!» Cligès, ravi de ces paroles, s'en va en faisant la mine la plus dolente

qu'ainz si dolante ne veïstes.
Molt puet estre par defors tristes,
mes ses cuers est li liez dedanz,
car a sa joie est atendanz.   5680
L'empererriz, sanz mal qu'ele ait,
se plaint et malade se fait,
et l'empereres, qui la croit,
de duel feire ne se recroit   5684
et mires querre li envoie,
mes el ne vialt que nus la voie ;
ne les leisse a li adeser.
Ce puet l'empereor peser   5688
qu'ele dit que ja n'i avra
mire fors un qui li savra
legieremant doner santé
qant lui vendra a volanté :   5692
cil la fera morir ou vivre,
an celui se met a delivre
et de santé et de sa vie.
De Deu cuident que ele die,   5696
mes molt a [autre]²⁰⁷ entancïon,
qu'ele n'antant s'a Cligés non :
c'est ses Dex qui la puet garir
et qui la puet feire morir.   5700
Ensi l'empererriz se garde
que nus mires ne s'an prant garde,
n'ele ne vialt mangier ne boivre,
por l'empereor mialz deçoivre,   5704
tant que tote est et pale et perse.
Et sa mestre antor li converse,
qui par molt merveilleuse guile
a quis par trestote la vile,   5708
celeemant, que nus nel sot,
[qu'une malade feme i ot]²⁰⁸
de mortel mal sanz garison.
Por mialz feire la traïson,   5712

---

²⁰⁷ male *AB*.

²⁰⁸ De son entouchement plein pot *A (autre main)*.

qu'on ait jamais vue. Il peut paraître bien triste extérieurement, mais au fond de lui son cœur est plein de joie, dans l'attente de son bonheur.

L'impératrice, sans ressentir le moindre mal, se plaint et se dit malade, et l'empereur, qui la croit, ne cesse de se désoler et de lui envoyer des médecins. Mais elle refuse de les voir et de se laisser examiner. L'empereur est affligé de l'entendre dire qu'il n'y a qu'un seul médecin qui saura lui rendre facilement la santé, quand il le voudra : c'est lui qui la fera mourir ou vivre ; c'est à lui qu'elle remet sa santé et sa vie. On se figure qu'elle parle de Dieu, mais elle pense à tout autre chose[62], car c'est Cligès qu'elle entend par là : voilà le Dieu qui peut la guérir et la faire mourir. L'impératrice veille ainsi à ce que nul médecin n'ait des soupçons : elle refuse de manger et de boire pour mieux tromper l'empereur et elle devient toute pâle et blême. Sa nourrice reste auprès d'elle : avec une astuce prodigieuse elle a cherché dans toute la ville, en secret et à l'insu de tous, et découvert une malade condamnée à mort sans recours. Pour mieux ourdir sa ruse, elle lui rendait souvent

---

[62] Curieusement on trouve dans la copie de Guiot et le manuscrit BNF fr. 1450 une autre leçon : *a male antancïon*, au lieu de *a autre entancïon*. L'intervention du narrateur prend du même coup le sens d'une condamnation de la ruse de Fénice.

CLIGÈS

l'aloit visiter molt sovant
et si li metoit an covant
qu'ele la garroit de son mal.
A chascun jor un orinal   5716
li portoit por veoir s'orine,
tant qu'ele vit que medecine
ja mes eidier ne li porroit,
et meïsmes ce jor morroit.   5720
Cele a l'orine raportee,
si l'a estroitemant gardee
tant que l'empereres leva.
Maintenant devant lui s'an va,   5724
si li dist : « Se vos comandez,
sire, toz voz mires mandez,
car ma dame a s'orine feite,
qui de cest mal molt se desheite,   5728
si vialt que li mire la voient,
mes que ja devant li ne soient. »
Li mire vindrent an la sale ;
l'orine voient pesme et male,   5732
si dist chascuns ce que lui sanble
tant qu'a ce s'acordent ansanble
que ja mes ne respassera
ne ja none ne passera,   5736
et se tant vit, dont au plus tart
[en]²⁰⁹ prandra Dex l'ame a sa part :
ce ont a consoil murmuré.
Lors lor a dit et conjuré   5740
l'enpereres que voir an dient.
Cil responent qu'il ne se fient
de neant an son respasser,
ne ne porra none passer   5744
qu'el n'ait einçois l'ame randue.
Qant la parole a entandue
l'empere, a poinnes se tient
que pasmez a terre ne vient   5748
et maint des autres qui l'oïrent.
Onques mes gent tel duel ne firent

---

²⁰⁹ Ne A.

visite en lui promettant de la guérir de son mal et lui apportait chaque jour un urinal pour examiner son urine, jusqu'au moment où elle vit que la médecine ne pourrait plus rien faire et que la malade mourrait le jour-même. Elle a rapporté l'urine et l'a soigneusement gardée jusqu'au lever de l'empereur. Elle va le voir sur le champ et lui dit : « Si vous le voulez bien, sire, convoquez tous vos médecins, car ma dame vient d'u-riner : elle souffre beaucoup de son mal et veut que les médecins exami-nent son urine, mais sans paraître devant elle. » Les médecins viennent dans la salle ; ils voient l'urine de triste présage : chacun donne son avis et tous finissent par s'accorder pour dire que la malade n'en réchappera pas et qu'elle rendra l'âme avant l'heure de none ; et si elle vit jusque là, c'est à ce moment, au plus tard, que Dieu rappellera son âme à lui. Ils ont conféré en secret mais l'empereur les conjure de lui dire la vérité. Ils répondent alors qu'ils ne croient absolument pas à la guérison et que la malade aura rendu l'âme avant l'heure de none. A ces mots, l'empereur manque perdre connaissance et tomber sur le sol, comme bien des assis-tants. On n'a jamais vu deuil pareil à celui qui règne alors dans tout le

con lors ot par tot le palais.
La parole del duel vos lais.   5752
Savez que Tessala porchace,
qui la poison destranpre et brace.
Destrempree l'a et batue :
[car] de loing se fu [porveüe][210]   5756
de tot quanque ele savoit
qu'a la poison mestier avoit.
Un petit einz l'ore de none
la poison a boivre li done,   5760
et lors des qu'ele l'ot beüe,
li est troblee la veüe
et a le vis si pale et blanc
con s'ele eüst perdu le sanc.   5764
Ne pié ne main ne remeüst,
qui vive escorchier la deüst,
n'el ne se crosle ne dit mot,
et s'antant ele bien et ot   5768
le duel que l'empereres mainne
et le cri don la sale est plainne.
Et par tote la vile crient
les genz qui plorent et qui dient :   5772
«Dex !, quel enui et quel contraire
nos a fet la Morz deputaire !
Morz, trop es male et covoiteuse
et sorprenanz et envïeuse,   5776
qui ne puez estre saoulee !
Onques mes si male golee
ne poïs tu doner au monde.
Morz, qu'as tu fet ? Dex te confonde,   5780
qui as tote biauté estainte !
La meillor chose et la plus sainte
as ocise, s'ele durast,
[qu'onques Dex][211] a feire andurast.   5784
Trop est Dex de grant pacïence,
quant il te done avoir puissance

_____

[210]   De loing se fu aparceüe *A*.
[211]   que onques *A*.

palais.

Mais je ne vous parlerai pas du deuil. Vous savez bien les intentions de Thessala, en train de brasser et de faire macérer sa potion. Depuis longtemps elle s'était procuré tous les ingrédients nécessaires à sa composition. Juste avant l'heure de none, elle fait boire la potion à Fénice. Dès que celle-ci l'a bue, sa vue se trouble, son visage devient pâle et blanc comme si elle avait perdu tout son sang; elle ne pourrait remuer pied ni main même si on devait l'écorcher vive. Elle ne bouge pas et ne dit mot et pourtant elle entend bien le deuil que manifeste l'empereur, les cris qui emplissent la salle. Dans toute la ville résonnent les cris des gens qui disent en pleurant: «Dieu!, quel malheur et quel tourment nous inflige la Mort maudite! Mort, tu es trop mauvaise et avide, imprévisible, envieuse et insatiable! Tu n'aurais pu faire plus de mal en engloutissant cette proie! Mort, qu'as-tu fait? Dieu te maudisse, toi qui as éteint toute beauté! Tu as tué la meilleure et la plus sainte des créatures, si elle avait vécu, que Dieu ait pris la peine de faire! Dieu est vraiment trop patient, quand il te donne la pouvoir de détruire son œuvre. Il

des soës choses depecier.
Or se deüst Dex correcier   5788
et gitier hors de ta bataille,
car trop as fet grant anviaille
et grant orguel et grant oltrage!»
Ensi toz li pueples enrage,   5792
tordent lor poinz, batent lor paumes,
et li clerc an lisent lor saumes
et prïent por la boene dame
que Dex merci li face a l'ame.   5796

Entre les lermes et les criz,
si con tesmoingne li escriz,
sont venu troi fisicïen
de Salerne, molt ancïen,   5800
ou longuemant orent esté.
Por le duel se sont aresté,
si demandent et si anquierent
don li cri et les lermes ierent,   5804
oor cui s'afolent et confondent.
Cil lor dïent qui lor respondent:
«Dex!, seignor, don nel savez vos?   (f. 76)
De ce devroit ansanble o nos   5808
[desver tos li mondes]²¹² a tire,
s'il savoit lo grant duel et l'ire
et le domage et la grant perte
qu'an cest jor nos est [aoverte]²¹³!   5812
Dex!, dom estes vos donc venu,
que ne savez qu'est avenu
orendroit an ceste cité?
Nos vos dirons la verité,   5816
car aconpaignier vos volons
au duel de coi nos nos dolons.
Ne savez de la Mort destroite,
qui tot desirre et tot covoite   5820
et en toz leus le mialz agaite,
quel felenie a ele or faite,

²¹² desirer…monz *A*.
²¹³ avenu *A*.

devrait maintenant se courroucer et te mettre hors d'état de nuire, car tu l'as trop défié par ton orgueil et tes excès !» Le peuple tout entier, fou de douleur, se tord les mains, se bat les paumes, et les clercs lisent leur psautier en priant Dieu d'avoir pitié de l'âme de la bonne dame.

Au milieu des larmes et des cris, comme en témoigne le livre, sont arrivés trois médecins d'un grand âge, venus de Salerne[63], où ils avaient longtemps séjourné. Ils s'arrêtent en voyant ce deuil et s'enquièrent de la cause des cris et des larmes, de ces manifestations de désespoir. On leur répond : «Dieu !, seigneurs, vous ne savez donc pas ? Le monde entier devrait devenir fou de douleur comme nous, s'il connaissait le grand deuil, le chagrin, le malheur et la perte que nous avons subis aujourd'hui ! Dieu !, mais d'où venez-vous donc pour ignorer ce qui vient d'arriver dans cette cité ? Nous allons vous dire la vérité, car nous voulons vous associer au deuil qui nous désole. Vous ne savez pas quel crime vient de commettre la Mort cruelle, aux désirs et aux appétits insatiables, qui guette partout son profit, selon son habitude ? Dieu avait

---

[63] Salerne était célèbre au Moyen Age pour son école de médecine et connut son apogée au XIIe siècle. Voir M. Parisse, «Ecole de Salerne », ds *Dictionnaire encyclopédique du Moyen Age*, Paris, Cerf, 1997, II, p. 1385.

si com ele an est costumiere?
D'une clarté, d'une lumiere   5824
avoit Dex le mont alumé.
Ce que Morz a acostumé
ne puet müer qu'ele ne face:
toz jorz a son pooir esface   5828
le mialz que ele puet trover.
Or vialt son pooir esprover,
s'a pris plus de bien en un cors
qu'ele n'en a lessié defors.   5832
S'ele eüst tot le monde pris,
n'eüst ele mie fet pis,
[mais que vive laiast et saine
ceste proie que ele en maine.]²¹⁴   5836
Biauté, corteisie et savoir
et quanque dame puet avoir
qu'apartenir doie a bonté,
nos a tolu et mesconté   5840
la Morz, qui toz biens a periz
en ma dame l'empererriz:
ensi nos a la Morz tüez.
– Ha, Dex!, font li mire, tu hez   5844
ceste cité, bien le savomes,
quant grant pieça venu n'i somes!
Se nos fussiens venu des hier,
molt se poïst la Morz prisier   5848
se a force rien nos tolsist!
– Seignor, madame ne volsist
por rien que vos la veïssiez
ne qu'a li poinne meïssiez.   5852
Des boens mires assez i ot,
mes onques madame ne plot
que uns ne autres la veïst
ne de son mal s'antremeïst.   5856
Non, par foi, ce ne fist el mon!»
Lors lor sovint de Salemon
que sa fame tant le haï
que come morte le trahi.   5860

---

²¹⁴   *2 vers absents A.*

éclairé le monde d'une clarté, d'une lumière inégalables. Mais la Mort
ne peut changer ses habitudes. Toujours, selon son pouvoir, elle détruit
les meilleurs qu'elle peut trouver. Elle veut éprouver sa puissance et
avec un seul être, elle s'est emparée de plus de vertu qu'elle n'en a laissé
avec tous les autres. Elle n'aurait pas fait pire en s'emparant du monde
entier, pourvu qu'elle eût laissé en vie la proie qu'elle emporte ! Beauté,
courtoisie et sagesse et toutes les qualités qu'une dame peut posséder, la
Mort nous les a ravies et volées, elle a anéanti toutes les vertus avec
notre souveraine l'impératrice ! La Mort nous a tués nous aussi !

– Ah Dieu !, disent les médecins, tu hais cette cité, nous le voyons
bien, quand nous ne sommes pas venus plus tôt ! Si nous avions été là
hier, la Mort aurait eu lieu de se vanter, si elle nous avait enlevé quelqu'un de force !

– Seigneurs, Madame n'aurait voulu pour rien au monde vous voir
ni recevoir vos soins. Il y a eu beaucoup de bons médecins, mais jamais
Madame n'a accepté de voir l'un ou l'autre et de se laisser soigner. Non,
vraiment, elle n'a pas voulu !»

Alors les médecins se souvinrent de Salomon et de sa femme, qui le
haïssait tant qu'elle le trahit en se faisant passer pour morte[64]. Celle-ci a

---

[64] Sur la légende de la femme de Salomon, voir G. Paris, *Romania*, 9, 1880, p. 436-
443 ; H. Hauvette, *La morte vivante*, Paris, 1933.

Espoir autel a ceste fet.
Mes se il pueent par nul plet
feire tant que il la santissent,
il n'est hom nez por qu'an mantissent,   5864
se barat i pueent veoir,
que il n'en dïent tot le voir.
Vers la tor s'an vont maintenant,
ou l'en n'oïst pas Deu tonant,   5868
tel noise et tel cri i avoit.
Li mestres d'ax, qui plus savoit,
est droit a la biere aprochiez.
Nus ne li dist : « N'i atochiez ! »,   5872
ne nus arriere ne l'en oste,
et sor le piz et sor la coste
li met la main et sant sanz dote
que ele a el cors l'ame tote :   5876
bien le set et bien l'aparçoit.
L'empereor devant lui voit,
qui de duel s'afole et ocit.
En haut s'escrie, si li dit :   5880
« Empereres, conforte toi !
Je sai certainnemant et voi
que ceste dame n'est pas morte.
Leisse ton duel, si te conforte,   5884
car se vive ne la te rant,
ou tu m'oci ou tu me pant ! »
Maintenant abeisse et acoise
par le palés tote la noise.   5888
Et l'empereres dit au mire
c'or li loist comander et dire
sa volanté tot a delivre :
se l'empererriz fet revivre,   5892
sor lui iert sire et comanderres,
mes panduz sera come lerres
se il li a manti de rien.
Et cil respont : « 'Je l'otroi bien,   5896
ne ja de moi n'aiez merci
s'a vos parler ne la faz ci,
tot sanz panser et sanz cuidier.
Faites moi cest palés vuidier   5900

peut-être fait la même chose, mais s'ils peuvent trouver le moyen de
l'examiner, nul homme au monde ne les fera mentir et ne les empêchera,
s'ils découvrent une fraude, de dire toute la vérité. Ils s'en vont aussitôt
au donjon, où l'on n'entendrait pas Dieu tonner au milieu du tumulte et
des cris. Le maître des médecins, qui était le plus savant, est allé tout
droit à la bière. Nul ne lui dit: «N'y touchez pas!»[65], nul ne le fit reculer.
<u>Il pose la main sur la poitrine et sur le flanc de Fénice et sent avec certi-
tude que l'âme n'a pas quitté le corps.</u> Il le sait bien, il en est sûr. Il voit
devant lui l'empereur désespéré, qui se meurt de douleur, et s'écrie:
«Empereur, rassure-toi! Je suis absolument sûr que cette dame n'est pas
morte! Laisse là ton deuil et remets-toi: si je ne te la rends pas vivante,
tu peux me mettre à mort ou me faire pendre!» Aussitôt le tumulte cesse
dans tout le palais silencieux et l'empereur dit au médecin qu'il peut
librement dire toute sa volonté: s'il rend la vie à l'impératrice, il sera
seigneur et maître de l'empereur lui-même; mais il sera pendu comme
un voleur s'il a menti en quoi que ce soit. L'autre répond: «C'est
entendu: n'ayez aucune pitié de moi, si je ne la fais pas vous parler sur
le champ, sans réfléchir! Faites-moi vider cette salle et que personne

---

[65] *Noli me tangere!, Ne me touche pas!,* parole adressée dans *Jean* 20, 11-18, par
Jésus, après sa résurrection, à Marie-Madeleine. Le contexte de la citation incite à lui
donner une valeur parodique.

que uns ne autres n'i remaingne !
Le mal qui la dame mehaingne
m'estuet veoir priveemant.
Cist dui mire tant seulemant   5904
avoec moi ici remandront,
car de ma conpaignie sont,
et tuit li autre fors s'an issent !»
Ceste chose contredeïssent   5908
Cligés, Jehanz et Tessala,
mes tuit cil qui estoient la
le poïssent a mal torner
s'il le volsissent trestorner;   5912
por ce se teisent et si loent
ce que as autres loer oent,
si sont fors del palés issu.
Et li troi mire ont descosu   5916
le suaire la dame a force;
onques n'i ot costel ne force.
Puis li dïent: «Dame, n'aiez
peor, ne ne vos esmaiez,   5920
mes parlez tot seüremant !
Nos savons bien certainnemant
que tote estes sainne et heitiee.
Mes soiez sage et afeitiee   5924
ne de rien ne vos desperez,
car se consoil nos requerez,
tuit troi vos asseürerons
qu'a noz pooirs vos eiderons,   5928
[u soit de bien u soit de mal.
Molt an serons vers vos loial
et del celer et de l'aidier.
Ne nos faites longues plaidier !   5932
Quant nos vos metons a devise
nostre pooir, nostre servise][215],
nel devez mie refuser !»
Ensi la cuident amuser   5936
et descovrir, mes ne lor valt,
qu'el n'en a soing ne li n'an chalt

---

[215]   *6 vers absents A.*

n'y reste ! Je dois voir en privé le mal dont souffre cette dame. Seuls ces
deux médecins resteront ici avec moi car ils m'accompagnent. Que tous
les autres sortent !» Cligès, Jean et Thessala auraient bien voulu s'opposer à ces ordres mais tous ceux qui étaient là auraient pu mal interpréter
cette opposition. Ils se taisent donc et se rallient à l'avis des autres en
sortant.

Les trois médecins ont décousu brutalement le suaire de la dame,
sans couteau ni ciseaux. «Dame, lui disent-ils, n'ayez pas peur, ne vous
effrayez pas, parlez-nous en toute confiance ! Nous sommes absolument
sûrs que vous êtes en parfaite santé. Montrez-vous donc sage et docile,
ne vous désespérez pas ! Si vous nous demandez conseil, soyez sûre que
nous vous aiderons tous trois de tout notre pouvoir. Que vous ayez bien
ou mal agi, nous vous aiderons loyalement à dissimuler. Trêve de
discours ! Nous vous offrons aide et service : vous n'avez aucune raison
de les refuser !» Ils s'imaginent ainsi la tromper et l'amener à se décou-
vrir, mais c'est en vain, car elle n'a cure de leurs paroles : ils perdent

del servise qu'il li prometent;
de grant oiseuse s'antremetent.   5940
Et quant li fisicïen voient
que vers li rien n'esploiteroient
par losenge ne par proiere,
lors la gietent fors de la biere,   5944
[si la fierent et si la batent.
Mes de folie se debatent][216],
[que par ce parole n'en traient.
Lors la manacent et esmaient][217]   5948
et dïent, s'ele ne parole,
qu'el se tanra ancui por fole,
que il feront tele mervoille   (f. 76v)
de li qu'ainz ne fu la paroille   5952
de nul cors de fame cheitive :
« Bien savons que vos estes vive
ne parler a nos ne daigniez !
Bien savons que vos vos faigniez,   5956
si traïssiez l'empereor.
N'aiez mie de nos peor,
mes se nus vos a correciee,
einçois que vos aiens bleciee,   5960
vostre pleisir nos descovrez,
car trop vilenemant ovrez ;
et nos vos serons en aïe,
ou de savoir ou de folie. »   5964
Ne puet estre, rien ne lor valt.
Lors li donerent un assalt
par mi le dos de lor corroies,
s'an perent contreval les roies,   5968
et tant li batent sa char tendre
que il an font le sanc espendre.
Qant des corroies l'ont batue
tant que la char li ont ronpue   5972
et li sans contreval li cort,
qui par mi les plaies li sort,

---

[216] *2 vers absents AB. Corr. d'après CNPRST.*
[217] *2 vers absents A.*

complètement leur temps.

Quand les médecins voient qu'ils n'obtiendront rien d'elle par de belles paroles et des prières, ils la jettent de la bière et la rouent de coups. Mais c'est de la folie : ils n'en tirent pas un mot. Alors ils usent d'intimidation et la menacent, si elle refuse de parler, de lui faire regretter sa folie, et de lui infliger un traitement effroyable, comme jamais le corps d'une faible femme n'eut à en subir : « Nous savons parfaitement que vous êtes vivante et que vous refusez de nous parler ! Nous savons parfaitement que vous simulez la mort et que vous trahissez l'empereur ! N'ayez pas peur de nous ! Si quelqu'un a provoqué votre colère, dites-nous ce que vous voulez[66] avant d'être couverte de blessures, car votre conduite est honteuse ; et nous vous viendrons en aide, que ce soit à raison ou à tort ! » Mais tout est inutile, rien n'y fait. Alors ils se ruent sur elle à coups de lanières sur le dos, marquant tout son corps de stries, et ils battent tant sa tendre chair qu'ils en font jaillir le sang. Ils ont beau lacérer sa chair à coups de lanières et faire couler le sang de ses plaies

---

[66] Une fois de plus la copie de Guiot s'oppose à l'ensemble des autres manuscrits. Contrairement au vers 5697, où l'interprétation du scribe semblait aller dans le sens d'une condamnation de Fénice, on trouve ici *pleisir* (volonté) à la place de *folie*, très péjoratif.

n'en porent il ancor rien faire
ne sopir ne parole traire,   5976
n'ele ne se crosle ne muet.
Lors dïent que il lor estuet
feu et plonc querre, qu'il fondront,
qu'es paumes gitier li voldront,   5980
einçois que parler ne la facent.
Feu et plonc quierent et porchacent ;
le feu alument et plonc fondent.
Ensi afolent et confondent   5984
la dame li felon ribaut,
qui le plonc tot boillant et chaut,
si com il l'ont del feu osté,
li ont anz es paumes colé.   5988
N'encor ne lor est pas assez
de ce que li plons est passez
par mi les paumes d'outre en outre,
einz dïent li cuivert avoutre   5992
que s'ele ne parole tost,
orendroit la metront an rost
tant que ele iert tote greslie.
Cele se test ne ne lor vie   5996
sa char a batre n'a malmetre.
Ja la voloient el feu metre
por rostir et por graïllier
qant des dames plus d'un millier   6000
des genz se partent et desvoient ;
a la porte vienent, si voient
par un petit [d'entr'overture]²¹⁸
l'angoisse et la malaventure   6004
que cil feisoient a la dame,
qui au charbon et a la flame
li feisoient sosfrir martire.
Por l'uis brisier et desconfire   6008
aportent coigniees et mauz.
Granz fu la noise et li assauz
a la porte brisier et fraindre ;
s'or pueent les mires ataindre,   6012

---

²¹⁸   de roverture A.

jusqu'au sol, ils ne peuvent rien en tirer, ni soupir, ni parole, pas le moindre mouvement. Alors ils décident qu'il leur faut du feu et du plomb: ils feront fondre le plomb pour le lui verser sur la paume des mains plutôt que de renoncer à la faire parler. Ils vont donc chercher du feu et du plomb, allument le feu et font fondre le plomb. C'est ainsi qu'ils tourmentent et torturent la dame, les misérables! Le plomb bouillant et brûlant, sorti du feu, ils le lui font couler sur les paumes. Et non contents de voir que le plomb a traversé les mains de part en part, les ignobles bâtards lui disent que si elle ne se dépêche pas de parler, ils vont la mettre sur un gril et la faire rôtir[67]. Fénice se tait, abandonne son corps à leurs coups et à leurs tortures.

Ils allaient la mettre dans le feu pour la faire rôtir et griller quand plus d'un millier de dames se détachent de la foule: parvenues à la porte, elles voient par une petite ouverture les tourments et les tortures que les trois hommes infligent à la dame, lui faisant souffrir le martyre sur le charbon et les flammes. Pour briser et enfoncer la porte elles apportent des cognées et des marteaux. Dans un grand tumulte et un grand fracas la porte est brisée et défoncée. Si elles peuvent attraper les

---

[67] Le traitement infligé à Fénice rappelle le martyre de plusieurs saints, en particulier celui de saint Laurent, fouetté puis exposé sur un gril: voir *La Légende dorée*, trad. A. Boureau, Paris, Bibliothèque de la Pléiade, 2003. Le lexique rappelle celui de l'hagiographie: *martire* (v. 6007, 6038); *sainte* (v. 5782, 6074, 6078), *saintuaire* (v. 6076).

ja lor sera sanz atendue
tote lor desserte rendue.
Les dames antrent el paleis
totes ansanble a un esleis,   6016
et Tessala est an la presse,
qui de rien nule n'est angresse
fors qu'a sa dame soit venue.
Au feu la trueve tote nue,   6020
molt anpiriee et molt malmise :
arriere an la biere l'a mise
et desoz lo paile coverte.
Et les dames vont lor desserte   6024
as .III. mires doner et rendre.
N'i vostrent [mander]²¹⁹ ne atendre
n'empereor ne seneschal :
par les fenestres contre val   6028
les ont en mi la cort lanciez,
si que tuit troi ont peçoiez
cos et costez et braz et [james]²²⁰.
Einz mialz nel firent nules dames !   6032

Or ont eü molt malemant
li troi mire lor paiemant,
car les dames les ont paiez.
Mes Cligés est molt esmaiez   6036
et grant duel a quant il ot dire
la grant angoisse et le martire
que s'amie a por lui sosfert ;
par un po que le san ne pert,   6040
car il crient molt, et si a droit,
qu'afolee ou morte ne soit
por le tormant que fet li ont
li troi mire qui venu sont,   6044
si s'an despoire et desconforte.
Et Tessala vient, qui aporte
un molt precïeus oignemant,
dont ele a oint molt dolcemant   6048

---

²¹⁹   mandre *A*.
²²⁰   janbes *A*.

médecins, elles leur donneront sans retard ce qu'ils méritent !

Les dames, dans leur élan, entrent toutes ensemble dans la salle ; Thessala, dans la foule, ne cherche qu'à rejoindre sa maîtresse. Elle la trouve sur le feu, toute nue, gravement meurtrie et bien mal en point. Elle la replace dans la bière et la recouvre du linceul. Quant aux dames, elles rétribuent les trois médecins selon leurs mérites : sans appeler ni attendre l'empereur ou le sénéchal, elles les ont jetés par les fenêtres en plein milieu de la cour et tous trois eurent le cou, les côtes, les bras et les jambes brisés. Jamais dames n'ont mieux agi !

Les trois médecins ont maintenant reçu leur dû à leur grand dam : les dames les ont bien payés. Mais Cligès est épouvanté et accablé en apprenant la souffrance et le martyre que son amie a endurés pour lui : il manque en perdre l'esprit, craignant fort, et à juste titre, qu'elle ne soit agonisante ou morte après les tortures que lui ont infligées les trois médecins ; il se désole et se désespère. Mais Thessala arrive avec un très précieux onguent dont elle enduit délicatement les blessures de Fénice.

les cos et les plaies celi.
La ou en la renseveli,
en un blanc paile de Sulie
l'ont les dames ransevelie,   6052
mes le vis descovert li leissent,
n'onques la nuit lor criz n'abeissent
ne ne cessent ne fin ne prenent.
Par tote la vile forssenent   6056
et haut et bas, et povre et riche,
si sanble que chascuns s'afiche
qu'il vaintra tot de feire duel
ne ja nel leissera son vuel.   6060
Tote nuit est li criz molt granz.
L'andemain vint a cort Jehanz,
et li empereres le mande,
si li dit et prie et comande :   6064
« Jehan, s'onques feïs boene oevre,
or i met ton san et descuevre
en une sepolture ovrer
tele qu'an ne puisse trover   6068
si bele ne si bien portreite ! »
Et Jehanz, qui l'avoit ja feite,
dit qu'il en a apareilliee
une molt bele et bien tailliee,   6072
mes onques n'ot antencïon
qu'an i meïst se cors sainz non,
qant il la comança a faire :
[« Or soit en liu de saintuaire   6076
l'empereris dedans anclose]²²¹,
qu'ele est, ce cuit, molt sainte chose.
– Bien avez dit, fet l'empere.
Au mostier mon seignor saint Pere   6080
iert anfoïe la defors,
ou l'en anfuet les autres cors,
car einçois que ele morist   (f. 77)
le me pria molt et requist   6084
que je la la feïsse metre.
Or vos en alez antremetre,

---

²²¹   Qu'an n'i meïst fors saintuaire/L'empererriz i est enclose *A*.

Pour ce nouvel ensevelissement les dames l'ont enveloppée d'un blanc linceul de Syrie en lui laissant le visage découvert. De toute la nuit leurs cris ne s'apaisent ni ne prennent fin. Dans la ville entière grands et petits, pauvres et riches sont fous de douleur; chacun semble décidé à exprimer le deuil le plus déchirant sans vouloir y mettre un terme. Toute la nuit retentissent de grands cris.

Le lendemain Jean se rend à la cour, convoqué par l'empereur, qui lui adresse cette prière et cet ordre: «Jean, au nom des belles œuvres que tu as réalisées, consacre maintenant ton talent à la confection d'un cercueil d'une beauté et d'un art inégalables!». Jean, qui l'avait déjà fait, dit qu'il en avait un tout prêt, très beau et magnifiquement sculpté; mais il pensait le réserver, en le façonnant, aux reliques d'un saint: «Eh bien!, que l'impératrice y repose, comme une relique, car c'est, j'en suis sûr, une très sainte créature!

– C'est bien parlé!, dit l'empereur. Elle sera ensevelie à l'église de monseigneur saint Pierre, à l'extérieur de la ville, là où se trouvent d'autres sépultures; car avant sa mort elle m'a prié instamment de l'enterrer à cet endroit. Allez vous en occuper! Elevez le tombeau, comme il se

[s'asseez]²²² vostre sepolture,
si con reisons est et droiture,   6088
et plus bel leu del cemetire !
Jehanz respont : « Volentiers, sire ! »
Et Jehanz maintenant s'an torne,
la sepolture bien atorne   6092
et de ce fist que bien apris.
Un lit de plume a dedanz mis
por la pierre qui estoit dure
et plus encor por la froidure ;   6096
et por ce que soef li oelle,
espant dessus et flors et fuelle,
mes por ce le fist ancor plus
que la coute ne veïst nus   6100
qu'il avoit en la fosse mise.
Ja ot en fet tot le servise
as eglises et as barroches
et sonoit an adés les cloches   6104
si con l'en doit feire por mort.
Le cors comande qu'an aport,
s'iert an la sepolture mis
don Jehanz s'est tant entremis   6108
car molt l'a faite riche et noble.
An trestote Constantinoble
n'a remés ne petit ne grant
qui n'aut aprés le cors plorant,   6112
si maudïent la Mort et blasment.
Chevalier et vaslet se pasment,
et les dames et les puceles
batent lor piz et lor memeles,   6116
s'ont a la Mort prise tançon :
« Morz, fet chascune, reançon
de ma dame que ne preïs ?
Certes, petit gahaing feïs,   6120
car a nostre oés sont granz les pertes ! »
Mes Cligés an fet duel a certes
tel qu'il s'an afole et confont
plus que tuit li autre ne font   6124

_____

²²²   Seelez *A. Corr. d'après CPRT.*

doit, au plus bel endroit du cimetière !
– Volontiers, sire !», répond Jean.

Et Jean de s'en retourner et de préparer le tombeau avec habileté : il y a déposé un lit de plumes pour pallier la dureté de la pierre et surtout le froid et, pour qu'il y règne une agréable odeur, il répand au-dessus des fleurs et des feuillages ; mais c'était surtout pour cacher le coussin qu'il avait mis dans la fosse.

Déjà on avait célébré le service dans les églises et les paroisses et l'on sonnait les cloches sans trêve, comme on doit le faire pour les morts. On donne l'ordre d'apporter le corps, qui est déposé dans le tombeau que Jean a préparé avec soin et magnifiquement décoré. Dans tout Constantinople il ne reste petit ni grand qui ne suive le corps en pleurant : tous maudissent et accusent la Mort. Les chevaliers et les jeunes gens s'évanouissent ; les dames et les jeunes filles se frappent la poitrine et les seins en prenant la Mort à partie : « Mort, disent-elles, pourquoi n'as-tu pas accepté une rançon en échange de notre dame ? Tu n'as vraiment gagné que bien peu par rapport à l'étendue de notre perte !» Quant à Cligès, son deuil est si sincère qu'il est encore plus

et mervoille est qu'il ne s'ocit,
mes ancor le met an respit
tant que l'ore et li termes veingne
qu'il la desfuee et qu'il la teingne   6128
et savra s'ele est vive ou non.
Sor la fosse sont li baron,
qui le cors i colchent et metent,
mes sor Jehan ne s'antremetent   6132
de la sepolture aseoir,
qu'il ne la porent nes veoir,
einz sont trestuit pasmé cheü,
s'a Jehanz boen leisir eü   6136
de feire quanque il i fist.
La sepolture si assist
que nule autre chose n'i ot;
bien la seele et joint et clot.   6140
Et lors se poïst bien prisier
qui sanz malmetre et sanz brisier
ovrir ne desjoindre seüst
rien que Jehanz fet i eüst.   6144

Fenice est an la sepolture
tant que vint a la nuit oscure,
mes .XXX. chevaliers la gardent,
si i a .X. cierges qui ardent,   6148
grant clarté et grant luminaire.
Enuié furent de mal traire
li chevalier et recreü,
s'ont la nuit mangié et beü   6152
tant que tuit s'andorment ansanble.
A l'anuitier de cort s'an anble
Cligés et de tote la gent;
n'i ot chevalier ne sergent   6156
qui seüst pas que il devint.
Ne fina tant qu'a Jehan vint,
qui de quanqu'il puet le consoille.
Unes armes li aparoille,   6160
qui ja mestier ne li avront.
Au cemetire andui s'an vont,
armé, a coite d'esperon.

abattu que les autres, et c'est merveille qu'il ne se tue pas. Mais il attend le moment où il pourra exhumer Fénice et la tenir dans ses bras pour savoir si elle est vivante ou non. Les barons se tiennent au bord de la fosse et y couchent le corps mais ils s'en remettent à Jean pour caler le cercueil, qu'ils ne purent même pas voir, car ils se sont tous évanouis. Jean a pu ainsi agir en toute liberté. Il met le cercueil en place, bien dégagé ; il le scelle bien, le joint et le ferme : il faudrait être bien habile pour ouvrir ou défaire l'ouvrage de Jean sans rien abîmer ni briser.

Fénice est dans son tombeau jusqu'à la tombée de la nuit, gardée par trente chevaliers : il y a dix cierges qui brûlent, répandant une grande clarté. Les chevaliers fatigués par le deuil, épuisés, ont à la nuit mangé et bu et se sont tous endormis. La nuit venue, Cligès quitte la cour et toute l'assemblée. Ni chevalier ni serviteur ne put savoir ce qu'il était devenu. Il va vite rejoindre Jean, qui lui fait toutes ses recommandations. Il lui prépare des armes mais ils n'en auront pas besoin. Tous deux se rendent au cimetière, armés, éperonnant leurs chevaux. Le cimetière

Mes clos estoit tot anviron   6164
li cemetires de haut mur,
si cuidoient estre a seür
li chevalier, qui se dormoient
et la porte fermee avoient   6168
par dedanz, que nus n'i entrast.
Cligés ne voit comant i past,
car par la porte antrer n'i puet,
et por voir antrer li estuet :   6172
Amors li enorte et semont.
Au mur se prant et ranpe a mont,
car molt estoit preuz et legiers.
La dedanz estoit uns vergiers   6176
ou avoit arbres a planté.
Pres del mur en ot un planté :
ensi que au mur se tenoit.
Or a Cligés quanqu'il voloit,   6180
car par cel arbre jus se mist.
La premiere chose qu'il fist,
ala Jehan la porte ovrir.
Les chevaliers voit toz dormir,   6184
si a le luminaire estaint
que nule clartez n'i remaint.
Et Jehanz maintenant descuevre
la fosse et la sepolture oevre   6188
si que de rien ne la malmet.
Cligés an la fosse se met,
s'en a s'amie fors portee,
qui molt est vainne et amortee,   6192
si l'acole et beise et anbrace.
Ne set se duel ou joie face :
el ne se muet ne ne dit mot.
Et Jehanz, au plus tost qu'il pot,   6196
a la sepolture reclose
si qu'il ne pert a nule chose
que l'an i eüst atochié.
De la tor se sont aprochié   6200
au plus tost que il onques porent.
Et quant en la tor mise l'orent,
es chanbres qui soz terre estoient,

était clos de hauts murs et les chevaliers qui dormaient se croyaient tranquilles et avaient fermé la porte de l'intérieur pour interdire l'entrée.
Cligès ne voit pas comment entrer car il ne peut passer par la porte, et
pourtant il lui faut entrer. Amour l'exhorte et le stimule : il s'agrippe au
mur et l'escalade, car il était brave et agile. A l'intérieur il y avait un
verger avec de nombreux arbres : l'un d'entre eux, planté près du mur, le
touchait presque. Voilà ce qu'il faut à Cligès : l'arbre lui permet de
rejoindre le sol. La première chose qu'il fit fut d'aller ouvrir la porte à
Jean. Voyant les chevaliers tous endormis, il éteint les cierges et ne
laisse aucune lumière. Aussitôt Jean découvr la fosse et ouvre le cercueil sans l'abîmer. Cligès descend dans la fosse et en sort son amie,
sans connaissance, à demi morte : il la serre dans ses bras et la couvre de
baisers sans savoir s'il doit pleurer ou se réjouir. Elle ne bouge pas, ne
dit pas un mot. Jean, rapidement, referme la sépulture, sans laisser le
moindre indice qu'on y eût touché. Ils gagnent la tour au plus vite. Et
quand ils eurent installé Fénice dans les chambres souterraines de la

adonc la dessevelissoient.   6204
Et Cligés, qui rien ne savoit
de la poison que ele avoit
dedanz le cors, qui la fet mue
et tele qu'el ne se remue,   6208
por ce cuide qu'ele soit morte,
si s'an despoire et desconforte
et sospire formant et plore.
Mes par tans iert venue l'ore   6212
que la poisons perdra sa force.
Et molt se travaille et esforce
Fenice, qui l'ot regreter,   (f. 77v)
qu'ele le puisse conforter   6216
ou de parole ou de regart.
A po que li cuers ne li part
del duel qu'ele ot que il demainne :
« Ha !, fet il, Morz, com es vilainne   6220
quant tu espargnes et respites
les vix choses et les despites,
celes leiz tu durer et vivre !
Morz, tu es forssenee et ivre   6224
quant m'amie as morte por moi !
Ce est mervoille que je voi :
m'amie est morte et je sui vis.
Ha !, dolce amie, vostre amis   6228
por coi vit et morte vos voit ?
Or porroit an dire par droit,
qant morte estes [por]²²³ mon servise,
que je vos ai morte et ocise !   6232
Amie, don sui je la Morz,
qui morte vos ai – n'est ce torz ? -,
qui [ma vie]²²⁴ vos ai tolue,
si ai la vostre retenue.   6236
Dont n'ert ma joie, dolce amie,
vostre santez et vostre vie ?
Et don n'estoit vostre la moie ?
Car nule rien fors vos n'amoie,   6240

---

²²³ par A. Corr. d'après BP.
²²⁴ m'amie A. Corr. d'après CRS.

tour, ils lui enlevèrent son linceul. Cligès, qui ne savait rien de la potion qu'elle avait prise et qui la rendait muette et inerte, est persuadé qu'elle est morte. Désespéré, anéanti, il ne cesse de soupirer et de pleurer. Mais bientôt viendra le moment où la potion perdra sa force. Et Fénice, qui entend sa plainte, tâche de toutes ses forces de le rassurer par une parole ou un regard. Elle a le cœur brisé en entendant son deuil. « Ah!, fait-il, Mort, tu es ignoble d'épargner et de ménager tout ce qui est vieux et méprisable, de laisser ceux-là survivre! Mort, tu es folle et ivre d'avoir tué mon amie à ma place! Ce que je vois est impossible: mon amie est morte, et moi je vis! Ah!, douce amie, pourquoi votre ami doit-il vivre et vous voir morte? On aurait raison de dire, puisque vous êtes morte pour moi, que je vous ai donné la mort! Amie, je suis donc la Mort, moi qui vous ai tuée – n'est-ce pas injuste? –, moi qui vous ai enlevé ma vie et qui ai retenu la vôtre! N'était-ce donc pas toute ma joie, ma douce amie, que votre santé et votre vie? Et ma vie ne vous appartenait-elle pas? Je n'aimais personne d'autre que vous, nous n'étions tous deux

une chose estïens andui.
Or ai ge fet ce que je dui,
car la vostre gart an mon cors
et la moie est del vostre fors !   6244
Et l'une a l'autre, ou qu'ele fust,
conpaingnie porter deüst,
ne riens nes deüst departir !»
Atant cele giete un sopir   6248
et dit foiblemant et an bas :
« Amis, amis, je ne sui pas
del tot morte, mes po an faut.
De ma vie mes ne me chaut.   6252
Je me cuidai gaber et faindre,
mes or estuet a certes plaindre,
car la Morz n'a soing de mon [gap]²²⁵.
Mervoille iert se vive an eschap,   6256
car trop m'ont li mire bleciee,
ma char ronpue et depeciee.
Et neporquant, s'il poïst estre
qu'avoec moi fust ceanz ma mestre,   6260
cele me feïst tote sainne,
se rien i deüst valoir painne.
– Amie, donc ne vos enuit,
fet Cligés, car encore enuit   6264
la vos amanrai je ceanz.
– Amis, einz i ira Jehanz.»
Jehanz i vet, si l'a tant quise
qu'il la trova, si li devise   6268
comant il vialt qu'ele s'an veingne
ne essoines ne la deteigne,
car Fenice et Cligés la mandent
en une tor ou il l'atandent,   6272
car Fenice est molt mal baillie,
s'estuet qu'ele veigne garnie
d'oignemant et de letuaire ;
morte iert s'ele demore gaire,   6276
s'isnelemant ne la secort.
Et Thessala maintenant cort

---

²²⁵ gab *A*.

qu'une seule chose. Et j'ai fait ce qu'il fallait pour vous tuer ! Je garde
votre vie en moi et la mienne n'est plus en vous ! Et pourtant l'une et
l'autre, partout, auraient dû se tenir compagnie sans jamais être sépa-
rées !» Alors Fénice pousse un soupir et dit d'une voix faible : «Ami,
ami, je ne suis pas tout à fait morte, mais peu s'en faut, et je ne me
soucie plus de vivre. J'ai cru tromper et simuler mais maintenant j'ai de
vraies raisons de me plaindre, car la Mort ne s'est pas laissée tromper.
Ce sera un prodige si j'en réchappe, car les médecins m'ont cruellement
blessée ; ils ont lacéré ma chair. Et pourtant, si ma nourrice pouvait être
ici, elle me rendrait la santé, si c'est encore possible.

   – Amie, ne craignez rien, répond Cligès, je vais vous l'amener dès
cette nuit.

   – Ami, il vaut mieux que Jean y aille ».

   Jean s'en va, finit par trouver Thessala et lui explique qu'il veut
qu'elle vienne sans retard, car Fénice et Cligès l'attendent dans une tour
et l'appellent : Fénice va très mal et il faut qu'elle vienne avec tous ses
onguents et ses électuaires ; sinon Fénice mourra, si elle tarde à la secourir. Et Thessala de courir chercher onguents, emplâtres et électuaires de

et prant oignemant [et]²²⁶entrait
et leituaire qu'ele ot fait,   6280
si est a Jehan asanblee.
De la vile issent a celee
tant qu'a la tor vienent tot droit.
Qant Fenice sa mestre voit,   6284
lors cuide estre tote garie,
tant l'ainme et croit et tant s'i fie.
Cligés l'acole et la salue
et dist: «Bien soiez vos venue,   6288
mestre, je vous aim tant et pris!
Car me dites, que vos est vis
del mal a ceste dameisele?
Que vos sanble? Garra en ele?   6292
– Oïl, sire, n'en dotez pas
que je tote ne la respas.
Ja n'iert passee la quinzainne
que je si ne la face sainne   6296
qu'ele ne fu nule foiee
plus sainne ne plus anvoisiee!»
Thessala panse a li garir
et Jehanz vet la tor seisir   6300
de tot ce que il i covient.
Cligés va en la tor et vient
hardiëmant, tot a veüe,
c'un ostor i a mis en mue,   6304
si dit que il le vet veoir,
ne nus ne puet aparcevoir
qu'il i voist por nule acheison
se por l'ostor seulemant non.   6308
Molt i demore nuit et jor,
et Jehanz fet garder la tor
que nus n'i antre qu'il ne vuelle.
Fenice n'a mal don se duelle,   6312
car bien l'a Tessala garie.
S'or fust Cligés dus d'Aumarie
ou de Marroc ou de Tudele,
ne prisast il une cenele   6316

---

²²⁶ et *absent* A.

sa fabrication avant de rejoindre Jean. Ils sortent secrètement de la ville et viennent tout droit à la tour. Quand Fénice voit sa nourrice, elle a l'impression d'être déjà guérie, tant elle l'aime et lui fait confiance. Cligès lui donne l'accolade et la salue en disant : « Soyez la bienvenue, nourrice ! Je vous aime et je vous estime tant ! Dites-moi vite ce que vous pensez du mal de cette demoiselle ! Quel est votre avis ? Va-t-elle guérir ?

    – Oui, seigneur, n'ayez pas peur, je vais la remettre sur pied. D'ici quinze jours elle sera en parfaite santé, mieux portante et plus gaie que jamais. »

    Thessala s'applique à guérir Fénice et Jean apporte à la tour tout le nécessaire. Cligès va à la tour et en revient hardiment, sans se cacher, car il y a mis un autour en mue et dit qu'il va le visiter : nul ne peut deviner qu'il y va pour une autre raison que l'autour. Il y séjourne long-temps, de nuit comme de jour, et Jean fait garder la tour afin que nul n'y entre sans sa permission. Fénice ne souffre plus d'aucun mal : Thessala l'a bien guérie. Cligès pourrait bien être duc d'Almeria, de Maroc ou de Tudèle, il s'en moquerait comme d'une prune en comparaison de la joie

avers la joie que il a.
Certes de rien ne s'avilla
Amors quant il les mist ansanble,
car a l'un et a l'autre sanble,   6320
qant li uns l'autre acole et beise,
que de lor joie et de lor eise
soit toz li mondes amandez,
ne ja plus ne m'an demandez.
[Mais n'est cose que li uns voelle
que li autres ne s'i acoelle :   6326
ensi est lor voloirs tot uns
con s'il dui ne fuissent que uns][227].

Tot cel an et de l'autre assez,
trois mois, ce croi, et plus assez   6330
a Fenice an la tor esté.
Au renovelemant d'esté
que flors et fuelles d'arbres issent
et cil oisel si s'esjoïssent   6334
qu'il font lor joie an lor latin,
Avint que Fenice un matin
oï chanter le rossignol.
Le braz au flanc et l'autre au col   6338
la tenoit Cligés dolcemant,
et ele lui tot [alsemant][228],
si li a dit : « Biax amis chiers,
grant bien me feïst uns vergiers   6342
ou je me poïsse deduire.
Ne vi lune ne soloil luire
plus a de .XV. mois antiers.
S'estre poïst, molt volentiers   6346
m'an istroie la fors au jor,
qu'anclose sui an ceste tor.
Et se ci pres avoit vergier
ou je m'alasse esbanoier,   6350
molt me feroit grant bien sovant. »   (f. 78)
Lors li met Cligés an covant

---

[227]   *4 vers absents A.*

[228]   maintenant *A.*

qu'il éprouve. Vraiment Amour ne s'est pas abaissé en les réunissant: tous deux ont l'impression, quand ils s'enlacent et se donnent des baisers, que leur joie et leur bonheur ont rendu le monde meilleur. Ne m'en demandez pas davantage! Il suffit que l'un d'eux veuille une chose pour que l'autre y soit disposé: ils n'ont plus qu'une volonté, comme s'ils ne formaient plus qu'un.

Fénice a vécu dans la tour toute l'année et une bonne partie de la suivante, trois mois et plus, je crois. Au retour de l'été, quand les fleurs et les feuilles sortent des arbres, que les oiseaux se réjouissent et chantent leur joie dans leur latin, Fénice, un beau matin, entendit le chant du rossignol[68]. Cligès la tenait doucement contre lui, un bras autour de sa taille et l'autre autour de son cou, et elle le serrait aussi contre elle. « Mon doux ami, lui dit-elle, j'aimerais pouvoir profiter d'un verger: cela me ferait beaucoup de bien. Il y a plus de quinze mois que je n'ai vu briller la lune ni le soleil. Si c'était possible, je voudrais sortir à la lumière du jour car je suis enfermée dans cette tour, et s'il y avait près d'ici un verger où je puisse aller me promener, cela me ferait vraiment beaucoup de bien ». Cligès lui promet d'en parler à Jean dès qu'il le verra. Et il se

---

[68] Le motif de la reverdie ouvre souvent les chansons des troubadours et des trouvères, en liant l'amour au retour du printemps. Il sert également d'ouverture au *Conte du Graal* de Chrétien.

qu'a Jehan consoil an querra
tot maintenant qu'il le verra.   6354
Et maintenant est avenu
que Jehanz est leanz venu,
car sovant venir i soloit.
De ce que Fenice voloit   6358
l'a Cligés a parole mis.
«Tot est apareillié et quis,
fet Jehanz, quanqu'ele comande.
De ce qu'ele vialt et demande   6362
est ceste [tor]²²⁹ bien aeisiee.»
Lors se fet Fenice molt liee
et dit a Jehan qu'il l'i maint.
Cil respont: «An moi ne remaint.»   6366
Lors vet Jehanz ovrir un huis
tel que je ne sai ne ne puis
la façon dire ne retraire.
Nus fors Jehan nel poïst faire   6370
ne ja nus dire ne seüst
que huis ne fenestre i eüst
tant con li huis ne fust overz,
si estoit celez et coverz.   6374
Qant Fenice vit l'uis ovrir
et le soloil leanz ferir
qu'ele n'avoit pieça veü,
de joie a tot le san meü   6378
et dit c'or ne quiert ele plus,
qant el puet issir de reclus,
n'aillors ne se quiert herbergier.
Puis est antree an un vergier   6382
qui molt li plest et atalante.
En mi le vergier ot une ante
de flors chargiee et bien foillue
et par dedesoz estandue.   6386
Ensi estoient li rain duit
que par terre pandoient tuit
et pres de la terre baissoient,
fors la cime dom il nessoient: 6390

---

²²⁹   corz A.

trouve justement que Jean est arrivé, car il leur rendait souvent visite.
Cligès lui a parlé du souhait de Fénice. «Tout est déjà prêt, répond Jean,
pour répondre à sa demande. Cette tour est pourvue de tout ce qu'elle
désire. Alors Fénice, tout heureuse, prie Jean de l'y mener. «Je n'y vois
aucune objection», répond-il. Il va ouvrir une porte dont je suis incapable de vous dire à quoi elle ressemblait. Nul autre que Jean n'aurait pu
l'ouvrir et nul n'aurait pu dire qu'il y avait là une porte ou une fenêtre
avant de la voir ouverte, tant elle était bien cachée.

Quand Fénice voit la porte s'ouvrir et le soleil, qu'elle n'avait pas vu
depuis si longtemps, envahir la pièce, elle est folle de joie: elle ne désire
rien de plus, dit-elle, puisqu'elle peut sortir de sa réclusion, et elle ne
veut pas d'autre demeure. Elle entre alors dans un verger qui comble
tous ses vœux. Au milieu du verger il y avait un arbre chargé de fleurs
et d'un épais feuillage qui se déployait vers le sol. Les branches pen-
daient toutes jusqu'à terre, s'abaissant jusqu'au ras du sol, tandis que la
cime, d'où elles naissaient, s'élevait droit vers le ciel. Fénice ne désire

la cime aloit contre mont droite.
Fenice autre leu ne covoite.
Et desoz l'ante ert li praiax
molt delitables et molt biax,   6394
ne ja n'iert tant li solauz chauz
en esté, quant il est plus hauz,
que ja rais i puisse passer,
si le sot Jehanz conpasser   6398
et les branches mener et duire.
La se va Fenice deduire,
si a fet soz l'ante son lit.
La sont a joie et a delit.   6402
Et li vergiers ert clos antor
de haut mur qui tient a la tor
si que riens nule n'i [entrast][230]
se par la tor sus n'i [montast][231].   6406
Or est Fenice molt a eise :
n'est riens nule qui li despleise ;
[ne li faut riens que ele vuelle
qant sor les flors ne sor la fuelle][232]   6410
son ami li loist anbracier.
El tans que l'en vet an gibier
de l'esprevier et del brachet,
qui quiert l'aloe et le [machet][233]   6414
et la quaille et la perdriz trace,
avint c'uns chevaliers de Trace,
bachelers juenes, anvoisiez,
de chevalerie prisiez,   6418
fu un jor an gibiers alez
vers cele tor tot lez a lez.
Bertranz ot non li chevaliers.
Essorez fu ses espreviers,   6422
qu'a une aloëte a failli.
Or se tandra por mal bailli

---

[230]   montast *A*.
[231]   entrast *A*.
[232]   *2 vers intervertis A.*
[233]   maslet *A*.

pas d'autre séjour. Sous l'arbre, un pré délicieux : même en été, quand le
soleil est le plus chaud et le plus haut dans le ciel, ses rayons ne peuvent
traverser le feuillage grâce à la façon dont Jean a disposé et taillé les
branches. C'est là que Fénice va s'ébattre et faire son lit, là que les
amants connaissent la joie et le plaisir. Le verger est enclos de hauts
murs attenant à la tour si bien que personne ne peut y pénétrer sans
passer d'abord par la tour. Fénice est bien heureuse maintenant : rien ne
vient gâter son plaisir, rien ne lui manque plus puisque, sur les fleurs ou
les feuillages, elle peut tenir son ami dans ses bras.

Au temps où l'on chasse le gibier avec l'épervier et le braque, qui
rapporte l'alouette et d'autres oiseaux[69], qui piste la caille et la perdrix,
il se trouva qu'un chevalier de Thrace, un jeune homme enjoué et réputé
pour ses faits d'armes, était un jour à la chasse tout près de cette tour. Il
se nommait Bertrand. Il avait lancé son épervier après une alouette,
qu'il avait manquée[70]. Pour rien au monde Bertrand ne voudrait perdre

---

[69] *machet* désigne un petit oiseau mangeable : voir la note et le glossaire de l'édition
Gregory-Luttrell.

[70] On retrouve ici le motif de la chasse comme prélude à une aventure féerique. Bertrand est ici entraîné dans l'autre monde que constitue le verger merveilleux. Cf. L. Harf-
Lancner, *Les fées au Moyen Age*, Paris, Champion, 1984, rééd. 1991, chap. 9, La chasse
au blanc cerf. Bertrand rappelle aussi le garde forestier qui, dans le *Tristan* de Béroul, surprend les amants dans la forêt du Morois et en avertit le roi Marc (Béroul, *Tristan*, éd. cit.,
v. 1835-1913).

bertranz, s'il pert son esprevier.
Desoz la tor anz el vergier   6426
le vit descendre et aseoir,
et ce li plot molt a veoir:
or ne le cuide mie perdre.
Tantost se vet au mur aerdre   6430
et fet tant que oltre s'an passe.
Soz l'ante vit dormir a masse
Fenice et Cligés nu a nu.
«Dex!, fet il, que m'est avenu?   6434
Quiex mervoille est ce que je voi?
N'est ce Cligés? Oïl, par foi!
N'est ce l'empererriz ansanble?
Nenil, mes ceste la resanble   6438
que riens autre si ne sanbla.
Tel nes, tel boche, tel front a
con l'empererriz ma dame ot.
Onques mes Nature ne sot   6442
feire .II. choses d'un sanblant.
An cesti ne voi je neant
que an madame ne veïsse.
S'ele fust vive, je deïsse   6446
veraiemant que ce fust ele!»
Atant une poire destele,
si chiet Fenice sor l'oroille;
ele tressaut et si s'esvoille   6450
et voit Bertran, si crie fort:
«Amis, amis, nos somes mort!
Vez ci Bertran! S'il nos eschape,
cheü somes an male [trape]²³⁴: 6454
Il dira qu'il nos a veüz!»
Lors s'est Bertranz aparceüz
que c'est l'empererriz sans faille.
Mestiers li est que il s'an aille,   6458
car Cligés avoit aportee
el vergier avuec lui s'espee,
si l'avoit dedevant aus mise.
Il saut sus, s'a l'espee prise.   6462

---

²³⁴   trace *A*.

son épervier. Il le voit descendre et se poser au pied de la tour, dans le verger, ce qui le rassure : il ne risque plus de le perdre. Vite il s'agrippe au mur et fait tant qu'il passe de l'autre côté. Sous l'arbre il vit dormir ensemble Fénice et Cligès, nus tous les deux. « Mon Dieu !, dit-il, que se passe-t-il ? quel est ce prodige ? N'est-ce pas Cligès ? Mais oui, c'est lui ! N'est-ce pas l'impératrice avec lui ? Non, mais cette femme lui ressemble plus que nulle autre. Elle a le même nez, la même bouche, le même front que madame l'impératrice. Jamais Nature n'a créé deux créatures aussi semblables. Je ne vois rien en elle que je n'aurais pu voir en Madame. Si celle-ci était vivante, je dirais assurément que c'est elle ! » A ce moment une poire se détache et tombe sur l'oreille de Fénice, qui s'éveille en sursaut, voit Bertrand et s'écrie : « Ami, ami, nous sommes morts ! Bertrand est là ! S'il nous échappe, nous sommes pris au piège ! Il dira qu'il nous a vus ! » Bertrand comprend alors qu'il s'agit bien de l'impératrice. Il faut qu'il parte, car Cligès avait apporté son épée dans le verger et l'avait placée devant Fénice et lui[71]. Il bondit, saisit son épée

---

[71] On retrouve ici un écho de la scène au cours de laquelle Tristan et Iseut, endormis, sont surpris par le roi Marc dans la forêt du Morois, avec une épée entre leurs deux corps (Béroul, *Tristan*, éd. cit., v. 1804-1821 et 1995-2000). Mais ici, contrairement au texte de Béroul, les amants sont nus et l'épée ne sépare pas leurs corps.

et Bertranz fuit isnelemant,
plus tost qu'il pot au mur se prant,
et oltre estoit ja a bien pres
qant Cligés li vint si de pres,   6466
et maintenant hauce l'espee,
sel fiert si qu'il li a colpee
la janbe desor le genoil,
ausi com un raim de fenoil.   6470
Neporquant s'an est eschapez
Bertranz, malmis et esclopez.
Qant les genz d'autre part le voient,
par po que de duel ne desvoient,   6474
qant si le voient afolé.
Maintenant li ont demandé
qui est qui ce li avoit fet.
« Ne me metez, fet il, an plet,   6478
mes sor mon cheval me montez !
Ja cist afeires n'iert contez
jusque devant l'empereor.
Ne doit pas estre sanz peor   6482
qui ce m'a fet, voir non est il,   (f. 78v)
car pres est de mortel peril. »
Lors l'ont mis sor son palefroi,
si l'an mainnent a grant esfroi,   6486
lor duel feisant aval la vile.
Aprés aus vont plus de .XX. mile,
qui s'an vindrent droit a la cort,
et toz li pueples i acort,   6490
et uns et autres qui ainz ainz.
Ja s'est Bertranz clamez et plainz
oianz toz a l'empereor,
mes an le tient a jeingleor   6494
de ce qu'il dit qu'il a veüe
l'empererriz trestote nue
avoec Cligés le chevalier,
desoz une ante en un vergier.   6498
[La vile an est tote esbolie :
li un le tienent a folie]²³⁵

---

²³⁵   *2 vers intervertis A.*

tandis que Bertrand s'enfuit à toute allure : vite il saute sur le mur et l'avait presque franchi quand Cligès le rejoint, lève son épée et d'un coup lui tranche la jambe au-dessus du genou, comme une branche de fenouil. Bertrand réussit tout de même à s'échapper, en triste état et estropié. Quand ses gens, de l'autre côté du mur, le voient ainsi mutilé, ils manquent devenir fous de douleur et lui demandent aussitôt qui lui a fait cela. « Ne me demandez rien, dit-il, mais aidez-moi à monter sur mon cheval ! Je ne parlerai de cette affaire que devant l'empereur. Celui qui m'a fait cela a tout lieu d'avoir peur, vraiment, car il est en péril de mort ! » Les autres le mettent sur son palefroi et l'emmènent, affolés, se lamentent en traversant la ville. Ils sont suivis de plus de vingt mille personnes qui s'en viennent droit à la cour ; et tout le peuple d'affluer, les uns après les autres à qui mieux mieux. Bien vite Bertrand a formulé sa plainte publiquement devant l'empereur, mais on le prend pour un menteur quand il dit qu'il a vu l'impératrice toute nue avec le chevalier Cligès sous un arbre, dans un verger[72]. La ville est en effervescence à l'annonce de la nouvelle : les uns la tiennent pour folle, les autres

---

[72] Les vers 6497-6498 sont une addition de Guiot.

[ceste]²³⁶ novele, quant il l'oent;
li autre consoillent et loent   6502
l'empereor qu'a la tor voise.
Molt est granz li criz et la noise
des genz qui aprés lui s'esmuevent.
Mes an la tor neant ne truevent,   6506
car Fenice et Cligés s'an vont
et Tessala menee an ont,
qui les conforte et aseüre
et dit que se par aventure   6510
voient genz aprés aus venir
qui veignent por ax retenir,
por neant peor en avront,
car ja ne les aparcevront   6514
por mal ne por anconbrier faire,
de tant loing con l'en porroit traire
d'une fort arbaleste a tor.
Et l'emperere est an la tor,   6518
qui fet Jehan querre et mander.
Lïer le comande et garder
et dit que il le fera pendre
et ardoir et vanter la cendre.   6522
Por la honte qu'il a sosferte
randue l'en iert la desserte,
mes ce iert desserte sanz preu,
car an la tor a son neveu   6526
avuec sa fame receté.
« Par foi, vos ditez verité,
fet Jehanz, ja n'en mantirai
ne ja por vos nel celerai.   6530
Et se g'en ai de rien mespris,
bien est droiz que je soie pris.
[Mais por ce m'en dois escuser
que sers ne doit rien refuser   6534
que ses drois sires li comant.
Ce set on bien chertainemant
que jo sui suens et la tor soie.
– Johan, non est, ançois est toie !   6538

---

²³⁶   De la *A*.

conseillent à l'empereur d'aller dans la tour. Suivi d'une foule tumul-
tueuse, l'empereur s'y rend, mais ils ne trouvent rien dans la tour, car
Fénice et Cligès sont partis avec Thessala, qui les réconforte et les
rassure en leur disant que si jamais on les poursuit et qu'on veut les cap-
turer, ils n'ont rien à craindre : ceux qui leur veulent du mal ne pourront
pas les approcher de plus près que la portée du trait d'une grande arbalète. L'empereur, qui est dans la tour, fait rechercher Jean, ordonne de le
ligoter et de le surveiller : il veut qu'on le pende, qu'on le brûle et qu'on
disperse ses cendres au vent. Il va lui faire payer la honte qu'il a subie et
lui verser le salaire qu'il mérite (mais ce paiement sera sans profit !)
pour avoir caché dans la tour son neveu avec sa femme. « Ma foi !, vous
dites la vérité, dit Jean : je ne vous mentirai pas et je ne vous dissimule-
rai rien ! Si j'ai en rien mal agi, il est juste que je sois arrêté. Mais mon
excuse est qu'un serf ne doit pas refuser d'obéir aux ordres de son
maître légitime. On sait bien que je lui appartiens, tout comme la tour.

    – Non, Jean, la tour est à toi !

– Moie, sire ? Voire, aprés lui,
mais jo meïsmes miens ne sui
ne jo n'ai cose qui soit moie,
se tant non com il le m'otroie.   6542
Et se tant ce voliés dire
que vers vos ait mespris mes sire,
Jo sui pres que jo l'en desfande
sans ce que on nel me comande.   6546
Mais ce me done hardement
de dire tout seürement
ma volenté et mon corage,
encor soit ce forsan et rage,   6550
mais jo sai que morir m'estuet.
Or soit ansi com estre poet,
car se jo muir por mon signor,
ne morrai pas a deshonor,   6554
que bien sevent tot sans dotance
le sairement et la fïance
que vos plevistes vostre frere,
qu'aprés vos seroit emperere   6558
Cligés, qui s'an vait an escil,
et se Deu plaist, encor l'ert il.
Et de ce faites a reprandre
que feme ne devïez prandre,   6562
et totesvoie le presistes
et vers Cligés en mespresistes :
il n'est de rien vers vos mesfait.
Et se jo sui por lui desfait][237]   6566
et se je muir por li a tort,
s'il vit, il vengera ma mort.
Et feites an mialz que porrez,
que se g'en muir, vos en morrez !»   6570
L'enpereres d'ire tressue
qant la parole a entandue
et [l'afit][238] que Jehanz a dit.
«Jehan, fet il, tant de respit   6574

---

[237]   *4 vers absents A.*

[238]   set bien *A.*

– A moi, sire ? Oui, mais après lui ! Je ne m'appartiens même pas à moi-même et je n'ai rien qui soit à moi sinon ce qu'il veut bien m'accorder. Mais si vous vouliez prétendre que mon maître a mal agi envers vous, je suis tout prêt à le défendre, même si on ne me demande rien. Si j'ai le courage de vous dire ouvertement le fond de ma pensée, même si c'est une folie, c'est que je sais qu'il me faut mourir. Advienne donc que pourra ! Si je meurs pour mon maître, ce ne sera pas un déshonneur, car tout le monde sait parfaitement que vous avez prêté à votre frère un serment selon lequel Cligès devait vous succéder sur le trône, Cligès qui est aujourd'hui exilé ; et il peut encore vous succéder, si Dieu le veut ! La faute que vous avez commise, c'est que vous ne deviez pas vous marier ! Pourtant vous vous êtes marié et vous avez lésé Cligès. Lui ne vous a fait aucun tort. Et si je suis supplicié pour lui, si je meurs injustement pour lui, il vengera ma mort, s'il est vivant. Faites donc comme bon vous semble : si je meurs, vous mourrez aussi ! »

De colère, l'empereur est tout en sueur en entendant ces paroles de raillerie. « Jean, fait-il, tu auras un répit jusqu'à ce qu'on ait trouvé ton

avras que tes sire iert trovez,
qui malveisemant s'est provez
vers moi, qui molt l'avoie chier
ne ne li pansoie trichier.   6578
Mes an prison seras tenuz.
Se tu sez qu'il est devenuz,
di le tost, et je le comant!»
Jehanz respont: «Et je comant   6582
feroie si grant felenie?
Por treire fors del cors la vie,
certes ne vos anseigneroie
mon seignor, se je le savoie,   6586
anteimes ce, se Dex me gart,
que je ne sai dire quel part
il sont alé ne plus que vos.
Mes de neant estes jalos.   6590
Vostre corroz tant ne redot
ne le vos die tot de bot
[comant vos estes deceüz,
et si n'en serai ja creüz][239]:   6594
par un boivre que vos beüstes
engigniez et deceüz fustes
le jor que voz noces feïstes.
Onques puis, se vos ne dormistes   6598
ou an songent ne vos avint,
de li joie ne vos avint.
Mes la nuit songier vos feisoit,
et li songes tant vos pleisoit   6602
con s'an veillant vos avenist
qu'ele antre ses braz vos tenist,
n'autres biens ne vos an venoit.
Ses cuers a Cligés se tenoit   6606
tant que por lui morte se fist,
si me crut tant qu'il le me dist
et si la mist en ma meison,
dont il est sires par reison.   6610
Ne vos an devez a moi prendre:
l'en me deüst ardoir ou pendre

---

[239]   *2 vers intervertis A.*

maître : il s'est conduit envers moi de manière indigne, alors que je l'aimais et ne songeais pas à le tromper. Tu seras gardé en prison. Mais si tu sais ce qu'il est devenu, dis-le tout de suite, je te l'ordonne !

– Comment pourrais-je faire pareille félonie ?, répond Jean. Même si je devais y laisser la vie, je ne vous dirais pas où est mon maître, si je le savais, et ce d'autant plus que, Dieu me garde !, je ne sais pas plus que vous où ils sont allés. Mais votre jalousie est sans fondement. Je ne crains pas votre courroux, qui ne m'empêchera pas de vous dire sans détours (même si on ne me croit pas !) comment l'on vous a dupé. On vous a dupé et berné en vous faisant boire un breuvage le jour de vos noces. Jamais depuis ce jour vous n'avez joui de votre femme sinon pendant votre sommeil, en rêve ; ce breuvage vous faisait rêver la nuit et vous aviez en rêve le même plaisir que si, éveillé, vous la teniez dans vos bras : vous n'avez jamais eu rien d'autre ! Son cœur était à Cligès et pour lui elle a simulé la mort. Il m'a fait confiance, m'a tout raconté et l'a cachée dans ma maison, dont il est le propriétaire légitime. Vous ne devez pas vous en prendre à moi : je mériterais d'être brûlé ou pendu si

se je mon seignor [encusasse]²⁴⁰
et [sa volenté refusasse]²⁴¹!»   6614

Qant l'emperere ot ramentoivre
la poison qui li plot a boivre,
par coi Tessala le deçut,
lors primes sot et aparçut   6618
c'onques de sa fame n'avoit
eü joie, bien le savoit,
se il ne li avint par songe,
mes ce fu joie de mançonge.   6622
Et dit, se il n'en prant vengence
de la honte, de la viltence
que li traïtes li a faite,
qui sa fame li a fortraite,   6626
ja mes n'avra joie an sa vie.
«Or tost, fet il, jusqu'a Pavie,
et de ça jusqu'an Alemaigne,
chastel ne vile n'i remaigne   6630
ne cité ou il ne soit quis !
Qui andeus les amanra pris,
plus l'avrai que nule home chier.
Or del bien querre et del cerchier   6634
et sus et jus, et pres et loing !»
Tuit s'esmuevent com a besoing,
s'ont au querre tot le jor mis,
mes Cligés a de tex amis   6638
qui einçois, se il le trovoient,
a sauveté le conduiroient
qu'il le ramenassent arriere.
Trestote la quinzainne antiere   6642
les ont chaciez a quelque painne.
Mes Tessala, qui les an mainne,
les conduist si seüremant
par art et par anchantement   6646
que il n'ont crieme ne peor

---

²⁴⁰   refusasse *A*.
²⁴¹   de son voloir l'encusasse *A*.

j'avais désobéi à mon maître et trahi ses intentions !».

   L'empereur, en entendant parler du breuvage qu'il avait bu avec plaisir et qui avait permis à Thessala de le tromper, comprit alors pour la première fois qu'il n'avait jamais joui de sa femme sinon en rêve, et que cette jouissance était illusoire. S'il ne tire pas vengeance, affirme-t-il, de la honte et de l'outrage que lui a infligés le traître qui a enlevé sa femme, il ne connaîtra plus jamais la joie. «Vite, dit-il, d'ici à Pavie et en Allemagne, qu'il n'y ait ni château, ni ville, ni cité où on ne le recherche ! Celui qui les fera prisonniers aura droit à toute mon amitié ! Allons, cherchez, fouillez, de haut en bas, et près et loin !» En hâte tous se mettent en route et passent toute la journée en recherches. Mais Cligès a des amis qui aimeraient mieux, s'ils le trouvaient, le mettre en sûreté que le ramener à la cour. Pendant quinze jours entiers on les a pourchassés, non sans mal : Thessala, qui est leur guide, les conduit si sûrement, grâce à son art de magicienne, qu'ils n'ont aucune crainte à avoir

de tot l'esforz l'empereor.
N'en vile n'an cité ne gisent,   (f. 79)
et si ont quanque il devisent   6650
autresi ou mialz qu'il ne suelent,
car Tessala quanque il vuelent
lor aporte et quiert et porchace,
ne nus nes silt mes ne ne chace,   6654
car tuit se sont mis el retor.
Mes Cligés n'est mie a sejor;
au roi Artus son oncle en va.
Tant le quist que il le trova,   6658
s'a a lui fet plainte et clamor
de son oncle l'empereor
qui, por son desheritemant,
avoit prise desleaumant   6662
fame que prandre ne devoit,
qu'a son pere plevi avoit
que ja n'avroit fame en sa vie.
Et li rois dit que a navie   6666
devant Constantinoble ira
et de chevaliers emplira
mil nes et de sergenz trois mile
tex que citez ne bors ne vile   6670
ne chastiax, tant soit forz ne hauz,
ne porra sosfrir lor assauz.
Et Cligés n'a pas oblié
que lors n'ait le roi mercié   6674
de s'aïde qu'il li otroie.
Li rois querre et semondre anvoie
toz les hauz barons de sa terre
et fet apareillier et querre   6678
nes et dromonz, galies et barges.
D'escuz, de lances et de targes
et d'armeüre a chevalier
fet [cent]²⁴² nez emplir et chargier.   6682
Por ostoier fet aparoil
li rois si grant que le paroil

---

²⁴²   ces *A.*

de toutes les forces de l'empereur. Ils ne logent pas dans les villes ni les cités mais ils ont tout le nécessaire, aussi bien et même mieux que d'ordinaire, car Thessala sait leur fournir tout ce qu'ils veulent. Nul ne cherche plus à les suivre ni à les pourchasser, et tous leurs poursuivants ont pris le chemin du retour. Mais Cligès ne reste pas inactif. Il s'en va auprès du roi Arthur son oncle : il finit par le trouver et se plaint devant lui de son oncle l'empereur qui, pour le déshériter, a pris, contre le droit, une épouse qu'il n'aurait pas dû prendre, car il avait juré à son père de ne jamais se marier. Le roi répond qu'il se rendra devant Constantinople avec une flotte : il remplira mille navires de chevaliers et trois mille d'hommes d'armes, et ni cité, ni bourg, ni ville, ni château, si fort et si élevé soient ils, ne pourront leur résister. Cligès n'oublie pas de remercier le roi de l'aide qu'il lui accorde. Le roi fait convoquer les plus grands barons de sa terre et fait équiper navires et dromons, galères et barques[73]. Il fait remplir cent navires d'écus, de lances, de boucliers et d'armes pour les chevaliers. Il réunit une armée plus grande que n'en

---

[73] Selon la classification de C. Vilain-Gandossi (*Le Navire médiéval à travers les miniatures*, Paris, CNRS, 1985, p. 8, 10, 12), le dromon (du grec *dromos*) figure parmi les bâtiments de tradition méditerranéenne et intermédiaires entre les bâtiments ronds, essentiellement marchands, et les bâtiments longs, plutôt destinés à la guerre. Le terme désigne au Moyen Âge un bâtiment de transport mal défini.

n'ot ne Cesar ne Alixandres.
Tote Eingleterre et tote Flandres,   6686
Normandie, France et Bretaigne
et tot desi qu'as porz d'Espaigne
a fet semondre et amasser.
Ja devoient la mer passer   6690
qant de Grece vindrent message
qui respitierent le passage
et le roi et ses genz retindrent.
Avoec les messagiers qui vindrent   6694
fu Jehanz, qui bien fist a croire,
car de chose qui ne fust voire
et que il de fi ne seüst
tesmoinz ne messagiers ne fust.   6698
Li message haut home estoient
de Grece, qui Cligés queroient.
Tant le quistrent qu'il le troverent
et molt grant joie an demenerent,   6702
Si li ont dit: « Dex vos saut, sire,
de par toz ces de vostre empire!
Grece vos est abandonee
et Costantinoble donee   6706
por le droit que vos i avez.
Morz est – mes vos ne le savez –
vostre oncles del duel que il ot
por ce que trover ne vos pot.   6710
Tel duel ot que le san chanja.
Onques ne but ne ne manja,
si morut com huem forssenez.
Biax sire, or vos an revenez,   6714
car tuit vostre baron vos mandent;
molt vos desirrent et demandent:
empereor vos voelent feire. »
Tel l'oënt qui de cest afeire   6718
furent lié, s'en i ot de tex
qui esloignassent lor ostex
volantiers, et molt lor pleüst
que l'oz vers Grece s'esmeüst.   6722
Mes remeise est del tot la voie,
car li rois ses genz en envoie,

eurent jamais César ni Alexandre. Par toute l'Angleterre et toute la
Flandre, la Normandie, la France et la Bretagne, et jusqu'aux défilés
d'Espagne il fait convoquer et rassembler des hommes. Ils allaient
passer la mer quand arrivèrent des messagers de Grèce qui différèrent la
traversée et retardèrent le roi et ses hommes. Les messagers étaient
accompagnés de Jean, bien digne de confiance, car jamais il n'aurait été
garant ni messager d'une nouvelle dont il n'aurait pas été parfaitement
sûr. Les messagers étaient de grands seigneurs de Grèce, qui cherchaient
Cligès. A force de le chercher ils l'avaient trouvé et en étaient très
heureux. « Dieu vous protège !, sire, dirent-ils, au nom de tous les sujets
de votre empire. La Grèce vous revient et Constantinople vous est
donnée de par les droits que vous avez sur elles. Vous l'ignorez, mais
votre oncle est mort de douleur de n'avoir pu vous trouver. A force de
douleur il a perdu l'esprit ; il a cessé de boire et de manger et est mort
complètement fou. Cher seigneur, revenez maintenant, car tous vos
barons vous appellent, vous désirent et vous demandent pour vous
donner l'empire ! ». Certains se réjouirent de cette nouvelle, d'autres
auraient eu bien envie de quitter leur pays et de voir partir l'armée pour
la Grèce. Mais le voyage fut annulé : le roi renvoya ses hommes, l'armée

si s'en depart l'oz et [retorne]²⁴³.
Et Cligés se haste et atorne,   6726
qu'an Grece s'en vialt retorner ;
n'a cure de plus sejorner.
Atornez s'est, congié a pris
au roi et a toz ses amis ;   6730
Fenice an mainne, si s'en vont.
Ne finent tant qu'an Grece sont.
et a grant joie le reçurent
si con lor seignor feire durent,   6734
et s'amie a fame li donent :
endeus ansanble les coronent.
De s'amie a feite sa [fame]²⁴⁴,
car il l'apele amie et dame,   6738
et por ce ne pert ele mie
que il ne l'aint come s'amie,
et ele lui tot autresi
con l'en doit amer son ami.   6742
[Et cascun jor lor amors crut :]²⁴⁵
onques cil de li ne mescrut
ne querela de nule chose,
n'onques ne fu tenue anclose   6746
si com ont puis esté tenues
celes qu'aprés li sont venues :
einz puis n'i ot empereor
n'eüst de sa fame peor   6750
qu'ele nel deüst decevoir
se il oïst ramantevoir
comant Fenice Alis deçut,
primes par la poison qu'il but   6754
et puis par l'autre traïson.
Por ce einsi com an prison
est gardee an Costantinoble,
ja n'iert tant haute ne tant noble,   6758
l'empererriz, quex qu'ele soit :

---

²⁴³   atorne *A.*
²⁴⁴   dame *A.*
²⁴⁵   *1 vers absent A.*

se sépara et chacun rentra chez soi. Cligès se prépara en hâte à retourner en Grèce sans vouloir tarder davantage. Il se prépara, prit congé du roi et de tous ses amis ; il emmena Fénice et tous deux firent route jusqu'en Grèce. Ses sujets lui réservèrent l'accueil plein de liesse qu'ils devaient à leur seigneur ; ils lui donnèrent son amie pour femme et les couronnèrent tous les deux ensemble. De son amie Cligès a fait sa femme et il l'appelle amie et dame, ce qui ne l'empêche pas de l'aimer comme son amie, et elle, de la même façon, l'aime comme on doit aimer son ami. Et leur amour crut chaque jour : jamais Cligès ne manqua de confiance en elle, jamais il ne lui fit la moindre plainte ; jamais elle ne fut tenue enfermée, comme l'ont été depuis les impératrices qui lui ont succédé. Mais depuis il n'y eut plus un empereur qui ne craignît d'être trompé par sa femme, quand il entendait rappeler comment Fénice avait trompé Alis d'abord par le breuvage puis par l'autre ruse. C'est pourquoi, à Constantinople, l'impératrice est gardée prisonnière, quelle qu'elle soit,

l'empereres point ne s'i croit
tant con de celi li remanbre.
Toz jors la fet garder en chanbre   6762
plus por peor que por le hasle,
ne ja avoec li n'avra masle
qui ne soit chastrez en anfance.
De ce n'est crienme ne dotance   6766
qu'Amors les lit an son lïen.
Ci fenist l'uevre Crestïen.

Explycyt li romans de Cligès.

même de la plus haute noblesse. L'empereur n'a pas confiance en elle quand il se souvient de Fénice : il la fait toujours garder dans ses chambres, plus par méfiance que pour lui éviter le hâle ; et elle n'a auprès d'elle aucun mâle qui n'ait été châtré dès l'enfance : ainsi il n'y a pas à craindre qu'Amour les retienne en ses liens. Ici finit l'œuvre de Chrétien.

Ainsi se termine le roman de Cligès.

CHOIX DE VARIANTES

Pour l'ensemble des variantes, voir l'édition Gregory-Luttrell. On trouvera ci-dessous une sélection de variantes qui mettent en valeur l'originalité de la copie de Guiot.

933   esmaie *B*, ça voie *S*.
966   se la reison i puis trover sauf *AS*, se la mayso li p. toler *S*.
999   forsan *NMBC*.
1011 si qu'avoir m'an devroit plus vil *NSMPBCR*.
1012 Ha Dex !, coment lo savra il *NSMPBCR*.
1017 se ja s'an doit aparcevoir *NSMPBCR*.
1024 corages *NPB*.
1036 l'areine *MCNR*.
1038 si n'i a plus que de l'atendre *MPCR*.
1055 de Landre et de Costantinoble *S*.
1070 por ce que mialz les antalant *NMPBCRT*.
1110 guerre *SMPBCRT*.
1145 que l'an lor chaufast autre estuve *NSMPBCRT*.
1159 ce m'est avis *BCRT*.
1160 par fis *BCRT*.
1194 trestot le mont ains en fesist *BCRT*.
1210 de l'ost *BCRT*.
1211 del roi *BCRT*.
1243 trebles *BMPCRT*, forz *S*.
1245 fors cue *S*, fors aiges *B*, granz gleies *M*, fors peus P, forz engins *CRT*.
1249 a feire murs et roilleïz *SMPBCRT*.
1263 clers *B*.
1271 que *SMPBCRT*.
1293 nos *sauf AS*, vos *S*.
1294 nos *sauf AS*, vos *S*.
1295 vos *S*, criement *BCRT*.
1316 taintes *BCRT*.
1319 ireement *BCR*.
1345 .IIII. chevaliers an amainne (mainne *ST*) *SMPBCRT*.
1346 en l'arainne *SMPBCRT*.
1356 *après 1356, on trouve les 6 vers suivants dans CBMRT :* Par l'ost parolent
      des Grezois,/Tuit dïent que molt est cortois/Alixandres et bien apris/Des
      chevaliers qu'il avoit pris,/Que au roi nes avoit renduz,/Qu'il les eüst ars
      ou penduz.
1405 que *SPBCRT*.
1426 qu'(quant *M*) autre delivrance n'i voi (n'avroie *S*) *SMPBCRT*.
1444 à *la place de 1444-1446, rédaction plus courte SMPBCRT*: Li rois
      Alixandre aparole
1484 fandues *SMPBCR*, *fondues* T.
1492 defors *SBCT*, dehors *MPR*.
1523 pesle mesle *MR*, melle melle *PC*, et melle et brelle *T*.
1536 et qui a voir dire n'açope *SMBCRT*, Car bien vos puis dire sans coupe *P*.
1549 criee *MBCRT*.

1563-1564 *abs CP.*

1563 anbelissoit *sauf A et B* (esclarissoit).

1589 et note *sauf A ;* a son visage *B.*

1590 et le visage *MNP,* del visage *CRT,* corage *B.*

1604 *après 1604, on trouve les 2 vers suivants ds BCMRT*: Et se vos en entre-misistes/Ne del vostre rien n'i mesistes.

1605 a del dire honte *NSMPBCRT.*

1612 il le chevol *sauf A.*

1626 *après 1626 on trouve les 2 vers suivants ds BCMRT*: Qant de la roïne est tornés,/Or li est vis que bor fust nés.

1627-1628 = 1628-1627 *sauf ANSP, abs ds M.*

1631 se delite an vain *sauf A.*

1652 *après 1652 2 vers ds BCMRT*: Que ci ne la n'a nul confort/Et ci et la voient lor mort.

1665 desperance *sauf A.*

1680 *après 1680 2 vers ds BCRT*: D'icele part ou il cuidoient/Que cil de l'ost mains se dotoient.

1735-1758 *abs ds C.*

1736 *après 1736 2 vers ds BRT*: Si que les esclicent et fraignent/As espees s'en-trecompaignent, *puis 2 vers ds BMPRT*: Si s'antr'abatent et adentent/Li un les autres acraventent.

1759-1762 Vet un chevalier envaïr/Si le fiert par si grant aïr/Que mort jus des arçons l'abat/Si qu'il ne se plaint ne debat *BRT*; Alixandres en voit .I. venir/Si durement le vet ferir *C.*

1762 qu'a terre ne l'en port envers *MP.*

1765 ne le gaste ne pert *sauf A, B* (U il pas sa joste ne pert).

1766 si felenessemant le sert (fiert *S*) *sauf A.*

1831 qu'ocis avons *sauf AS.*

1834 dedanz *sauf A.*

1838 vis *sauf ABSR.*

1845 s'en vienent *MCRT.*

1854 De cest gabois est deceüz *BCNS.*

1855 que *sauf A.*

1885 nes les .III. *sauf A* (ne *S*).

1916 quant *sauf AB.*

1950 contremandez *sauf A.*

1970 l'antree *sauf A.*

1979 danesques *BCR, de voises* S.

1980 tiesques *BCR.*

2027 esparre *sauf AR, T* (piere)

2028 a lez lui trovee an presant (gisant *B*) *sauf A.*

2034 l'esparre *sauf AR, T* (le piere).

2036 l'esparre *sauf AR, T* (la pierre).

2089 lor feisoient li escu croire *sauf A*.
2090 que ceste mançonge fust voire *sauf A*.
2101 de la pleure *S*.
2102 pert le mimoire (maniere *S*) *sauf A*; dolor *S*.
2145 desfansses *sauf AR*.
2148 virent *sauf AB*, n'an furent mie lié *sauf A*.
2156 seüremant *sauf A*, *T* (je le vous commant).
2158 que vois ci *sauf ABM*.
2184 e le vont *MP*, n'i vont *S*; atandant *S*; Qu'irroie je plus p. *R*, Que vos irroie
     plus contant *B*, Mais il i vienent molt redoutant *T*.
2212 sanz *sauf A*.
2232 cusançon *BPRT*, contenchon CM, acqusation S.
2235 de li poïst ses ialz repestre *sauf A*.
2239 Li demorers *sauf A*.
2269 A l'aseoir del fondemant *MPS*; Bien sai qui al commencement *BCRT*.
2275 sai *sauf A*.
2296 redist *sauf A*.
2322 au comandemant *sauf AT*.
2365 n'avant n'aprés *sauf A*.
2367 nez *sauf A*.
2368 escrit *sauf A*.
2373 antredeus *MP*, entretant *NBCRT*, au tierz jor *S*.
2381 son fil qui en Bretaigne estoit *sauf A*.
2424 se mistrent an *SMPB*, entrerent *NC*, entrent *RT*.
2425 Tuit le convoient au torner *C*.
2431 por verité *sauf A*.
2432 an la cité *sauf A*.
2484 Ce me seroit granz reconforz *sauf AP*, Bien vorroie qu'il fust a. p. *P*.
2508 est *sauf A*, *M* (Or i parra qui ert leaus).
2524 s'ocist li uns l'autre a ses mains *sauf A*.
2533 baron *sauf A*.
2534 voldront *sauf A*.
2554 que ses frere ait la seignorie *sauf A*.
2555 de l'empire et de la corone *sauf A*.
2576 feire *sauf AB*.
2588 avras *sauf AB*.
2592 François *sauf AP*.
2599 ja peor n'aies sauf A.
2610 *après 2610 2 vers ds BCRT*: Que tot dol covient trespasser, /Totes choses
     estuet lasser.
2662 enui d'anconbrier *sauf A*.
2669 C. d'armes *sauf A*.
2670 les meillors que *sauf A*.

2673 n'avroit *sauf AB*.
2683 ot sa cort tenue *sauf A*.
2690 molt par *sauf A*.
2696 la vaillant *MP*, l'avenant *SBCRT*.
2725 espuisasse *sauf A, T* (apoiasse).
2745 biax *BM*, boens *CRT*, bien *S*.
2748 plus ert *SMPT*, molt *BR*.
2761 bele *BCRT*, gente *NP*, grant *SM*; faiture *B*.
2788 done *BCNPR*.
2812 le voir aprandre *sauf A, ST* (la raison rendre).
2830 Por autrui volanté savoir *sauf A*.
2832 quanque cil ainme *sauf A*.
2858 orgoil *BCRT*.
2866 Toz li palés *sauf A*.
2874 qui Amor a *B*, qu'Amors avoit *MNPS*.
2924 ateignant *sauf A*.
2976 la descolorent *BCMR*.
2991 del *sauf AB*.
3028 perdue *sauf A*.
3106 enfance *sauf AN*.
3118 que par moi vostre joie avrez *sauf A*.
3182 *après 3182 2 vers ds BCPRT*: Des qu'il avra beü d'un boivre/Que ele li
      donra a boivre.
3188 par songe *sauf A*.
3206 tel vie maint *sauf AN*.
3207 con de garder *sauf AN*.
3231 trible *sauf AN*.
3248 sis *sauf A*.
3264 ne au souper ne au colchier *sauf AN*.
3285 nez *SM*, boins *PBCRT*.
3290 si s'en reva *sauf A, T* (rala).
3291-3292 = 3292-3291 *sauf A*.
3291 an une cope de cristal *sauf A*.
3305-3306 = 3306-3305 *sauf AN*.
3308 cuidera *sauf AP*.
3318 de primes (de premiers SC) *sauf A*.
3340 neant anbrace *sauf AN, CPS* (neant acolle).
3349-3350 = 3350-3349 *sauf A*.
3350 Et de neant lasse *NSMP*, Et ensi se lasse *BCRT*.
3382 li Sesne qui les agueitoient *M*, esgardoient *SPCR*, atendoient *BT*.
3401 devers *sauf A*.
3466 ta teste *sauf A*.
3470 tant *sauf A*.

3495 n'ot pas bien an *sauf A*, *M* (Mult ot).
3515-3516 *2 vers absents sauf A*.
3545 la teste *sauf ANT*.
3563 maintenant *sauf AN*.
3596 Grant joie an font *sauf A*.
3605 Dus, fet l'espie, n'a remés *sauf AN*.
3606 an totes les tentes as Gres *sauf AN*.
3607 home qui se puisse desfandre *sauf AN*.
3615 sagemant *sauf AN*.
3652 qui folie cuident et croient *sauf AN*.
3653 que tuit dient: «Li dus nos sit» sauf AN.
3666 mes an lui avront mal ancontre *sauf AN*.
3683 lieparz ne tigre *sauf A*.
3684 mengier *S*.
3701 aroté *sauf A*.
3718 a esperon vient contre lui *sauf A*.
3741 vivre *sauf A*.
3763 qui a s'amor s'atant *sauf A*.
3783 porfande *sauf A*, *M* (deffende).
3794 sa perte *sauf A*.
3818 leingues *sauf A*.
3837 girfauz *sauf AT*.
3856 conclus *sauf A*.
3877 bresche (sanz miel) *SB*, ree *MPCR*, branche *T*.
3880 Ensi le vuel a neant metre *sauf A*.
3900 blanc *sauf A*.
3971 fier *sauf A*.
4006 molt tost *sauf A*.
4014 qui ne brise *sauf A*.
4019 armé *sauf A*.
4029 covant *sauf A*.
4057 et *sauf A*.
4061 favarge *P*, faverge *S*, fausarge *R*, fornage *B*; lors qu'il le tret et encarge
      CMT.
4084 Dex, aïe! *sauf A*.
4085 haut *sauf A*.
4126 tançon *sauf A*.
4136 et qu'il retort de la mivoie *sauf A*.
4137 qu'il aut del tot a male voe *sauf A*.
4138 Neporquant pas ne li desnoe *sauf A*.
4179 et maz *sauf A*, *B* (las).
4210 dolcemant *sauf A*.
4217 ne vos donrai *sauf A*.

4231 qu'an vialt savoir *sauf A, B* (Savoir le voil ce est li f.).
4263 a encliné *sauf A*.
4338 sa color *sauf A*.
4345 la richesce *sauf A, M* (hautesce).
4359-4360 = 4360-4359 *sauf A*.
4373 por ce que plus li aseüre *B*.
4429 honteuse *sauf A*.
4442 lobee *sauf AM*.
4446 mon estre *sauf A*.
4449-4450 = 4450-4449 *sauf A*.
4471 m'esloignast *sauf A, T* (laissat)
4472 se ses cuers *sauf A*.
4479 mes *sauf A*.
4488 grieve *sauf A*.
4525-4526 Mais ne se congnoist n'aperçoit/De cose nule qu'il ne voit *B*.
4628 des conpaignons *sauf A*.
4751 Lanceloz a la joste *sauf A*.
4752 Atant ez vos Cligés batant *sauf A*.
4784 Lors est la noise comanciee *sauf A*.
4794 los eü *sauf A*.
4834 bataille *sauf AP*.
4843 fierent sur lui chascuns par soi *sauf A*.
4862 les blanches sauf *AT, S* (les autres).
4892 mainte *BCMRS*.
4899-4900 = 4900-4899 *sauf AT*.
4902 reposez sauf *A, M* (demorez), *PT* (sejornés).
5043 Tuit le conjoënt et acolent *C*, Tot le saluent *PB*, Et tuit li autre *S*.
5044 parolent *C*.
5090 chascun jor *sauf A*.
5127 et *sauf A*.
5191 et si a mes cuers sanz moi fet *sauf A*.
5192 An Bretaingne ne sai quel pleit *S*, ne sai qu'atrait *R*, sovent maint p. *P*, oan maint bon p. *B*, maint malvés p. *CT*.
5242 ne plus que la mers puet tarir *sauf A*.
5335 sire *sauf A*.
5347 ne sauf *AN*.
5362 An ceste vile a un ovrier sauf *AN*.
5468 tant est ses max plus forz et graindre sauf *AN, B* (Car cascun jor s. m. est g.).
5477 et *sauf AN*.
5498 n'en ose *BC*.
5509 neïs por moi ocire *sauf A*.
5566 faillent li baing *sauf A*.

5568 Por çou voel que ma dame i veigne *PR*, Dont il me manbre ne sovigne
        SBT.
5587 veïst *sauf A*.
5588 poïst *sauf A*.
5789 ta baillie *sauf A*.
5790 grant sorsaillie *sauf A*.
5622 trovees *B*.
5627 je … par la gole *sauf AT*.
5934 en vo servise *B*.
5941-5946 *abs. B*.
5961 folie *sauf A*.
6001 qui devant le palés estoient *sauf A*.
6195 qu'ele ne se crolle *PC*, se remue *SB*, s'esveille *RT* / ne muet *sauf A*.
6215 demanter *sauf A*.
6235 la vie *BP*, m'arme *T*.
6276 et sache ne vivra mes gaire *sauf A*.
6300 garnir *sauf A*.
6414 machet *BC*, mochet *T*, mousket *PR*, l'olete al boisonet *S*.
6473 Et ses genz d'autre part le prenent *sauf A*.
6474 qui de duel et d'ire se forssenent *sauf A*.
6497-6498 *2 vers abs sauf A*.
6530 Par le voir outre m'an irai *BCS,* Parmi le voir outre an irai *P,* La verité vos
        en dirrai *RT*.
6573 la fin *C*, le lait *P*, l'afere *R*.
6592 que bien ne vos die oiant toz *sauf A*.
6701 et demanderent *sauf A*.
6702 qu'a la cort le roi le troverent *sauf A*.

GLOSSAIRE

abelir, 37, *plaire*
acheison, 1379, *cause, raison*
acoillir, *prés.* 3, aquialt, 391, *accueillir*, 2250, *appeler*, s'–, 4206, *se présenter*, s'– a, 6326, *consentir à*
acointable, 955, *aimable, agréable*
acointance, 523, *compagnie, fréquentation*, faire une – a, 1292, *rencontrer en duel*
acointe, 4856, *ami, proche*
acointier, *tr.*, 3269, *indiquer*, s'– a, 394, *se lier d'amitié avec*, 1769 *(iron°.)*, *s'attaquer à*
acoisier, 5887, *s'apaiser*
aconpaignier, 767, s'– a, 4244, *prendre pour compagnon*, 5817, *faire participer à*
acorde, 4166, *accord*
acorer, 4462, *percer le cœur à*, acoré, 4463, *désespéré*
acoter (s'), 5146, *s'accouder*
acreanter, 107, *promettre*, 929, *accorder*
acroire, 4065, *emprunter sur parole*
acuellir, *v.* acoillir
adés, 601, *toujours, sans cesse, à l'instant*
adeser a, 5687, *toucher*
adevancir, 1987, *devancer*
adober, 137, *faire chevalier*
adre(s)cier (s'), 2902, *se lancer à l'assaut*
aeisié, 5569, 5614, *confortable*, 6353, *bien pourvue de*
aerdre (s') a, 6430, *s'agripper à*, 2344, *se consacrer à*
afeitemant, 5152, *raffinement des manières, savoir-vivre*
afeitié, 185, *bien élevé*
aferir, 3860, *revenir à, convenir*
afichier, 2200, *affirmer*, s'–, 1876, *prendre appui sur*, 6058, *s'efforcer de*
afier, 1086, *promettre*
afit, 2930, 6573, *moquerie*
afoler, 512, *mettre à mal, torturer*
agait, aguet, 1850, 3600, *ruse, guet-apens*
agaitier, 5821, *surveiller*
agencir (s') de, 4904, *se préparer à*

ahaner (s'), 3835, *travailler dur*
aïe, 1584, *aide*
ainz (qui – ainz), 4679, *à qui mieux mieux*
aïrier (s'), 1914, *se mettre en colère*
ajoster, 4672, *appliquer contre*
aloe, 6414, *alouette*
aloier, 4376, *déposer*
aloser (s'), 159, *s'illustrer*, alosé, 4901, *réputé*
alumer, 591, *s'enflammer*, 5825, *éclairer*
amander, 784, *améliorer*
amonestemant, 2603, *exhortation*
amorté, 6192, *qui est comme mort*
amuï, 1582, *qui a perdu la parole*
amuser, 4418, 5936, *duper*
anbatre (s'), 1961, *arriver à l'improviste*
anblee (en), enblee, 1218, 4477, *furtivement*
anbler, 3867, dérober, enlever, s'en –, 1793, *s'esquiver*
anbleüre, 3669, *à l'amble*
anbrunchier, 3581, *se pencher, être renversé*
ancesserie (d'), 2447, *depuis des temps anciens*
ancessor, 2449, *ancêtre*
anchaucier, 1925, *poursuivre*
anclore (s'), *subj. 3* ancloe, 1967, *s'enfermer*
anconbrer, 747, *gêner*
anconbrier, 269, *obstacle, ennui*
ancoragié de, 3686, *désireux de*
ancorper, 561, *accuser*
ancui, 5020, *ce jour-même*
ancuser, encuser, 474, 555, *accuser*, 2316, *avouer*
ane, 3836, *cane*
anfance, 2860, enfance, 226, *enfantillage, sottise*
anfermeté, 637, anferté, 872, *infirmité, maladie*
angarde, 1489, *hauteur*
angingnier, engignier, 549, 6596, *duper, tromper*
angoisse, 1595, *souffrance*, 1897, *violence*
angoisseus, 2971, *plein de douleur*
angoissier, 881, *tourmenter*, s'angoissier, 2058, 2778, *mettre tous ses efforts*
angrés, 3804, *fâcheux, hostile*
angresser, 2625, *importuner, presser*
anhaïr, 476, *prendre en haine*
anhaitier, 892, *faire plaisir*
anhatie, 4788, *ardeur*
anhatir, 2861, *défier*, s'–, 3440, *se vanter*

anonbrer (s'), 748, *produire une image*

anpaindre, 4780, enpoint, *prés. 3, abattre*, s'–, 4680, *s'élancer*

anpirier, tr., 724, abîmer, diminuer, intr., perdre son éclat

anpointe, 3694, *coup*

anprandre, 85, *entreprendre*

ansaigne, 3662, *banderole de la lance*, 4709, *indice, trace*

anson, 3515, *prép., au sommet de*

antandre, 135, *entendre*, 2812, *comprendre*, – a, 172, *avoir souci de, s'appliquer à*

antante, 455, *souci, soin*

ante, 6384, *arbre greffé*

antechié, 557, *taché, souillé*

antencion, entancion, 5697, 5697, *interprétation, sens*, 6073, *intention*

anterin, 726, *entier, massif*

antresaigne, 4725, *trace*

antresait, 3191, *adv., dans le même temps*

antretenir (s'), 827, *être tout d'une pièce*

antrevenir (s), 3573, *se précipiter l'un contre l'autre*

anvaïe, 2515, envaïe, 1743, *attaque*

anviaille, 5790, *excès, outrage*

anvoisier (s'), 1631, *se réjouir*, anvoisié, 6298, *joyeux*

aorer, 1196, *adorer*

apandre, 412, *convenir*

aparler, 583, *parler*

aparoillier, 298, *préparer, équiper*

apert (en), 2105, *ouvertement*

apertemant, 2897, *ouvertement*

apetisier, 2655, *diminuer*

aplaignier, 1519, *lisser*

apresser, 2626, *presser*

apruichier, 3329, *approcher*, 3222, *avancer, faire progresser*

aquiter, 4189, *dégager, libérer*

araumant, 3330, *tout de suite*

arcetique, 3006, *goutte*

arçoner, 1906, 4828, *ployer*

ardoir, 814, *brûler*

aree, 1786, *terre labourée*

arer, 1032, *labourer*

aresnier, *prés. 3, areisone*, 1855, *adresser la parole à*

arester, 230, *rester, séjourner*

armeüre, 1871, *armes*

aronde, 6, *hirondelle*

aroter (s'), 3518, *se former en troupe, se mettre en route*

arrabi, 3692, *cheval arabe*
arrabiois, 3595, *arabe*
art, 2006, *ruse, manœuvre*
asanbler a, 1278, *combattre*
as(s)ener, 460, *viser*, 904, *parvenir*
asoagier, 4365, *calmer, adoucir*
atalanter, 507, *plaire, agréer à*
atandue, 253, *délai*, en –, 1459, *en attendant*
ator, 1845, *équipement*, 3364, *préparatifs*
atorner, 4899, *préparer*, s'–, *se préparer, s'équiper*
atranprer, 3229, *mélanger*, 3233, *tempérer*
audiance (en), 3807, *ouvertement*
aumaire, 20, *bibliothèque*
aünee, 2097, *rassemblement, foule*
aüner (s'), 3841, *se rassembler*
aveier, avoier, 520, 3624, *conduire*
avenant, 452, *charmant*, par–, 2535, *convenablement*
avillier (s'), 2654, *s'abaisser*
avoutre, 5992, *bâtard, canaille*

bacheler, 6417, *jeune homme*
bailli (mal), 750, *en mauvaise posture, maltraité*
baillie (avoir en), 481, *avoir en son pouvoir*
baillier, 1074, *remettre, donner*, 3779, *s'emparer de*
bandon (a), 188, *à la libre disposition*, 1730, soi metre –, *se précipiter*
bani, 2533, *vassal*
barat, 4431, *fourberie*
barate, 4430, *fourberie, tromperie*
barge, 6679, *bateau de transport*
barre, 1251, *barrière*
barroche, 6103, *église paroissiale*
bataille, 574, *combat*, 1227, *corps de troupes*, 2870, *créneaux*
batant, 3764, *adv., au galop*
bateillant, 4109, *combatif*
bauz, 4197, *joyeux*, baude, 5306, *effrontée*
behorder, 1293, *jouter avec seulement l'écu et la lance, par jeu*
ber, 138, *adj., vaillant*
besant, 3467, *besant, monnaie d'or originaire de Byzance*
bievre, 3832, *castor*
bloe, 739, *bleue*
boclé, 2089, *à boucle (la boucle est la partie centrale, proéminente de l'écu, à l'origine du mot* bouclier)
boisier, 2089, *tromper*

bole, 5627, *tromperie*
bot (de), 4416, *adv., complètement*
bo(u)ter, 3712, *enfoncer*, 5145, *pousser*
boton (ne pas valoir un), 1760, *ne pas valoir un bouton, n'être d'aucune utilité*
brachet, 6413, *petit chien braque*
bracier, 5754, *brasser*
branc, 3760, *lame de l'épée*
bro(i)chier, 17, *cotte de mailles*
bu, 3766, *buste*
buen (feire tot son), 4484, *accomplir toute sa volonté*
buer, 3738, *adv., à la bonne heure*
bués, 1032, *boeuf*
buisine, 1473, *trompette*

camois, 4920, *partie de la lance recouverte de peau de chamois, qu'on tient à la main*
ceingler, 1312, *sangler (un cheval)*
celee (a), 1655, *en cachette*
celer, 1872, çoile, 603, *prés. 3, cacher*
cenbeler, 1277, *jouter par jeu*
cendal, 1762, *étoffe de soie*
cenele, 6316, *fruit de l'aubépine, objet de peu de valeur*
cerchier, 3301, *parcourir*
cert, 1013, *certain*
chalonge, 498, *revendication*, 2400, *contestation*
chalongier, 1393, *contester*
chanpir, 4156, *se battre*
chapleïz, 1331, *coups d'épée*
charaie, 2992, *sortilège*
charmer, 1885, *ensorceler*
cheitif, 5953, *misérable*
cheoir, 3851, *échoir, subj. impft* cheïssent 1246, *p. passé* cheü 2179, *passé 3* cheï 4077, *tomber*
chetel, 4068, *capital*
chevalerie, 31, *ordre chevaleresque*, 205, *vaillance*, 3740, *exploit*
chevece, 842, *encolure*
chevolet, 1612, *cheveu (diminutif)*
chief, 117, *tête*, venir a –, 2271, *venir à bout*, de – en –, 3300, *de bout en bout*
chiere, 2998, *visage*, 742, mostrer bele –, *faire bonne figure*, 2329, faire –, *faire mauvaise figure*
cingnier, 1586, *cligner des yeux, regarder*
clamer a, 499, *prétendre à*
clamor, 6659, faire –, *porter plainte*

clice, 3577, *éclat de bois*
coce, 800, *encoche, entaille au bout d'une flèche*
coi, 4632, *silencieux. Cf.* quoi
çoile, 603, *v. celer*
cointe, 50, *gracieux,* 393, *fier*
coite, 6163, a – d'esperon, *en piquant des deux.*
coivre, 855, *carquois*
colee, 3722, *coup d'épée*
coleïce, 1252, *adj., à coulisses,* porte –, *herse*
coler, 3235, *filtrer,* 3721, *glisser, enfoncer,* 5988, *faire couler*
colon, 3833, *colombe*
comé, 4754, *à la belle crinière*
conparer, 1031, 468, *ind prés. 3,* conpere, 4336, *futur 3* conparra, 4336, *subj 3*
    conpert, , , *payer*
concordance (a une), 2827, *à l'unisson*
conduire, 1932, *accompagner,* 2780, *diriger*
confit, 3344, *confectionné*
confondemant, 2265, *malheur, destruction*
confondre, 1493, 2265, *détruire*
conjoïr, 2192, *accueillir avec amitié, faire fête .*
conjuremant, 3179, *incantation*
conpasser, 6398, *aménager, arranger*
consirree, 5061, *privation*
consirrer (se) de, 5064, *être privé de*
consiudre, 2016, *prés. 3* consiust, *atteindre*
contançon, 2231, *rivalité*
contrester, 1060, *résister, s'opposer à*
contretenir, 1065, *défendre,* se –, 3726, *résister*
conuissance, 1829, *armoiries peintes sur l'écu,* 4457, *personnes connues, amis*
converser, 4735, *séjourner*
convoier, 1338, *accompagner*
coque, 783, *voir coce*
corage, 880, *ce qui est dans le cœur, sentiments,* venir an – de, 1106, *avoir l'idée*
    de
corpe, 503, *faute*
corre, 3532, *courir,* lessier –, 1750, *lancer son cheval à toute allure*
correcier, 912, *contrarier, irriter*
corssage, 326, *taille, stature*
cos, 708, *coups*
coute, 6100, *matelas*
covant, 2958, *promesse,* 5714, metre an –, *promettre*
covenant, 2536, *condition*
covine, 3364, *situation*

creante, 2419, *souhait, désir,* venir an –, 221, *souhaiter*
cresme, 370, *chrême, huile consacrée*
crienbre, 3728, *p. passé* cremu, 3809, *présent 6* criement, *craindre*
crienme, 3827, crieme, 6647, *crainte*
crosler (se), 5767, *remuer*
cuerpous, 3007, *asthme ou pneumonie*
cuivert, 5992, *infâme*

daintié, 4362, *mets délicat*
dangier, 458, *résistance*
dart, 461, *flèche,* 1519, *dard*
deablie, 2989, *diablerie*
deboissier, 5363, *sculpter*
debonaire, 358, deboneire, 5208, *bienveillant*
deboneiremant, 387, *avec bienveillance*
decevoir, 548, *tromper*
decoler, 1347, *décapiter*
deduire, 3391, se –, 1637, *prendre plaisir*
deduit, 1638, *plaisir,* 5557, *plur., agréments,* 3188, avoir son –, *avoir des rela-tions sexuelles*
degeter (se), 883, *se démener*
degré, 306, *perron*
delié, 1155, *délicat*
delit, 1536, *délice, plaisir*
delitable, 5618, *délicieux*
delitier (se), 1631, *prendre du plaisir, se délecter*
delivre, 815, *agile,* 1942, *libre,* 2150, a –, *absolument,* 5887, tot a –, *en toute liberté.*
demainne, 875, *ind. prés. 3 de* demener, *se livrer à,* 2594, *se conduire,* 3345, *agiter.*
demainne, 4269, *adj., propre, personnel*
demanter (se), 617, *se lamenter*
demorance, 3226, *délai, retard*
demore, 2228, *délai*
departir, 719, *enlever,* 1224, *distribuer,* 1722, *répartir,* 1784, *disperser,* 4928, *séparer les combattants,* 174, se – de, *se séparer de*
depecier, 5787, *mettre en pièces*
deport, 236, *allégresse*
deputaire, 5774, *ignoble*
deronpre, 1784, *p. passé* derote, 1789, *mettre en déroute,* 4930, *briser*
desaencrer, 255, *lever l'ancre*
desaerdre, 5186, *détacher*
desafublé, 317, desfublé, 334, *sans manteau*

desbareté, 4870, *mis hors de combat*
deschevaler, 1329, *renverser de cheval*
desconbrer, 2866, *se vider de ses occupa*nts
desconforter (se), 3513, *se désoler*, 2071, faire –, *causer du chagrin*
description, 2744, *portrait, description*
desdire, 3972, *refuser*
deservir, 4464, *prés. 3* desert, *mériter*
desfansse, 3994, *capacité de se défendre, plur.*, 1846, *créneaux*
desfigurer (se), 4871, *se déguiser*
desfuee, 6128, *subj. 3* de desfoïr, *déterrer*
deshait, 3690, *chagrin, douleur*
desheitié, 5460, *malade, souffrant*
desheitier (se), 5728, *souffrir*
desloer, 3035, *déconseiller*
desmaillier, 3780, *briser les mailles*
desmant, 1908, *prés. 3 de* desmantir (se), *se briser*
despandre, 190, *dépenser, distribuer*
desparoil, 4587, *différent*
despit, 2066, *désagrément*
despit, *adj.*, 6222, *méprisable*
desreé, 4644, *turbulent, farouche*
desreien, 2018, *dernier*
desreer (se), 4651, *se précipiter*
desresnier, 584, *réclamer*
desroi, 333, *violence, outrecuidance*
desroter (se), 3412, *se disperser*, 4650, *se détacher*
desserrer, 5596, *ouvrir la serrure*
desserte, 1835, *ce que l'on mérite, récompense*
desservir, 2049, *prés. 3* desert, 4464, *mériter*
dessevrer (se), 3881, *se séparer, inff subst.*, 4368, *la séparation*
desteler, 6448, *se détacher*
destor, 5537, *lieu écarté*
destorber, 2409, *détourner, empêcher*
destraindre, 881, *tourmenter*
destranprer, 3234, *brasser, mélanger*
destroit, 2971, *tourmenté*, 5819, *cruel*
ddsveier, 519, *égarer, dévoyer*, 3522, *induire en erreur*, se –, 2620, *s'égarer*, 4724, *s'écarter*
desver, 1001, 5809, *perdre la raison*
detenir, 76, *retenir, empêcher*
detranchier, 1927, *tailler en pièces*
detret, 1440, *écartelé*
devier, 4298, *mourir*

devise, 780, *séparation*, 1316, *quartiers du blason*, 4488, *partage*, 1421, a sa –, *à sa disposition*, 3932, par tel – que, *à condition que*, a devise, 4660, *entièrement*

deviser, 1165, *distinguer*, 1468, *donner en partage*, 1609, *expliquer*, 6650, *désirer*

doloir, 510, *prés. 1* duel, *prés. 3* dialt, se –, 540, *souffrir.*

dongier, 3334, *résistance*

dotance, 2254, *doute*, 6766, *peur,* sanz –, 169, *sans doute*

doter, 72, *redouter*

droiturier, 569, *légitime*, 2529, *juste*

dromont, 6679, *navire de transport*

druguemant, 3941, *interprète*

duel, 225, *souffrance, deuil*

duire, 6399, *p. passé* duit, 6387, *disposer*

empleidier, 658, *plaider sa cause*

enarmes, 4012, *courroies par lesquelles on passe le bras pour tenir l'écu pendant le combat*

encuser, 6613, *accuser*

endemantiers, 4581, *entretemps*

endormie, 5228, *somnifère*

eneslepas, 1358, *aussitôt*

enfance, 226, *v.* anfance

engignier, 6596, *v.* angingnier

engin, 2006, *ruse*

engrés de, 4670, *impatient de. Cf.* angrés

engresseté, 2627, *harcèlement*

enhatine, 4954, *solitaire*

enorter, 1959, *exhorter*

enpoint, 4780, *v.* anpaindre

enrievre, 4529, *méchant*

entancïon, 5697, *v.* antencion

entrait, 6279, *baume*

enublé, 2736, *assombri, nuageux*

envaïr, 1777, *attaquer*

esbanoier, 1268, s'–, 2981, *se distraire*

esboli, 6499, *bouleversé*

eschargaite, 1705, *garde, sentinelle*

eschargaitier, 1706, *garder, surveiller*

escharnir, eschernir, 2964, 3524, *duper, tromper*

eschevir, 2561, 3166, *faire prêter serment*

esciant (a), 822, *à dessein*

esclicier, 1907, *voler en éclats*

escoble, 4381, *escoufle, sorte de milan*
escondire, 4211, *refuser*
escorgiee, 3785, *fouet*
escot, 1982, *écot, prix*
escremie, 2771, *escrime*
escrois, 1520, *fracas*
esfort, 6648, *troupes, armée*
esfreor, 3952, *frayeur*
esgaré, 920, 1785, *perdu, éperdu*
esgener, 620, *endommager, blesser*
esgeüné, 3737, *à jeun*
eslai (d'un), 4915, a un esleis, 6016, *d'un seul élan*
esleisié, 5570, *étendu, élargi*
esle(i)ssier (s'), 1316, *se précipiter*
esligier, 802, *estimer*
eslite, 4261, *choix*
eslochier, 1909, *ébranler, disloquer*
esloissier, 4922, *se briser*
esmai, 272, *inquiétude, frayeur*
esmaier, 689, *effrayer,* s'–, 661, *s'effrayer*
esmolu, 3760, *aiguisé*, 340, *habile*
esmovoir, 1096, *mettre en mouvement, émouvoir,* s'–, 1236, *se mettre en route*
esneslore, 5391, *sur l'heure*
espanois, 4818, *espagnol*
esparree, 2035, *coup d'esparre (grosse pièce de bois)*
espece, 4357, *épice*
espie, 3362, *espion*
espirer, 1774, *expirer, rendre l'âme*
esploit (a), 2002, *à vive allure*
esploitier, 1717, *se hâter*, 5942, *arriver à un résultat*, bien –, 96, *réussir*
espondre, 4391, *interpréter*
esprandre, 4056, *s'enflammer*
esquarteler, 4848, *mettre en quartiers*
essai, 4230, *pierre de touche*
essarter, 1783, *faucher, massacrer*
essil, 5212, *exil*, 1080, metre an –, *détruire*
essoine, 6270, *empêchement*
essorer, 6422, *lâcher (un oiseau)*
estache, 2014, *poteau*, 4642, *soutien*
estapé, 5306, *insensé*
estaucier, 1926, *tailler*
estoier, 4375, *garder, cacher*
estoper, 1956, *boucher*, 5314, *fermer*

estor, 1306, *assaut*
estordre, 5305, *échapper à*
estout, 1282, *orgueilleux*
estoutemant, 3462, *avec insolence*
estraier, 3501, *errer çà et là, p. passé*, 1346, *abandonné*
estraindre, estreindre, 1312, *resserrer les sangles de*, 3560, *serrer*
estrainne (faire), 1299, *faire un cadeau*
estrange, estrenge, 150, 4509, *étranger*
estrangier, estrengier (s'), 1030, *se tenir à l'écart*, 4340, estrangié, *disparu*
estres, 2869, *galeries des étages*
estriver, 2894, *faire des efforts pour*
estuet, *prés. 3* de estovoir, 463, *il faut*
eür, 2000, *hasard, aventure*

faconde, 2444, *éloquence*
faindre (se), 2019, 5421, *faire semblant, jouer la comédie*
faintié, 4361, *feinte*
faire a, 2423, *faire que*, 3022, *agir en*
fais, 161, *poids*
fameilleus, 3737, *affamé*
fantosme, 4734, *fantôme, apparition fantastique*
fautre (lance sor), 3526, *pièce de feutre sur l'arçon qui sert de point d'appui à
    la lance au moment de l'attaque*
favarge, 4061, *forge*
feintise, 4045, *feinte*
feitice, 3578, *bien faite*
feiture, 1610, *confection*
felenie, 752, *félonie, cruauté*
felon, 671, *cruel*
feon, 3684, *petit d'un animal*
fereïz, 1332, *bruit des armes, combat*
fermail, 843, *broche, agrafe d'un vêtement*
fermer, 1241, *fortifier*
fes, 3977, *fardeau*
fesnier, 2996, *fasciner, ensorceler*
fevre, 4060, *forgeron*
fierce, 2356, *reine (au jeu d'échecs)*
fisicien, 5799, *médecin*
flair, 3278, *odeur*
flatir, 4918, *heurter*
foiee, 6297, *fois*
fonde, 1521, *fronde*
force, 5918, *ciseaux*

forclore, *p.p.* forclos, 1989, *contraindre de rester dehors*
forfeire, 501, *mal agir*, 1992, *nuire*
forsens, 5115, forsan, 6550, *démence*
forssener, 3903, *perdre la raison*
fortrere, 5075, *enlever*
fraindre, 6011, *p.p.* fret, fraiz, fraite, 1304, 1916, 4933, *briser*
franc, 379, *noble*, 5482, *libre*
franchir, 4403, *accorder*, 5379, *affranchir*
franchise, 2218, *noblesse, courtoisie*, 5485, *liberté*
fret, 1304, *p. passé de* fraindre, *briser*
frois (a un), 1317, *d'un élan*
froissier, 1898, *briser*
fuer (a nul), 711, *en aucune façon*
fuerre, 3760, *fourreau de l'épée*
funs, 604, *fumée*

gaber, 1854, *se moquer de, tromper*
gal, 1725, *bois, forêt*
galerne, 1679, *vent du nord-ouest, direction nord-ouest*
galie, 6679, *vaisseau, galère*
ganchir, 4404, *échapper*
gap, 6255, *plaisanterie*
garçon, *CS* garz, 1326, 3464, *serviteur de rang inférieur, terme d'insulte*
garçonier, 3143, *débauché*
garir, *tr.*, 3002, *guérir, intr.*, 1672, *être guéri*
garison, 1669, *guérison*, 193, *sécurité*
gent, 321, *noble, beau*
gentillesce, 204, *noblesse*
glais, 4916, *aboiements*
glatir, 4917, *aboyer*
gloton, 1759, *canaille*
golee, 5778, *bouchée*
graillier, 5999, *griller*
gresle, 1472, *trompette*
gresli, 5995, *grillé*
grevain, 646, *grave*, 5491, *difficile*
greve, 781, *raie au milieu des cheveux*
grever, *subj. 3* griet, 92, 480, *nuire à, faire souffrir*
greveus, 2268, *pénible, douloureux*
grief, 195, *difficile*
gripon, 3837, *griffon*
gris, 142, *fourrure du dos du petit-gris. Cf* veir
groing, 2329, *grimace*

guehaing, gahaing, 3385, 6120, *gain*
guerpir, 3546, *lâcher,* 4155, *céder, renoncer à*
guerredon, 1450, *récompense*
gueule, 1956, *entrée*
guile, 4712, *ruse*

hardemant, 1579, *hardiesse,* 1817, *exploit*
haubert, 1761, *cotte de mailles*
heitié, 186, *joyeux,* 5923, *en bonne santé*
heitier, *impers.,* 375, *convenir*
herbergier, 1262, *couvrir (une surface) de logements destinés à l'armée*
hiaume, 117, *casque*
huivre, 3683, *guivre*

igaument, 532, *également*
irais, 860, *prés. 1* de irestre (s'), *se mettre en colère*
irieemant, 4106, *furieusement*
isnel, 3672, *rapide*
isnelemant, 1319, *rapidement*
issir, 37, *sortir*
itropique, 3005, *hydropisie*

jai, 4422, *geai*
jame, 6030, *jambe*
jaude, 1973, *troupe à pied*
jeingleor, 4422, *trompeur, hypocrite*
joïr, *intr.,* 4540, *se réjouir, tr.,* 5042, *faire fête à*
jornel (au desreien), 2018, *au dernier jour, aux abois*
joveneté, 2860, *jeunesse*
juevre, 2843, *jeune*
juingnet, 1248, *juillet*
jusarme, 1978, *guisarme, arme composée d'une hampe où s'emmanche un fer
      avec une pointe d'un côté et un tranchant recourbé de l'autre*
justise, 1422, *pouvoir du seigneur*
justisier, 114, *avoir en son pouvoir, gouverner*

koke, 778, *voir* coce

lacier, 3786, *enserrer en ses liens*
lai, 4052, *composition musicale ou récit court avec accompagnement musical*
leesce, 4187, *liesse*
leidangier, 3472, *insulter*
lerres, 5894, *larron*

le(i)tuaire, 6275, 6280, *électuaire, onguent*
lez a lez, 1554, *côte à côte*, 6420, *tout près*
lice, 1251, *barrière*
lié, 103, *joyeux*
lieemant, 3370, *joyeusement*
lobe, 4443, *flatterie*
lober, 4553, *flatter*
loberre, 4549, *flatteur*
loer, 227, *conseiller*
loier, 660, *paiement, récompense*
loisir, *prés. 3* loist, 167, *subj. 3* loise, 3719, *prét. 3* lut, 1259, *subj. impft* leüst, 4944, *impers., avoir le loisir de*
los, 87, *gloire, renommée*
losange, 149, losenge, 4443, *flatterie, tromperie*
losangier, losengier, 1029, *cajoler, flatter*, 3262, *régaler*, 5009, *chanter les louanges de*
losengier, 4549, *flatteur*
luiserne, 734, *lumière*
luminaire, 6149, *lumière*
luz, 3838, *brochet*

machet, 6414, *oiseau (voir la note)*
maigle, 3834, *pioche*
maissele, 1372, *joue*
malage, 3021, *maladie*
malaventure, 6004, *malheur, mauvais traitement*
maleürté, 3732, *malheur, infortune*
malmetre, *p.p.* malmis, 2116, *mettre à mal*
mandre(s), *CS de* menor, 606, *moindre*, 58, *cadet*
mar, *adv.,* + *passé, pour son malheur*, 4437, + *futur*, 3009, = *impér. négatif, défense*
marier *tr.*, 3120, *prendre en mariage, épouser*
marine, 263, *mer*
marinier, 243, *marin*
martire, 1432, *supplice, tourment*
masse (a), 2818, 6432, *ensemble*
mat, 4429, *triste, abattu*
mautalant, 1069, *colère*
mecine, 648, *remède*
meciner, 652, *soigner, guérir*
mehaing, 3386, *dommage*, 3589, *blessure*
mehaingnier, 5902, *blesser*
memelle, 6116, *sein*

menoir, 4446, *manoir*
merir, 1320, *payer de retour*
meseise, 3055, *malaise*
mescheance, 3799, *infortune*
mescheant, 4181, *infortuné*
mesconter, 5840, *voler par tromperie*
mescreant, 5504, *soupçonneux*
mesniee, 4628, *maison, suite*
mesprandre, 753, *commettre une faute*, 2086, *faire erreur*
mesprison, 1698, *faute, méfait*
message, 2383, *messager*
mestier (avoir), 529, *avoir besoin de, être nécessaire*
mestre, 684, *maître*, 2984, *nourrice*, 5362, *maître d'œuvre, artisan*
mire, 657, *médecin*
mivoie, 4021, *milieu du chemin*
moe (feire la moe), 4534, *faire la grimace*
mon, 5857, *certainement*
monde, 2618, *pur*
mont, 77, *monde*
mont (an un), 3480, *en un tas*
monteplier, 4326, *se multiplier*
more, 4648, *mûre*
mu, 1857, *muet*
muance, 7, *métamorphose*, 1593, *changement*
mue (en), 6304, *réduit où l'on enferme un oiseau de chasse pendant la mue*
muer, 5110, *changer*

naïs, 2446, *natif, originaire*
navie, 6666, *flotte*
navrer, 692, *blesser*
nigromance, 2986, *magie*
noier, 2982, *nier*
nois, 845, *neige*
noise, 1101, *bruit, tumulte*, faire – 5458, *importuner*
noisier, 5462, *faire du bruit*

oblier (s'), 1756, *être négligent*
ocision, 1661, *massacre*
oelle, 6097, *subj. 3 de* oloir, soef –, *avoir une douce odeur*
oés (a), 3593, *à l'usage de, pour*
oignemant, 6275, *onguent*
oir, 5379, *héritier*
oiseuse, 1021, *sottise*

oitovre, 1053, *octobre*
olifant, 4013, *éléphant*
oltrage, 2854, *insolence, impudence*
oltreemant, 4964, *entièrement, amplement*
oltrer, 4943, *outrer*, 4740, *vaincre*, – sa foi, *violer, manquer à*
ongier, 4545, *fréquenter*
orinal, 5716, *urinal*
orine, 3008, *urine*
ostoier, 6683, *faire la guerre*
ostor, 6304, *autour*
ouan, 4738, *cette année*
ousure, 4068, *intérêt*
ovrier, 1918, *ouvrier, artisan*

pandant, 2028, *monticule, hauteur*
parclose (a la), 1921, *à la fin*
parçonier, 3144, *bénéficiaire*
pardons (an), 4452, *gratuitement*, 5304, *sans dommage*
paveillon, 1263, *tente*
peçoier, 3483, *se briser*
peitral, 4923, *pièce du harnais du cheval, poitrail*
penon, 778, *plume de la flèche*
perriere, 1246, *machine à lancer des pierres, catapulte*
pers, 738, *bleu foncé*, 5705, *livide*
pesance, 3800, *chagrin*
plaier, 1341, *blesser*
plain 1, 1322, *entier*
plain 2, 5582, *plat, lisse*, tot de –, 4939, *à l'évidence*
planté (a grant), 108, *en abondance*
plenier, 1266, *entier*, 3504, *violent*, 5023, *abondant*
plet, 896, *discussion*, 2532, *accord*, metre an –, 4468, *accuser*, 6478, *interroger*,
    par nul –, 5862, *en quelque façon*
plevir, 117, *assurer*, 2562, *prêter serment*, 3161, *promettre en mariage*
poiche, 850, *ind. prés. 3 de* pechier, an moi ne –, *ce n'est pas ma faute*
poindre, 2183, *piquer des éperons*, 3746, *charge à cheval*
point, 1316, *p. p. de* poindre, *peindre*
pointure, 4015, *peinture*
poison, 648, *potion*
porloignier, 90, *retarder*
porpans, porpens, 2722, *réflexion*, estre en – de, *réfléchir à*
porpanser (se) de, 1816, *réfléchir à, imaginer*
porprandre, 1488, *occuper*
port, 6688, *passage*

portraire, 834, *décrire*, 5366, *réaliser (une œuvre d'art)*
posterne, 1680, *porte dérobée*
pous, 3008, *pouls*
praiax, 6393, *CS de* praiel, *jardin*
pree, 1262, *prairie*
presse, 6017, *foule*
preu, *subst.*, 640, *CS* proz, 900, *profit, avantage, adj.*, 14, *valeureux*, 5246, *de valeur*
prime, 304, *première heure de la journée (vers 6 h)*
primes, *adv.*, 616, *en premier, d'abord*
pris, 87, *réputation*, 416, *valeur*, 1343, *victoire*
prisier, 483, *estimer*, 1140, *évaluer*, 2190, *complimenter*, se –, 3347, *se vanter*
prison, 1419, *prisonnier*, 4783, fiancier –, *se reconnaître prisonnier*
privé, 383, *ami intime, familier*
priveemant, 5473, *en secret*
prodome, 201, *homme de valeur*
prover, 2828, *prés. 1* pruis, *prés. 3* prueve, *prouver*, se – , 214, *se comporter*
puepleié, 2960, *p. p.* de puepleier, *répandu*
pui, 263, *hauteur*

quainses que, 4537, *comme si*
quarrel, 1519, *carreau d'arbalète*
queudre, 1158, *inff. subst., couture*
queuz, 4236, *pierre de touche*
quinancie, 3007, *esquinancie, inflammation de la gorge*
quintainne, 1300, *mannequin servant de cible pour s'exercer à la lance*
quitemant, 2801, *entièrement, sans réserve*
quoi, 3829, *silencieux. Cf. coi*

raim, rain, 6387, *branche, rameau*
ramantevoir, 3882, *rappeler*, 4867, *se rappeler*
randon (de), 1729, *violemment*
raviser, 779, *examiner*
real (li), 1733, *les hommes du roi*
recet, 1938, *refuge, abri*
receter, 6527, *donner asile à*
reclaim, 495, *cri par lequel on rappelle un oiseau de chasse*
reclamer, 494, *rappeler un oiseau de chasse*
reclus, 6380, *lieu clos, réclusion*
reconter, 46, *raconter*
recorder, 974, *rappeler*, 4163, *déclarer*
recovrier, 1917, *remède*
recroire, 3349, *être fatigué*, 4135, *s'arrêter*, se – de, 2610, *renoncer a, cesser de,*

p. présent recreant, 3459, *lâche, indigne, p. passé,* recreü, 4172, *à bout de forces*

redot, 2334, *crainte*

reduit, 5558, *cachette*

regehir, 4147, *avouer*

reison, 2261, *discours,* (metre a –), 1380, *adresser la parole à*

reïst, 824, *subj. impft 3 de rire*

remanbrance, 3872, *souvenir, mémoire*

remanbrer, 582, *se souvenir de,* 3128, *rappeler*

remenance, 1337, *lieu de séjour*

remenoir, 287, *rester,* 2194, *cesser, passé 6* remestrent, 308, *p. p.,* remese, 43, remenant, 803, *reste*

remirer, 812, *contempler,* se –, 735, *se mirer*

renoié, 2388, *renégat*

rentier, 3136, *bénéficiaire*

reoignier, 1926, *mutiler*

reoncler, 3894, *faire souffrir en suppurant (à propos d'une plaie)*

repeire, *repaire,* 4729, *demeure,* 2662, *retour*

repeirier, 1653, *revenir*

repondre, *p. p.* repost, 2879, *dérober,* 4605, *cacher,* 4801,

repost, 2879, *dérober,* an repost, 4858, *en secret*

repost (an), *à la dérobée*

reprandre, 1037, *germer*

requerre, 141, *demander,* 491, *solliciter d'amour,* 1777, *attaquer*

requialt, 708, *prés. 3 de* recoillir, *recevoir*

rescoent, 3588, *prés. 6 de* rescorre, *venir au secours de*

resconser, 4859, *se coucher (à propos du soleil)*

resnable, 2529, *raisonnable*

res(s)oi(n)gnier, 3327, 3373, *craindre*

respasser, 3029, *tr., guérir,* 5735, *intr., retrouver la santé,* 5743, *inff. subst., guérison*

respitier, 6221, *accorder un délai,* 6692, *retarder*

respondeor, 2855, *porteur d'une réponse*

re(s)ter, 752, 1356, *accuser*

retraire, retreire, 694, *retirer,* 833, *raconter*

reüser, 1322, *reculer*

reverchier, 5562, *fouiller partout*

riviere, 1258, *rive*

robeör, 4379, *voleur*

roilleïz, 1249, *palissade de troncs d'arbre*

romans, romanz, 13, *la langue vulgaire (par opposition au latin),* 23, *récit en français*

rote, 1790, *file,* 3852, *suite d'un seigneur*

rover, 219, *demander*
roz, 862, p. p. de ronpre, *rompu*
ruier, 1891, *précipiter, renverser*

sablon, 237, *plage de sable*
sachier, 3761, *tirer*
saiete, 1522, *flèche*
saillir, 1711, *bondir*
saintuaire, 1195, *relique*, 6076, *reliquaire*
salvemant, 3615, *en sécurité*
salveté, 3355, *sécurité*
san, sans, sens, 680, *bon sens*, 715, *perception*, 2721, *intelligence*
sanblance, 2828, *comparaison*
sanblant, 329, *apparence*
saume, 5794, *psaume*
seeler, 6140, *sceller*
seignier, 3311, *inff subst.*, se –, 4726, *faire le signe de croix*
seignorage, 2462, *droit du seigneur*
seisine, 1352, *possession*
seisir, 182, *prendre, se saisir de*, 2216, *prendre possession de*
sejorné, 4900, *frais, reposé*
semondre, 2504, *engager à*, 6676, *convoquer*
sené, 3622, *de bon sens*
sergent, 760, *serviteur*, 1453, *homme d'armes non noble*
seü, 4763, *sureau*
sevrer, 5441, *séparer*
sialt, *voir* soloir
siudre, 4497, *prés.* 3 siust, 2895, sit, 3653 siut, 4190 silt, *suivre*
soatume, 3086, *douceur, suavité*
soef, *CS* soés, 244, *doux, tranquille*, soef, *adv.*, 3668, *doucement*
soille, *voir* soudre
solacier (se), 1631, *se consoler*
soloir, *prés.* 3, sialt, 2980, *prés.* 6, suelent, 2820, *avoir coutume de*
some, 34, *l'essentiel, la quintessence*
some, 162, *fardeau*
sople, 3716, *abattu, humble*
sor, 790, *blond*
soreplus, 1191, *reste, surplus.*
sororer, 980, *dorer*
sorprandre, 2585, *s'emparer de*
sorquerre, *subj.* 3 sorquiere, 2530, *être trop exigeant envers*
sostain, 5546, *solitaire*
soste (a), 5078, *en argent comptant*

souchier, 1242, *concevoir*
soudre, *prés. 3* solt, 5076, *subj. 3*, soille, 4849, *payer*
souspite, 3284, *soupçon*
soutil, 1055, *fin*
suel, 2273, *seuil*

talant, 1070, désir, volonté, avoir – de, 1278, *avoir envie de*
tancier, 253, rivaliser, – a, 524, *se disputer avec*
tançon, 879, *conflit, querelle*
targe, 1779, *bouclier*
tenpesté (estre), 2394, *faire naufrage*
termine, 422, *moment*
tire (a), 5809, *successivement*
toaille, 5014, *serviette*
tolir, *prés. 3* tost, 3714, *subj 3*, toille, 4850, *enlever*
tor (arbaleste a), 6517, *arbalète à cric*
torbe, 2410, *foule*
torneïz (pont), 1250, *pont levis*
toste, 5077, *vol, enlèvement*
traïner, *faire traîner par quatre chevaux, écarteler*
traire (mal), 6150, *souffrir*
tranprer, 3231, *mélanger*
trape, 6454, *piège*
travail, 168, *effort*, 4560, *tourment*
travaillier, traveillier, 3788, *tourmenter, torturer, intr.*, 885, *souffrir,* se –, 645,
    faire des efforts
tref, 1114, *tente*
trespanssé, 4035, *inquiet*
trespas, 3367, *passage*
trespasser, 837, *omettre*, 2273, *passer, franchir*, 3156, *transgresser*
tressuer, 462, *avoir des sueurs*
trestorner, 5912, *faire obstacle à*
tribol, 1073, *souci, dommage*
trive, 1764, *trêve*
tronpe, 3784, *toupie*
turtre, 3832, *espèce de poisson, truite*

vain, 281, *épuisé, faible*
vantence, 4883, *louange*
vanter, 6522, *disperser au vent*
vasal, *CS* vasax, 3474, *adresse de défi*
vaslet, 9, *jeune homme*
vasselage, 2369, *vaillance*

veer, 4222, *interdire*
veir, 142, *fourrure du ventre du petit-gris.* Cf *gris*
veiron, 3838, *vairon*
vergoigne, 4183, *honte*
vergondeus, 4179, *honteux*
verrine, 725, *verrière*
verve, 4556, *proverbe*
vice, 1818, *ruse*
viez, 3614, *vieux*
vil, *CS* vix, 1786, *vil*
vilener, 3134, *s'avilir*
viltence, 6624, *déshonneur*
vis 1, 817, *visage*
vis 2, 2225, *CR* vif, *vivant*
vis 3, 1050, ce m'est –, *il me semble*
vitaille, 1223, *vivres*
viz, 5599, *escalier à vis*
volanté, 513, *désir*, 538, *sentiment*
voloir, *inff subst.*, *volonté*, sor son –, 2212, *contre son gré*
voste, 5621, *salle voûtée*
vostiz, 5600, *voûté*
vuel (mon), 923, *volontiers*

INDEX DES NOMS PROPRES

(On trouvera ci-dessous la première occurrence des noms propres)

DAMEDEU, 268, *le Seigneur Dieu*
DEU, DEX, 123, *Dieu*
DOVRE, 1054, *Douvres, port d'Angleterre (Kent)*
DUNOE, 3378, *le Danube*

ECIOCLÉS, 2522, *Etéocle, fils d'Œdipe*
EINGLOIS, 2592, *Anglais*
E(I)NGLETERRE, 16, *l'Angleterre*
ELAINNE, 5284, *Hélène de Troie*
EREC, 1, *héros d'« Erec et Enide »*
ENIDE, 1, *héroïne d'« Erec et Enide »*
ESCOCE, 1477, *l'Ecosse*
ESCOZ, 2412, *Ecossais*
ESPAIGNE, 6688, *l'Espagne*
ESPERIZ (SAINZ), 5642, *le Saint Esprit*

FENICE, 3769, FENYCE, 2707, *Fénice*
FEROLIN DE SALENIQUE, 1285, *compagnon d'Alexandre*
FLANDRES, 6686, *la Flandre*
FRANCE, 35, *la France*
FRANCHEGEL, 1287, *compagnon d'Alexandre*
FRANÇOIS, 4974, *Français*

GALINGUEFORT, 4563, *Wallingford, sur la Tamise, entre Oxford et Reading*
GALLES, 1457, *le pays de Galles*
GALOIS, 1808, *Gallois*
GAUVAIN, 394, *neveu du roi Arthur, oncle de Cligès*
GRECE, 9, *la Grèce*
GRÉ, 305, GRES, 4196, GREU, 1338, GREX, 2686, GREZOIS, 41, *Grecs*
GRIFONIE, 5100, *la Grèce*
GUENELON, 107, *Ganelon, traître de la « Chanson de Roland »*
GUINCESTRE, 291, *Winchester, ville d'Angleterre*
GUINESORES, 431, *Windsor, ville d'Angleterre*

HANTONE, 273, *Southampton, ville d'Angleterre*

ISOLZ, *voir Ysolt*

JEHAN, 5367, JOHAN, 5475, *Jean, serviteur de Cligès*

LANCELOT DEL LAC, 4749, *Lancelot du Lac, chevalier du roi Arthur*
LERÏOLIS, 2080, *compagnon d'Alexandre. Cf.* NERÏOLIS
LICORIDÉS L'ESTOUT, 1282, *Licoridès l'Orgueilleux, compagnon d'Alexandre*

ANNEXE

LE ROMAN DE MARQUES DE ROME

Cligès et Phénice

«Dame, dist li empereres, quel tort fist Cligés a son oncle de sa feme? Dites le nos!
– Sire, dist ele, volentiers.
'Il ot .I. empereor en Costantinoble, qui ot .I. neveu qui avoit non Cligés; et tant que li empereres prist feme bele et gente et avenant; et tant que Cligés ama la feme son oncle et ele lui, ne onques n'i esgarderent reson ne lignaige, ainz fesoit sa volenté li uns de l'autre. Encore ne lor fu pas avis que ce fust asez, s'ils n'estoient ensemble jor et nuit; si s'apenserent d'une grant merveille, que la feme se fist morte; et por ce que l'en dotoit que ele ne se fainsist, fist li empereres fondre plonc et verser li es paumes; mes onques de ce ne fist semblant la dame que ele fust se morte non. A tant la porta l'en enfoïr. Or li ot fet fere Cligés .I. tel sarqueuil que ele i pooit avoir s'alaine tot a delivre, ne la tere n'avoit pooir de li compresser. Einsi fu la dame trusqu'à la nuit. Or ot dit Cligés son covine a .I. sien ami, en cui il se fiot. Mout avoit cil amis bele meson hors de Costantinoble et mout i avoit bel vergier entor et bien clos; et quant ce vint a la nuit oscure, Cligés et cil qui ses amis estoit, vindrent a la fosse ou la dame estoit enfoïe, et la desfoïrent et l'en menerent en cele meson, qui dehors Constantinoble estoit. Et fu la dame ainsi chies l'ami Cligés mout lonc tens et avoit laienz Cligés son aler et son venir.'

Ore, sire empereres, dist l'empereriz, Cligés servi il bien son oncle, quant il fist tel tort de sa feme?

– Certes, dist li empereres, neni, ainz li fist tort en .II. manieres, quar cil estoit ses sires et ses oncles.[1]»

---

[1] *Le Roman de Marques de Rome*, éd. J. Alton, Tübingen, 1889, p. 135.

TABLE DES MATIÈRES

Dans la collection (suite) *Champion Classiques*

Série « Moyen Âge »
Éditions bilingues

Dans la collection *Champion Classiques*

Série « Littératures »

Dans la collection *Champion Classiques*

Série « Essais »

456-872 : Amour debate.

896-1049 : 2nd debate.

1380-1412 : 3rd debate.

1556-1638 : la chemise.

2222-2333 : la volonté de la Reine.

*Achevé d'imprimer en 2006
sur les presses des Éditions Slatkine
à Genève–Suisse*